Aspekte|neu
Mittelstufe Deutsch

Lehr- und Arbeitsbuch 2, Teil 1

von
Ute Koithan
Helen Schmitz
Tanja Sieber
Ralf Sonntag

Filmseiten von Ralf-Peter Lösche und Ulrike Moritz

Klett-Langenscheidt
München

Von: Ute Koithan, Helen Schmitz, Tanja Sieber, Ralf Sonntag
Filmseiten von: Ralf-Peter Lösche und Ulrike Moritz

Redaktion: Annerose Remus und Cornelia Rademacher
Layout: Andrea Pfeifer
Zeichnungen: Daniela Kohl
Umschlaggestaltung: Studio Schübel, München (Foto Rose: studioschübel.de; Foto Kirchenfenster:
                    Beverley Grace – Fotolia.com)
Schnitt und Programmierung: Florian Baer, Plan 1, München

Verlag und Autoren danken Harald Bluhm, Ulrike Moritz und Margret Rodi für die Begutachtung sowie allen
Kolleginnen und Kollegen, die Aspekte | neu erprobt und mit wertvollen Anregungen zur Entwicklung des
Lehrwerks beigetragen haben.

Symbole in Aspekte | neu

 Hören Sie auf der CD 1 zum Lehrbuch
Track 2.

 Hören Sie auf der CD zum Arbeitsbuch
Track 2.

▶ Ü 1 Hierzu gibt es eine Übung im gleichen
Modul im Arbeitsbuch.

 Rechercheaufgabe

 Zu dieser Übung finden Sie die Lösung
im Anhang.

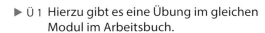

Aspekte | neu 2 – Materialien	
Lehrbuch mit DVD	605024
Lehrbuch	605025
Audio-CDs zum Lehrbuch	605029
Arbeitsbuch mit Audio-CD	605026
Lehr- und Arbeitsbuch 2 mit Audio-CD, Teil 1	605027
Lehr- und Arbeitsbuch 2 mit Audio-CD, Teil 2	605028
Lehrerhandbuch mit digitaler Medien-DVD-ROM	605030
Intensivtrainer	605031

www.aspekte.biz
www.klett-sprachen.de/aspekte-neu

Die Audio-CD zum Arbeitsbuch finden Sie als mp3-Download unter www.aspekte.biz im Bereich „Medien".
Der Zugangscode lautet: aS1k&W7

In einigen Ländern ist es nicht erlaubt, in das Lehrbuch hineinzuschreiben. Wir weisen darauf hin, dass die in den
Arbeitsanweisungen formulierten Schreibaufforderungen immer auch im separaten Schulheft erledigt werden
können.

1. Auflage   1 ⁵ ⁴ ³ ² ¹ | 2017 2016 2015

© Klett-Langenscheidt GmbH, München, 2015

Satz und Repro: Satzkasten, Stuttgart
Gesamtherstellung: Print Consult GmbH, München

ISBN 978-3-12-605027-2

FSC
www.fsc.org

MIX
Papier aus verantwor-
tungsvollen Quellen
FSC® C084279

Inhalt

Heimat ist … 1

Arbeitsbuchteil

Inhalt

Sprich mit mir! 2

Arbeitsbuchteil

Arbeit ist das halbe Leben? 3

Arbeitsbuchteil

Inhalt

Wer Wissen schafft, macht Wissenschaft $\qquad$ 5

Arbeitsbuchteil

Heimat ist ...

A

B

C

D

E

F

G

1a Sehen Sie die Fotos an. Was haben sie mit dem Begriff „Heimat" zu tun? Sprechen Sie im Kurs.

b Was würden Sie fotografieren, um Ihre Vorstellung von Heimat darzustellen? Notieren Sie drei Fotoideen.

c Stellen Sie Ihre Fotoideen vor und begründen Sie Ihre Auswahl.

Wenn ich Schnee und Berge sehe, denke ich an meine Heimat. Deswegen würde ich den Winter in den Bergen fotografieren.
Wenn ich frisch gebackenen Kuchen rieche, denke ich sofort an meine Kindheit. Aus diesem Grund …

2a Lesen Sie die Zitate. Welches gefällt Ihnen am besten? Warum?

Heimat ist kein Ort, Heimat ist ein Gefühl. (Herbert Grönemeyer)
Heimat ist nicht dort, wo man herkommt, sondern wo man sterben möchte. (Carl Zuckmayer)
Heimat ist da, wo ich verstehe und verstanden werde. (Karl Jaspers)

b Kennen Sie ähnliche Zitate aus Ihrem Land?

3 Welches Gefühl kennen Sie besser: Heimweh oder Fernweh? Erzählen Sie.

Neue Heimat

1 Auswandern. Was macht man in der alten Heimat? Was in der neuen Heimat? Was muss man noch machen? Diskutieren Sie im Kurs.

> Visum beantragen   Wohnung auflösen   neue Kontakte knüpfen   sich von Freunden verabschieden
> Nachmieter finden   Zeugnisse übersetzen lassen   Mietvertrag unterschreiben   Auto verkaufen
> Handyvertrag kündigen   Konto eröffnen   neue Stelle suchen   Arbeitsvertrag unterschreiben
> ...

2a Lesen Sie den Blog und notieren Sie Stichwörter zu den Punkten „Beruf", „neuer Wohnort" und „Grund für den Umzug". Vergleichen Sie dann mit einem Partner / einer Partnerin.

Mein Glück in der neuen Heimat

geschrieben am <u>17. Dezember</u> von <u>Ella Australia</u>
Soll ich das wirklich riskieren? Mein gewohntes Leben aufgeben, den Job kündigen, Familie und Freunde verlassen und in einem anderen Land komplett neu anfangen? Ich habe es <u>gewagt</u>! Ich bin letztes Jahr aus Liebe ziemlich spontan nach Australien ausgewandert.
Eigentlich bin ich gar kein so besonders abenteuerlicher Typ. Aber als ich vor zwei Jahren <u>zufällig</u>
5 diesen netten Typen während meines Urlaubs kennengelernt hatte und mich nicht nur in Australien, sondern auch in David verliebt hatte, <u>beschloss ich</u>, mein Leben komplett zu ändern und auszuwandern. Das war ganz schön aufregend. Ich musste so viel <u>erledigen</u>! Ich musste mich um ein Visum kümmern, meine Zeugnisse übersetzen lassen, meine Wohnung auflösen usw. In meinem Job war ich eigentlich zufrieden und es fiel mir nicht leicht zu kündigen. Auch der
10 Abschied von Freunden und Familie war natürlich traurig. Als ich dann sechs Monate nach dem Urlaub wieder aufgeregt im Flugzeug saß, habe ich mich aber auf mein neues Leben gefreut. Der Anfang in einem neuen Land ist <u>allerdings</u> ganz schön schwierig. Ich kannte niemanden außer David, musste mir eine Arbeit suchen und eine <u>Arbeitserlaubnis</u> zu bekommen, war schwieriger, als ich gedacht hatte. Ich hatte <u>ziemlich großes</u> Heimweh. Leider war die Beziehung mit David
15 auch ziemlich schnell wieder zu Ende. Wir haben uns einfach zu oft gestritten. Aber ich habe nicht aufgegeben und zum Glück irgendwann eine Stelle als Grafikerin in einer großen Agentur gefunden und bei der Wohnungssuche hat mir <u>netterweise</u> ein Bekannter geholfen.
Meine Entscheidung habe ich nie bereut. Ich habe die Erfahrung gemacht, dass man einfach Zeit braucht, um sich in einem fremden Land einzuleben. Es ist aber ein tolles Gefühl, es zu <u>schaffen</u>.
20 So eine Auslandserfahrung <u>erweitert</u> einfach den Horizont. Man lernt die Kultur eines anderen Landes kennen und erfährt dadurch auch viel über sich selbst und die eigene Kultur.
Am Anfang hatte ich <u>trotz</u> vieler Jahre Englischunterricht in der Schule Probleme mit der Sprache, aber mittlerweile ist mein Englisch richtig gut. Außerdem ist das Leben hier wirklich angenehm. Das Wetter, das Meer und die Landschaft sind einfach super. Überraschend war für mich, dass
25 das Leben hier <u>lockerer</u> als in Deutschland ist. Die Leute sind nicht immer so gestresst und ich habe schnell viele neue Freunde gefunden. In Deutschland dauert das ja oft ein bisschen länger ...
Natürlich skype ich auch jetzt noch oft stundenlang mit alten Freunden in Deutschland. Aber es ist besser als am Anfang. Da konnte ich oft an nichts anderes denken und habe täglich mehrere SMS und E-Mails nach Deutschland geschickt, jetzt schreibe ich meinen Eltern einmal pro Woche
30 eine längere E-Mail. Es ist nicht immer einfach, so weit weg zu sein. Und ich warte seit Monaten <u>sehnsüchtig</u> auf den Besuch meiner besten Freundin. Auch wenn ich wirklich gut Englisch spreche, kann ich trotzdem nicht immer ganz genau das ausdrücken, was ich denke oder fühle. Da tut es einfach gut, zwischendurch mal in der eigenen Sprache zu sprechen. 😊

b Welche Erfahrungen empfindet Ella eher als positiv, was eher als negativ? Erstellen Sie eine Tabelle.

3 Waren Sie schon einmal länger im Ausland? Berichten Sie von Ihren Erfahrungen.

Ich habe ähnliche Erfahrungen wie Ella gemacht. Ich war für ein Jahr …

▶ Ü 1

4 Wortstellung im Satz

a Angaben im Mittelfeld. Ordnen Sie den Angaben die richtige Bezeichnung zu und ergänzen Sie die Faustregel.

> **ka**usal (Warum?)   **lo**kal (Wo?/Wohin?/Woher?)   **te**mporal (Wann?)   **mo**dal (Wie?)

G

Angaben im Mittelfeld

Für die Reihenfolge der Angaben im Mittelfeld gibt es keine festen Regeln. Ein Satz nach dieser Faustregel ist aber immer richtig:

		MITTELFELD				
Ich	bin	letztes Jahr	aus Liebe	ziemlich spontan	nach Australien	ausgewandert.
1	2	temporal (Wann?)	*kausal*	*modal*	*lokal*	**Ende**

→ Merkformel: _te_ - _ka_ - _mo_ - _la_

Wenn man eine Angabe besonders betonen möchte, kann man sie auf Position 1 stellen. Dann steht das Subjekt direkt hinter dem Verb. Die Reihenfolge der übrigen Angaben bleibt gleich:
Aus Liebe bin ich letztes Jahr ziemlich spontan nach Australien ausgewandert.

b Ergänzungen und Angaben im Mittelfeld. Markieren Sie die Dativ- und Akkusativergänzungen in den Sätzen. Wo stehen sie? Ergänzen Sie die Regel mit *vor* oder *hinter*.

1. Ein Bekannter hat Ella letztes Jahr netterweise bei der Wohnungssuche geholfen. [+D]
2. Ella hat täglich mehrere SMS und E-Mails nach Deutschland geschickt.
3. Ella schreibt ihren Eltern einmal pro Woche aus Australien eine längere E-Mail.

G

Ergänzungen und Angaben im Mittelfeld

Wenn es Angaben und Ergänzungen gibt, steht die Dativergänzung meistens _vor_ der temporalen

Angabe. Die Akkusativergänzung steht _hinter_ den temporalen, kausalen und modalen Angaben

und _vor_ oder _hinter_ der lokalen Angabe.

▶ Ü 2–5

c Präpositionalergänzungen. Lesen Sie die Sätze und kreuzen Sie an: Wo stehen Präpositionalergänzungen normalerweise?

1. sich verlieben in: Ella hat sich während eines Urlaubs in David verliebt.
2. denken an: Ella hat am Anfang ständig an ihre Freunde in Deutschland gedacht.
3. warten auf: Ella wartet seit Monaten sehnsüchtig auf den Besuch ihrer besten Freundin.

Präpositionalergänzungen stehen normalerweise ☐ am Anfang ☐ am Ende des Mittelfelds.

G

▶ Ü 6

5 Schreiben Sie einen Satz mit Ergänzungen und Angaben auf einen Zettel. Zerschneiden Sie den Satz in Satzglieder, mischen Sie die Zettel und geben Sie sie an einen Partner / eine Partnerin weiter. Er/Sie bringt die einzelnen Zettel wieder in eine korrekte Reihenfolge.

▶ Ü 7

6 Jemand möchte in Ihr Land auswandern. Was sollte er/sie wissen? Notieren Sie wichtige Informationen (Arbeit, Wohnen, Essen, Kontakte …) und präsentieren Sie sie im Kurs.

Ein Land, viele Sprachen

1a Welche Länder kennen Sie, in denen mehrere Sprachen gesprochen werden? Berichten Sie und nennen Sie auch Situationen: Wer spricht wann welche Sprache(n)?

In Belgien gibt es drei offizielle Landessprachen: Niederländisch, Französisch und Deutsch. Daneben werden noch viele andere Sprachen gesprochen …

b Sehen Sie die Schweiz-Karte an. Für welche Sprachen könnten die vier Farben stehen?

Ich vermute, dass Rot für … steht.
Ich glaube, …

c Lesen Sie den Artikel über die vielsprachige Schweiz. Beantworten Sie dann die Fragen.

- Was sind die vier offiziellen Landessprachen in der Schweiz? *Französisch, deutsch, anrisch, italienisch, Rätoromisch*
- Warum war die Schweiz „von Anfang an ein vielsprachiges, multikulturelles Land"?
- Was ist der Unterschied zwischen den Begriffen *Muttersprache* und *Landessprache*?

Unsere Muttersprache – Ein Stück Heimat

Sie gibt uns das Gefühl der <u>Vertrautheit</u> und der Sicherheit. Mit ihr können wir unsere Ge-
5 fühle, aber auch komplexe <u>Sachverhalte</u> am besten ausdrücken. Sie ist Heimat und Teil unserer Identität: unsere
10 Muttersprache. „Muttersprache" – das Wort drückt vieles aus: Unsere Mütter haben uns in dieser Sprache <u>getröstet</u> und uns in den
15 Schlaf gesungen; unsere ersten Worte formulierten wir in dieser Sprache.

20 Die Schweiz war von Anfang an ein vielsprachiges, multikulturelles Land, in dem mehrere Muttersprachen gesprochen werden, denn die Schweiz ist eine „<u>Eidge</u>nossenschaft": Das bedeutet, ein Zusammenschluss von inzwischen 26 <u>Kantonen</u>. Die einzelnen Kantone
25 sind politisch sehr selbstständig und haben z. B. <u>jeweils</u> ein eigenes Parlament und auch unterschiedliche <u>Amts</u>sprachen. Schon im 17. Jahrhundert wurde jemand, der innerhalb der Schweiz reisen wollte oder musste, schnell mit einer anderen Sprache konfrontiert. Die
30 Eliten in der Schweiz des 17. Jahrhunderts sprachen Latein und vor allem Französisch. Die <u>Verwaltungssprache</u> war aber Deutsch. Nachdem sich das Land um französisch- und italienischsprachige Gebiete <u>vergrö</u>ßert hatte, bekamen Französisch und Italienisch die-
35 selbe Bedeutung wie Deutsch und 1848 wurden alle drei Sprachen als offizielle Landessprachen anerkannt. 1938 kam Rätoromanisch als vierte Sprache dazu. Neben diesen vier Sprachen werden dank Migration auch zahlreiche andere Sprachen gesprochen. Man sieht:
40 Die Vielfalt der Sprachen ist in der Schweiz sehr groß und hat eine lange Tradition. Es gehört zum Alltag dazu.

2a Alltag in der Schweiz. Überlegen Sie: Was bedeutet die Vielsprachigkeit für den Alltag? Machen Sie in Gruppen Notizen.

– bei Reisen innerhalb der Schweiz: …
– Landesgesetze: …

b Lesen Sie den zweiten Teil des Artikels. Teilen Sie ihn in vier Abschnitte und geben Sie jedem Abschnitt eine Überschrift. Ergänzen Sie dann Ihre Notizen aus 2a.

Manchmal glauben Nicht-Schweizer fälschlicherweise, dass alle Schweizerinnen und Schweizer vier Sprachen fließend beherrschen. Die meisten Schweizer leben
45 jedoch in ihrem Sprachgebiet und nutzen Medien wie Zeitungen, Radio, Fernsehen usw. in ihrer Muttersprache. In der Schule lernen die Kinder in den französischsprachigen Kantonen als erste Fremdsprache Deutsch. In den deutschsprachigen Kantonen der Zentralschweiz
50 und der Ostschweiz ist Englisch die erste Fremdsprache und in den übrigen Deutschschweizer Kantonen sowie im italienischsprachigen Tessin beginnen die Kinder in der Schule mit Französisch. Im großen Kanton Graubünden ist die erste Fremdsprache je nach Sprachregion
55 Deutsch, Italienisch oder Rätoromanisch. Die Lehrpläne sind also innerhalb der Schweiz nicht einheitlich. Diese Sprachenvielfalt bedeutet auch, dass sämtliche amtlichen Schriften und Bekanntmachungen in allen Landessprachen veröffentlicht werden müssen. Das gilt für
60 Gesetze und Berichte genauso wie für andere Texte, die das ganze Land betreffen: Webseiten, Broschüren, Flyer, Verkehrsschilder und Schilder in öffentlichen Verkehrsmitteln
65 und Gebäuden. Auch die Verpackungen von Lebensmitteln und anderen Alltagsprodukten sind in mehreren Sprachen beschriftet – was bei kleinen
70 Produkten zu Platzproblemen führen kann. In Geschäftsverhandlungen oder bei Konferenzen und Sitzungen mit Leuten aus verschiedenen Sprachgebieten sprechen oft alle in ihrer Muttersprache. Dabei wird vorausgesetzt, dass man die Sprachen
75 der Gesprächspartner versteht. In letzter Zeit kann man hier einen Wandel beobachten: Immer häufiger wird auch bei schweiz-internen Geschäftsbeziehungen das Englische als gemeinsame Sprache verwendet.

c In einer Zeitschrift haben Sie einen Artikel über die Vielsprachigkeit in der Schweiz gelesen und schreiben nun einen Beitrag ins Forum. Vergleichen Sie die Situation in Ihrem Land mit der Situation in der Schweiz. Welche Erfahrungen haben Sie mit Fremdsprachen und Fremdsprachenlernen gemacht? Gehen Sie dabei auf folgende Punkte ein:

- Welche Sprachen braucht man wann und wozu in Ihrem Land?
- Welche Sprachen sprechen Sie – und warum?
- Welche Sprachen sollte man lernen, welche werden in der Schule unterrichtet?
- Welche Vor- und Nachteile sehen Sie in der Mehrsprachigkeit eines Landes?

ETWAS VERGLEICHEN	VOR- UND NACHTEILE NENNEN
In meinem Land ist die Situation ähnlich / ganz anders / nicht zu vergleichen, denn …	Ein großer/wichtiger/entscheidender Vorteil/ Nachteil ist, dass …
Während in …, ist die Situation in …	Ich finde es praktisch, dass …
MEINUNG AUSDRÜCKEN	Aus meiner Sicht ist es sehr nützlich/hilfreich, dass …
Ich bin der Auffassung, dass …	Einerseits ist es positiv, dass …, andererseits kann es auch problematisch sein, wenn …
Ich bin überzeugt, dass …	
Ich finde erstaunlich/überraschend, dass …	Ich bin davon überzeugt, dass … gut/schlecht ist.
Ich bin da geteilter Meinung. Auf der einen Seite …, auf der anderen Seite …	

▶ Ü1

Missverständliches

1a Dass man irgendwo fremd ist, merkt man oft an Missverständnissen. Hören Sie drei Beispiele von interkulturellen Missverständnissen, machen Sie Notizen und vergleichen Sie im Kurs.

Beispiel 1: im Zug, Reise von Klagenfurt nach Rom, Mann allein im Abteil …

b Welche interkulturellen Missverständnisse haben Sie erlebt, von welchen haben Sie gehört? Berichten Sie.

ÜBER INTERKULTURELLE MISSVERSTÄNDNISSE BERICHTEN

In … gilt es als sehr unhöflich, wenn …

Ich habe gelesen, dass man in … nicht …

Von einem Freund aus … weiß ich, dass man dort leicht missverstanden wird, wenn man …

Als ich einmal in … war, ist mir etwas sehr Unangenehmes/ Lustiges/Peinliches passiert: …

Wir konnten nicht verstehen, warum/dass …

Als wir einmal Besuch von Freunden aus … hatten, …

Wir hatten kein Verständnis dafür, dass …

Niemand wollte …

▶ Ü 1

2a Ein Rollenspiel. Arbeiten Sie zu zweit. Jeder liest nur eine Rollenkarte: A oder B. Spielen Sie dann die Situation.

Person A
Sie sind am Flughafen und sollen einen Gast aus einem anderen Land freundlich begrüßen und ins Hotel begleiten.
Bei Ihnen ist es üblich, dass man in der Öffentlichkeit die Hand auf die Schulter des Begleiters legt, auch wenn man die Person nicht gut kennt. Freundlichkeit drücken Sie mit einem breiten, ständigen Lächeln aus und es gilt als äußerst unhöflich, sein Gegenüber nicht anzuschauen.
Denken Sie daran, dass Sie sich am Flughafen auf einem öffentlichen Platz befinden. Ihr Gast darf den Flughafen nur verlassen, wenn Sie Ihre Hand auf seiner rechten Schulter haben.

Person B
Sie sind am Flughafen in einem fremden Land gelandet und wissen, dass Sie dort abgeholt werden.
In der Öffentlichkeit halten Sie immer ca. einen Meter Abstand und vermeiden Blickkontakt mit Ihrem Gegenüber, um die Privatsphäre nicht zu stören.
Außerdem ist es für Sie unhöflich, Fragen jeglicher Art zu stellen.
Ihr Flug war lang und Sie sind sehr müde. Sie möchten möglichst schnell ins Hotel.
Doch bedenken Sie, dass Sie keine Fragen stellen dürfen.

b Sprechen Sie in Gruppen über Ihre Erfahrungen. Was war für Sie besonders schwierig? Konnten Sie die Situation lösen?

3a Hören Sie einen Beitrag zum Thema „Kulturelle Missverständnisse". Welche Aussagen passen dazu?

☐ 1. Das Leben ist ein Spiel.
☐ 2. Jede Kultur hat ihre Spielregeln.
☐ 3. Regeln sind verschieden – nicht richtig oder falsch.
☐ 4. Fußball gehört zu jeder Kultur.

b Hören Sie noch einmal. Was sagt der Beitrag zu den Begriffen „Spielregel", „Kultur" und „Missverständnis"? Machen Sie Notizen und vergleichen Sie im Kurs.

▶ Ü 2–3

4a *verstehen – missverstehen*: Welche Möglichkeiten kennen Sie, im Deutschen etwas zu verneinen? Sammeln Sie. Die Redemittel in 1b helfen.

nicht …

> **SPRACHE IM ALLTAG**
>
> *nichts* und *nein*
>
> Entschuldigung! – Das macht doch **nix**.
> Kommst du mit? – **Nö**, ich hab' leider keine Zeit.
> Kennst du ihn? – **Ne**, noch nie gesehen.

b Verneinen Sie die unterstrichenen Wörter.

1. Ich habe <u>schon einmal</u> ein interkulturelles Missverständnis erlebt.
2. Ist das Getränk <u>mit Alkohol</u>?
3. Er hat auf der Reise <u>etwas</u> Komisches erlebt.
4. Hat <u>jemand</u> etwas Ähnliches erlebt?
5. Wir können das <u>noch</u> besprechen.
6. Das war bestimmt <u>ein</u> Missverständnis.
7. Diese Geste kann man hier <u>überall</u> verstehen.
8. Ich finde die Reaktion total <u>verständlich</u>.
9. Wir haben <u>immer</u> über diese Missverständnisse gesprochen.
10. Ich finde ihr Verhalten sehr <u>tolerant</u>.

1. Ich habe noch nie …

c Markieren Sie die Präfixe und Suffixe, die die Wörter verneinen.

arbeits<u>los</u> – intolerant – Desinteresse – atypisch – nonverbal – illegal – irreal – missverstehen – alkoholfrei – inhaltsleer – Nichtschwimmer – Unverständnis – disqualifizieren

▶ Ü 4–5

5 Position von *nicht*. Markieren Sie *nicht* in den Sätzen 1–5 und ordnen Sie die Sätze den Regeln zu.

1. Ich <u>habe</u> das nicht <u>verstanden</u>.
2. Ich verstehe das <u>nicht</u>.
3. Sie diskutiert <u>nicht mit</u> mir.
4. War sie in China? – Nein, sie war <u>nicht dort</u>.
5. Sie findet Missverständnisse <u>nicht angenehm</u>.

Negation im Satz

Wenn *nicht* einen ganzen Satz verneint, steht es:

– am Ende des Satzes → *ganzer Satz ist negativ* Satz __2__

– vor dem zweiten Teil der <u>Satzklammer</u> (z. B. Partizip, Infinitiv, trennbarer Verbteil) ↳ *"habe … verstanden."* Satz __1__

– vor Adjektiven Satz __5__

– vor Präpositionen und Präpositionalergänzungen Satz __3__

– vor lokalen Angaben Satz __4__

Wenn *nicht* einen Satzteil verneint, steht es direkt vor diesem Satzteil.
Nicht <u>sie</u> hat das erlebt, sondern ihre Freundin.
Sie hat das **nicht** <u>heute</u> *erlebt, sondern gestern.*

▶ Ü 6

6 Jeder notiert einen Satz mit oder ohne Negation auf einem Zettel. Alle Zettel werden gemischt und dann gezogen. Lesen Sie den Satz auf dem Zettel vor und sagen Sie dann das Gegenteil.

> *Ich fahre gern in Urlaub.*

> *Ich fahre nicht gern in Urlaub.*

> *Ich habe das nirgendwo gesehen.*

> *Ich habe das …*

Zu Hause in Deutschland

1 Multikulturelle Gesellschaft und Integration. Welche Begriffe fallen Ihnen dazu ein? Sammeln Sie im Kurs.

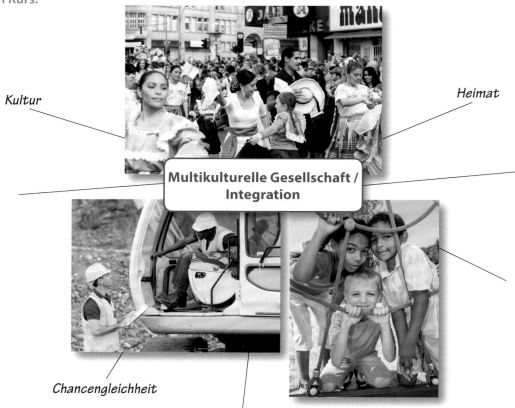

Kultur

Heimat

Multikulturelle Gesellschaft / Integration

Chancengleichheit

1.6-7

2a Hören Sie einen Radiobetrag zum Thema „Integration". Geben Sie den beiden Abschnitten eine Überschrift.

Abschnitt 1: _____

Abschnitt 2: _____

1.6

b Hören Sie noch einmal Abschnitt 1 und beantworten Sie die Fragen.

1. Wie viele Menschen leben in Deutschland insgesamt? _____

2. Wie viele Menschen mit Migrationshintergrund leben in Deutschland? _____

3. In welchen Städten in Deutschland leben die meisten Einwohner mit Migrationshintergrund?

_____

1.7

c Hören Sie Abschnitt 2 noch einmal und notieren Sie für jede Aussage ein Schlüsselwort.

Person 1	Person 2	Person 3
Beratung		
Person 4		**Person 5**

▶ Ü 1

16

🔊
1.7

3a Hören Sie Abschnitt 2 noch einmal. Wie drücken die Personen ihre Meinung aus? Notieren Sie die Redemittel und sammeln Sie weitere.

MEINUNG ÄUSSERN	AUF MEINUNGEN REAGIEREN
	Da hast du / haben Sie völlig recht.
	Ich bin ganz deiner/Ihrer Meinung.
	Ich stimme dir/Ihnen zu.
	Der Meinung bin ich auch, aber …
	Das ist sicher richtig, allerdings …
	Ich sehe das (etwas/völlig) anders, denn …
	Da muss ich dir/Ihnen aber widersprechen, denn ich finde …
	Ich bezweifle, dass …

▶ Ü 2

b Welcher Aussage in 2c stimmen Sie zu? Was halten Sie für besonders wichtig beim Thema „Integration"?

4a Arbeiten Sie in Gruppen. Sammeln Sie fünf Diskussionsthemen und notieren Sie sie auf einzelne Zettel. Tauschen Sie die Zettel mit einer anderen Gruppe.

b Ziehen Sie einen Zettel und sagen Sie Ihre Meinung zu dem Thema. Die anderen reagieren darauf und sagen ihre Meinung. Verwenden Sie dabei die Redemittel aus 3a.

kostenlose Sprachkurse

Schuluniformen

Kindergartenpflicht für alle Kinder

…

5 Lesen Sie die Beschreibung eines Projekts. Schreiben Sie einen kurzen Kommentar dazu und gehen Sie dabei auf die folgenden Punkte ein. Verwenden Sie auch passende Redemittel aus 3a.

- Wie finden Sie solche Projekte?
- Welche Projekte finden Sie sinnvoll?
- Was würden Sie machen? Haben Sie andere Vorschläge?

Die Brücke – Integrationsbüro: SEMI – Senioren helfen Migrantenkindern

Senioren – ehemalige Lehrkräfte und Handwerker – unterstützen Kinder und Jugendliche aus Migrantenfamilien. Sie helfen Schülern von Grund- und Hauptschule bei ihren Hausaufgaben und schulischen Problemen. Die ehrenamtlichen Lern- und Sprachpaten treffen sich mit den Kindern einmal wöchentlich in der Einrichtung. Neben der schulischen Förderung versuchen sie, mehr Kontakte zwischen Einheimischen und Zugewanderten zu ermöglichen.

▶ Ü 3

Zu Hause in Deutschland

6a Arbeiten Sie zu dritt. Jeder liest einen Text und markiert die wichtigsten Informationen.

Koko N'Diabi Roubatou Affo-Tenin kann ihre Herkunft nicht verbergen, allerdings liegt ihr auch nichts ferner: Ihr Haar, in Zöpfchen geflochten, bindet die Togoerin auf dem Rücken zusammen; in ihrem Kleid leuchtet sie farbenfroh inmitten hellgrauer Häuser. „Ich trage nur afrikanische Kleidung, weil ich mich darin wohlfühle."

Zweimal floh sie vor der eigenen Familie: Wanderarbeiter, die das Mädchen an einen Fremden verheiraten wollten. Sie besucht in der nächsten Stadt die Schule, wird schwanger, muss für den kleinen Sohn sorgen, verkauft Feuerholz und selbstgebackene Kekse. Aber Koko will mehr. Nach einer Odyssee durch die Wüste und übers Meer erreicht sie ihr Traumziel Berlin, studiert schließlich Betriebswirtschaft.

Heute leitet sie mit ihrem Mann eine Hausverwaltung in Berlin; ihr Sohn ist Ingenieur, Koko fühlt sich zu Hause: „Ich hatte Glück, Diskriminierung habe ich nicht erlebt. Noch nicht", fügt sie nachdenklich an. Ihr Selbstbewusstsein ist vielleicht der beste Schutz: „Ich bin Deutsch-Afrikanerin und will zeigen, dass Deutschland nicht nur blond und blauäugig ist."

Ivan Novoselić kam vor zwanzig Jahren mit seiner Familie aus Kroatien nach Wolfsburg und arbeitet in der Produktion eines großen Autoherstellers. Seine Kinder gehen in Deutschland zur Schule, seine jüngste Tochter wurde hier geboren. „Aber trotzdem fühle ich mich hier nicht wirklich zu Hause. Wir werden immer Ausländer bleiben. Ich habe das Gefühl, wir können machen, was wir wollen. Nachbarn und Kollegen sehen uns immer als ‚die Fremden'." Die meisten Freunde der Familie stammen auch aus Kroatien. Private Kontakte zu Deutschen gibt es kaum. Seine Kinder kennen Kroatien nur aus dem Urlaub, aber hier fühlen sie sich auch nicht vollkommen zu Hause. Sie fühlen sich zerrissen, leben zwischen zwei Kulturen. Ivan Novoselić denkt oft darüber nach, ob er wieder nach Kroatien gehen soll. „Bis zur Rente bleibe ich noch hier, aber dann will ich zurück. Die Kinder sind dann alt genug. Sie können dann selbst entscheiden, wo sie leben wollen."

Sandeep Singh Jolly, Gründer der Berliner Software- und Telekomfirma teta, wird nach 30 Jahren in Deutschland immer noch gelegentlich gefragt, wann er denn „wieder mal nach Hause" fahre. „Ich sage dann gern: ‚Jeden Abend!'", erzählt er. Als er 1982 nach Deutschland kam, wurde sein Schulabschluss von einer Elite-High-School in Bombay nicht anerkannt. Nachdem er in Windeseile Deutsch gelernt, die Hochschulreife nachgeholt und nebenbei noch das Charlottenburger Gewürz- und Gemüsegeschäft der Familie geführt hatte, ließ man ihn wegen einer Ausländerquote ein Jahr lang warten, bis er endlich Informatik studieren durfte. Doch Sandeep Jolly ließ sich nicht ausbremsen. Während des zweiten Semesters gründete er mit Kommilitonen seine erste Firma. Und dann ging es eigentlich immer so weiter. Was ist das Geheimnis seines Erfolgs? „Ich habe mich von Anfang an für Deutschland entschieden", sagt er. Zurückgehen war keine Option, und Scheitern kam nicht infrage. Er musste um jeden Preis in dem fremden Land zurechtkommen. Fragt man Herrn Jolly, der längst deutscher Staatsbürger ist, nach seiner Identität, dann sagt er: „Ich bin Deutsch-Inder."

b Notieren Sie die wichtigsten Informationen zu „Ihrer" Person.

Koko N'Diabi Roubatou Affo-Tenin

kommt aus Togo

STRATEGIE

Informationen notieren

Notieren Sie nur wichtige Informationen und schreiben Sie deutlich.
Fassen Sie ähnliche Informationen zusammen.
Notieren Sie so, dass Sie die Informationen im Anschluss selbst gut wiedergeben können, also Wortgruppen und kurze Sätze statt Einzelwörter.

Ivan Novoselić

Sandeep Singh Jolly

c Stellen Sie „Ihre" Person vor. Ihre beiden Partner/Partnerinnen notieren die Informationen im entsprechenden Kasten.

d Welche Aussagen der drei Personen finden Sie besonders interessant? ▸ Ü 4

7 Ihre Sprachschule veranstaltet einmal pro Jahr ein großes Fest, das den ganzen Tag dauert. Dieses Jahr soll es ein multikulturelles Fest sein. Sie sollen zu zweit dieses Fest planen. Überlegen Sie, was für ein Programm Sie anbieten können, wer welche Aufgaben übernimmt und was Sie alles brauchen und organisieren müssen. Machen Sie Ihrem Partner / Ihrer Partnerin Vorschläge und entwickeln Sie dann gemeinsam ein Programm.

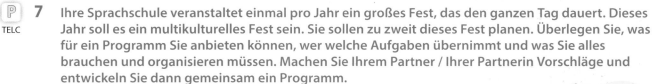

VORSCHLÄGE MACHEN	VORSCHLÄGE ANNEHMEN	GEGEN-VORSCHLÄGE MACHEN
Wie wär's, wenn …?	Warum eigentlich nicht?	Ich würde es besser finden, wenn …
Was hältst du von folgendem Vorschlag: …?	Das hört sich gut an.	Ich hätte einen anderen Vorschlag: …
Ich hätte da eine Idee: …	Das klingt gut.	Meinst du nicht, wir sollten lieber …?
Wir könnten doch …	Meinetwegen können wir das so machen.	Keine schlechte Idee, aber wie wär's, wenn wir …?
Wir sollten auch …	Gut, dann sind wir uns ja einig.	
Ich könnte mir vorstellen, dass wir …		

Fatih Akın *(* 25. August 1973)*

Filmregisseur

Fatih Akın ist deutscher Filmregisseur, Drehbuchautor, Schauspieler und Produzent türkischer Abstammung.

Fatih Akıns Filme zeigen oft ein Milieu, das nahe „an der Straße" liegt. Bereits in seinem ersten, von der Kritik gefeierten Langspielfilm „Kurz und Schmerzlos" zeichnete Akın 1998 eine Kleinkriminellenstudie voller Schmerz und Härte, deutlich vom Gangsterkino seines Vorbilds Martin Scorsese beeinflusst.

Dabei entstammt der am 25. August 1973 in Hamburg-Altona geborene Sohn eines Arbeiters und einer Grundschullehrerin einem fast schon bürgerlichen Milieu, geprägt von der ersten Generation türkischer Einwanderer im Viertel. Obwohl die Eltern Fatih und den älteren Sohn Cem als gläubige Muslime erziehen, besuchen beide einen katholischen Kindergarten, später das Gymnasium. Im Jahr 2000 macht Fatih das Diplom für Visuelle Kommunikation an der Hamburger Hochschule für Bildende Künste. Denn schon mit 16 Jahren weiß er, dass er Regisseur werden will. So jobbt er bei der Hamburger Wüste-Filmproduktion, die später seine ersten Filme produziert.

Mit seinem dritten Spielfilm „Gegen die Wand", der Geschichte einer unglücklichen Scheinehe mit Biröl Ünel und Sibel Kekilli in den Hauptrollen, gelingt dem Regisseur 2004 der internationale Durchbruch. Das Melodram erhält auf der Berlinale den Goldenen Bären – es ist das erste Mal in 18 Jahren, dass ein deutscher Film die begehrte Trophäe bekommt. Es folgt eine Einladung nach Cannes, dem Kino-Olymp, wo der Drehbuchautor und Regisseur im Folgejahr den Juryvorsitz der Reihe „Un Certain Régard" übernimmt.

2007 wird „Auf der anderen Seite" auf dem französischen Festival sogar mit dem Drehbuchpreis ausgezeichnet. Das Migrationsdrama erzählt von sechs Menschen auf ihrem Lebensweg zwischen Bremen und Istanbul. Sein Kinofilm „Soul Kitchen", eine Komödie um den Kneipenbesitzer Zinos und seine persönliche Hommage an Hamburg, ist in Deutschland mit 1,3 Millionen Zuschauern sein kommerziell stärkster und auch im Ausland an der Kinokasse erfolgreich.

Dem heimischen Kiez ist Akın stets treu geblieben. Der passionierte Hobby-DJ und Amateur-Boxer fühlt sich in Hamburg-Altona am wohlsten. Dort wohnt er mit seiner Frau, der Schauspielerin und Regisseurin Monique Akın, und den zwei Kindern.

www Mehr Informationen zu Fatih Akın.

Sammeln Sie Informationen über Persönlichkeiten aus dem In- und Ausland, die zum Thema „Heimat" interessant sind, und stellen Sie sie im Kurs vor. Sie können dazu die Vorlage „Porträt" im Anhang verwenden.

Beispiele aus dem deutschsprachigen Bereich: Feridun Zaimoglu – Bülent Ceylan – Olga Grjasnowa – Wladimir Kaminer – Patricia Kaas – Elyas M'Barek – Zsuzsa Bánk – LaBrassBanda

1 Wortstellung im Satz

Angaben im Mittelfeld: tekamolo

		MITTELFELD				
Ich	bin	letztes Jahr	aus Liebe	ziemlich spontan	nach Australien	ausgewandert.
1	**2**	**te**mporal (Wann?)	**ka**usal (Warum?)	**mo**dal (Wie?)	**lo**kal (Wo?/Wohin?/Woher?)	**Ende**

Wenn man eine Angabe besonders betonen möchte, kann man sie auf Position 1 stellen. Dann steht das Subjekt direkt nach dem Verb. Die Reihenfolge der übrigen Angaben bleibt gleich:
Aus Liebe bin ich letztes Jahr ziemlich spontan nach Australien ausgewandert.

Ergänzungen und Angaben im Mittelfeld

		MITTELFELD						
Ich	habe	ihnen	täglich	aus Heimweh	sehnsüchtig	mehrere SMS	nach Hause	geschickt.
1	**2**	**Dativ**	**temporal**	**kausal**	**modal**	**Akkusativ**	**lokal**	

Die Dativergänzung steht meistens vor der temporalen Angabe. Die Akkusativergänzung steht hinter den temporalen, kausalen und modalen Angaben und vor oder hinter der lokalen Angabe.

Präpositionalergänzungen
Präpositionalergänzungen stehen normalerweise am Ende des Mittelfelds.
*Ella hat sich während eines Urlaubs unerwartet **in David** verliebt.*

2 Negation

Negationswörter

etwas	↔ nichts	schon (ein)mal	↔ noch nie
jemand/alle	↔ niemand	immer	↔ nie/niemals
irgendwo/überall	↔ nirgendwo/nirgends	(immer) noch	↔ nicht mehr / nie mehr
schon/bereits	↔ noch nicht		

Negation mit Wortbildung

	verneint	Beispiele
des-/dis-/miss-	Nomen, Adjektive, Verben	*das Desinteresse, disqualifiziert, missverstehen*
un-/in-/il-/ir-/ a-/non-	Nomen, Adjektive	*das Unverständnis, die Intoleranz, illegal, irreal, atypisch, der Nonsens*
-los/-frei/-leer	Adjektive	*arbeitslos, alkoholfrei, inhaltsleer*
Nicht-	Nomen	*Nichtschwimmer*

Position von *nicht*
Wenn *nicht* einen ganzen Satz verneint, steht es am Ende des Satzes, vor dem zweiten Teil der Satzklammer (z. B. Partizip, Infinitiv, trennbarer Verbteil), vor Adjektiven, vor Präpositionen und Präpositionalergänzungen oder vor lokalen Angaben.
Wenn *nicht* einen Satzteil verneint, steht es direkt vor diesem Satzteil: **Nicht** sie hat das erlebt, sondern ihre Freundin.

Ganz von vorn beginnen

1a Warum verlassen Menschen dauerhaft ihr Heimatland, ihre Familie und ihre Freunde? Sammeln Sie Gründe.

b Sehen Sie die Grafik an und sprechen Sie zu zweit darüber. Welche Gründe entsprechen Ihrer Sammlung aus 1a? Welche Gründe sind neu?

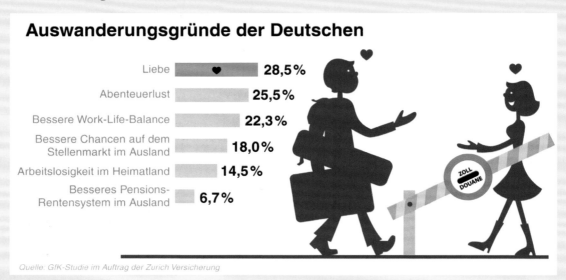

Auswanderungsgründe der Deutschen

Liebe	28,5%
Abenteuerlust	25,5%
Bessere Work-Life-Balance	22,3%
Bessere Chancen auf dem Stellenmarkt im Ausland	18,0%
Arbeitslosigkeit im Heimatland	14,5%
Besseres Pensions-Rentensystem im Ausland	6,7%

Quelle: GfK-Studie im Auftrag der Zurich Versicherung

2a Sehen Sie den Film. Fassen Sie den Inhalt kurz zusammen.

b Was sagen die Personen im Film zu ihrem Neubeginn? Notieren Sie die Namen.

1. _____ Und dann war es so, dass ich ein kleines Geschäft in Deutschland hatte, und ... Computerbereich lief nicht mehr so gut.

2. _____ Ich kannte hier keinen und ich konnte auch gar kein Spanisch, und da waren so viele Kinder und alle sprechen halt in Spanisch.

3. _____ Ich war noch klein, und ich war erst zwölfeinhalb, und da musste ich halt mit. Ich konnte mich ja nicht dagegen wehren.

4. _____ Noch sind wir in einem Alter, wo man noch mal was Neues anfangen kann, und da haben wir das in Angriff genommen.

5. _____ Wir kommen im nächsten Jahr runter, machen erst mal Urlaub und dann gucken wir uns das mal an.

Eva

Uwe

Yvonne

Denise

Janine

3 Klären Sie die Bedeutung der folgenden Wörter und Wendungen aus dem Film.

_____ 1. etwas in Angriff nehmen

_____ 2. sich durchbeißen

_____ 3. ein Mann für alle Fälle

_____ 4. das Herz wird schwer

_____ 5. die bessere Hälfte

_____ 6. der Lebensabend

a. traurig werden

b. der Lebens- oder Ehepartner

c. die Jahre nach dem Arbeitsleben

d. jemand, der vielfältig begabt ist

e. beginnen, etwas zu tun

f. etwas trotz Problemen schaffen

4 Arbeiten Sie in zwei Gruppen. Sehen Sie die erste Filmsequenz und beantworten Sie „Ihre" Fragen. Tauschen Sie die Ergebnisse im Kurs aus.

Gruppe A
Was haben die Eltern in Deutschland beruflich gemacht? Welche Motive hatten sie, Bielefeld zu verlassen? Warum haben sie Spanien gewählt?

Gruppe B
Wie haben die jüngsten Kinder der Knells (Yvonne und Denise) reagiert, als sie von den Auswanderungsplänen ihrer Eltern erfahren haben?

5a Sehen Sie die zweite Filmsequenz und machen Sie Notizen zur Situation der Knells in Alicante: Wohnverhältnisse, Arbeit und Einkommen, Schule, Sprache, Behörden, Integration ... Sprechen Sie dann im Kurs.

b Was machen die Knells Ihrer Meinung nach gut und was sollten sie anders machen?

c Was glauben Sie: Warum zögert die älteste Tochter Janine noch, zu ihren Eltern nach Spanien zu ziehen?

6a Können Sie sich vorstellen, selbst auszuwandern? Wohin würden Sie gehen? Welche Schwierigkeiten könnten mit der Zeit auftreten?

Natürlich kann ich mir das gut vorstellen. Ich bin ja selbst ...
Ich weiß nicht. Ich habe hier meine Familie und viele Freunde. Ich kann mir nicht vorstellen, ...

b Welche Länder sind in Ihrer Heimat beliebte Auswanderungsziele?

Sprich mit mir!

Ach, schau mal … Paris.
Wie schön!

1 Sehen Sie die Zeichnung an.
Was will Marie ihrem Mann
sagen? Notieren Sie eine
„Übersetzung".

_____

_____

_____

_____

2 Sehen Sie dasselbe Bild aus zwei Perspektiven an.
Wie wirkt die Frau auf Bild A? Wie auf Bild B? Notieren Sie
je ein passendes Adjektiv.

B

A

_____

_____

3 Was bedeuten diese Piktogramme? Was soll, kann, darf
man hier (nicht) tun? Notieren Sie.

A

B

_____

C

D

_____

Sie lernen

Modul 1 | Einen Fachtext zum Thema „Nonverbale
Kommunikation" verstehen

Modul 2 | Über einen Artikel zum Thema „Frühes
Fremdsprachenlernen" diskutieren

Modul 3 | Eine Radiosendung zum Thema „Smalltalk"
hören und Notizen machen

Modul 4 | Aussagen zu positiver und negativer Kritik
verstehen

Modul 4 | In einem Rollenspiel einen Streit
konstruktiv führen

Grammatik

Modul 1 | Vergleichssätze mit *als, wie* und
je …, desto/umso …

Modul 3 | das Wort *es*

4 Welche Informationen transportieren diese Augen und Münder? Notieren Sie je ein Nomen.

A _____   **B** _____   **C** _____

D _____   **E** _____   **F** _____

5 Zu welchen Anlässen passen diese Geschenke? Notieren Sie.

_____

_____

_____

6 Hören Sie die Szenen. Welche bedeuten etwas Positives (+), welche etwas Negatives (-)? Kreuzen Sie an.

1.8

	+ −		+ −		+ -
Szene A	☐ ☐	Szene D	☐ ☐	Szene G	☐ ☐
Szene B	☐ ☐	Szene E	☐ ☐		
Szene C	☐ ☐	Szene F	☐ ☐		

1a Sind Sie fit in Kommunikation? Bearbeiten Sie die Aufgaben. Manchmal gibt es mehrere Möglichkeiten.

b Vergleichen Sie Ihre Ergebnisse im Kurs. Gibt es Unterschiede? Wenn ja, wie können Sie diese erklären?

2 Wir kommunizieren auf unterschiedlichen Wegen. Welche wurden in 1a angesprochen? Welche fallen Ihnen noch ein?

Gesten sagen mehr als tausend Worte ...

1a Was könnten diese Gesten bedeuten? Ordnen Sie die Fotos den Bedeutungen zu.

A Die offene ausgestreckte Hand ist die deutlichste Art, den Gesprächspartner mit einem *Stopp* in die Schranken zu weisen.
Foto: __5__

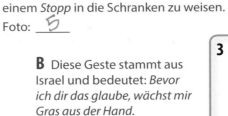

B Diese Geste stammt aus Israel und bedeutet: *Bevor ich dir das glaube, wächst mir Gras aus der Hand.*
Foto: __6__

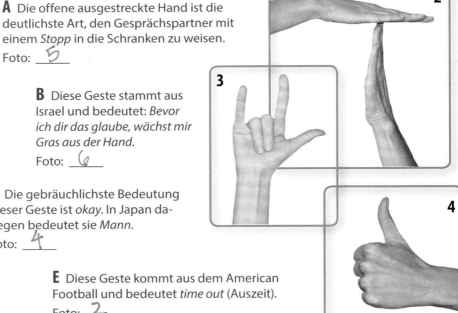

C Diese Geste stammt aus der Gebärdensprache und bedeutet: *Ich liebe dich.*
Foto: __3__

D Die gebräuchlichste Bedeutung dieser Geste ist *okay.* In Japan dagegen bedeutet sie *Mann.*
Foto: __4__

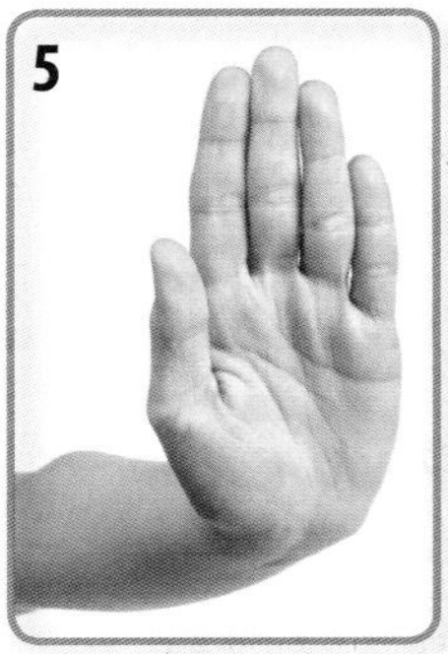

E Diese Geste kommt aus dem American Football und bedeutet *time out* (Auszeit).
Foto: __2__

F In Europa versteht man unter dieser Geste *Telefon* oder *Lass uns telefonieren.*
Foto: __1__

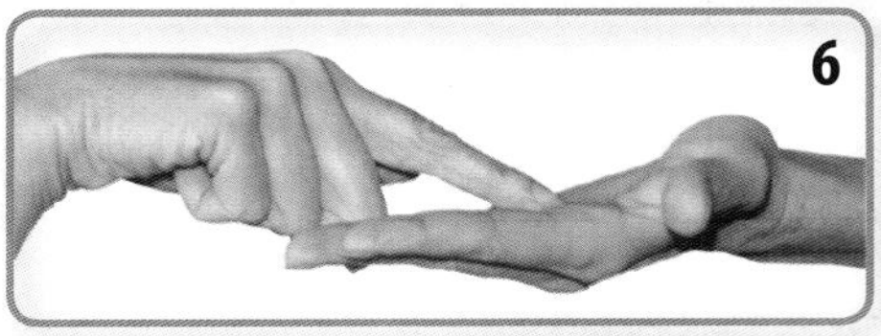

b Kennen Sie noch andere Gesten? Zeigen Sie sie. Die anderen im Kurs raten, was sie bedeuten.

▶ Ü 1–2 **2a** Was ist Körpersprache? Wie lernt man sie?

1.9

b Hören Sie einen Beitrag zum Thema „Körpersprache". Welche Aspekte werden genannt? Sammeln Sie im Kurs.

c Hören Sie noch einmal und ergänzen Sie die Satzanfänge.

1. Körpersprache ist ein wesentlicher Aspekt *zwischenmenschlicher Verständigung*_____.

2. Sie äußert sich in _____.

3. Menschen verraten ihre Emotionen, weil _____.

4. In längeren Gesprächen kann man gut erkennen, _____.

5. Fast alle Menschen benutzen _____.

6. Jedes Baby versteht ein Lächeln als _____.

7. Gesten sind _____.

▶ Ü 3 8. Körpersignale aus anderen Kulturen _____.

3a Vergleichssätze mit *als* und *wie*. Ordnen Sie die Sätze aus dem Beitrag zur Körpersprache. Ergänzen Sie *als* oder *wie* und hören Sie die Sätze dann zur Kontrolle.

1. _*b*_ Wir achten instinktiv viel mehr auf die Sprache des Körpers,

2. _*a*_ Botschaften der Körpersprache nehmen wir so schnell wahr,

3. _*c*_ Körpersignale aus anderen Kulturen bedeuten also oft etwas anderes,

a) _*Wie*_ wir gesprochene Sprache aufnehmen.

b) _*als*_ wir meinen.

c) _*Wie*_ man denkt.
   *als*

b Ergänzen Sie jetzt die Regel.

| Komparativ | *als* | Grundform | Ende | *wie* |

Vergleichssätze mit *als* und *wie*

Nebensätze mit *als* und *wie* drücken einen Vergleich aus. Sie hängen immer von einem Adjektiv ab. Das Verb steht am _*Ende*_. Vergleichssätze werden bei Gleichheit mit _*wie*_, bei Ungleichheit und nach *ander(e)s* mit _*als*_ eingeleitet:

1. Gleichheit: *so/genauso* + _*Grundform*_ + *wie*
2. Ungleichheit: _*Komparativ*_ + *als, anders* + *als* oder *etwas/nichts anderes* + *als*

c Ergänzen Sie Nebensätze mit *als* oder *wie* und den vorgegebenen Verben.

1. Diese Geste ist genauso unhöflich, … (erwarten)
2. Ich habe deine Mimik anders gedeutet, … (meinen)
3. Körpersprache immer richtig zu deuten, ist schwieriger, … (denken)

▶ Ü 4–5

4a Vergleichssätze mit *je …, desto/umso …* Ergänzen Sie die Komparative *länger*, *besser* und *klarer*. Bestimmen Sie dann Haupt- und Nebensatz.

1. Je _*eindeutiger*_ die Signale sind, desto _*besser*_ verstehen wir sie.

2. Je _*länger*_ ein Gespräch dauert, umso _*klarer*_ wird die Bedeutung der Körpersignale.

b Ergänzen Sie die Regel mit *Hauptsatz*, *Nebensatz* und *Komparativ*.

Vergleichssätze mit *je …, desto/umso …*

Je länger eine Person <u>spricht</u>, → _*Nebensatz*_

desto/umso deutlicher <u>verrät</u> sie ihre Emotionen. → _*Hauptsatz*_

Nach *je* und *desto/umso* steht immer ein _*Komparativ*_. Die Sätze haben oft eine konditionale Bedeutung: *Wenn eine Person lange spricht, (dann) verrät sie ihre Emotionen.*

c Bilden Sie Vergleichssätze mit *je …, desto/umso …*

1. Man versteht Körpersprache gut. Es gibt wenige Missverständnisse.
2. Man nimmt Körpersignale schnell wahr. Man kann angemessen reagieren.
3. Man erkennt die Reaktionen des Gesprächspartners leicht. Man kann sich gut unterhalten.

▶ Ü 6–7

5 Stellen Sie ein Gefühl pantomimisch dar. Die anderen raten.

Sprachen kinderleicht?!

1 Welche Fremdsprachen sprechen Sie? Wann haben Sie begonnen, eine Sprache zu lernen? Welches Alter ist Ihrer Meinung nach das beste, um eine Sprache zu lernen?

2a Lesen Sie den Artikel. Welche Meinung hat der Autor zum Thema „Frühes Fremdsprachenlernen"?

Viele Sprachen? Kinderleicht!

Sonia Ladet ist ein gutes Beispiel für gelungene Mehrsprachigkeit. Schon mit 18 Jahren hatte sie den Wunsch, viele Sprachen zu beherrschen und viele Kulturen kennenzulernen. Und nach nicht all-
5 zu langer Zeit baute die Tochter einer Deutschen und eines Chinesen, die in Paris aufwuchs, ihren Sprachschatz auf: Sie führte Verhandlungen auf Arabisch, übersetzte auf Englisch, befragte für ihren Job als Trendforscherin Frauen auf Japanisch. Und
10 Russisch hat sie schon in der Schule gelernt.
Damit ist Sonia Ladet ein Vorbild für die europäische Sprachenpolitik, denn momentan fällt es 44 Prozent der EU-Bürger noch schwer, sich in einer Fremdsprache zu unterhalten. Daher wird in
15 Zukunft noch stärker für das Lernen mehrerer Sprachen geworben, versprach der EU-Kommissar für Mehrsprachigkeit. Das Ziel lautet: Bereits kleine Kinder sollen mit Fremdsprachen vertraut gemacht werden. Das frühe Lernen von fremden Sprachen –
20 also noch vor der Schule – wird daher immer häufiger diskutiert. Viele Eltern sehen darin bessere Startchancen für ihre Kinder.
Es gibt aber auch kritische Stimmen: Sind Kleinkinder mit Fremdsprachen nicht überfordert? Wis-
25 senschaftler bewiesen, dass diese Sorge unnötig ist. Ein Blick über Europa hinaus zeigt, dass z. B. in Asien oder Afrika oft mehrere Sprachen im Alltag benutzt werden: eine Sprache in Schulen und Behörden, eine andere im Bereich des Handels und
30 wieder andere in der Familie oder im Dorf nebenan. „Unser Gehirn ist dafür angelegt, mehrere Sprachen zu lernen. Wir unterfordern Kinder, wenn wir ihnen diese Chance nicht bieten", sagt Jürgen Meisel, Sprachwissenschaftler an der Universität Hamburg.
35 Die Forschung unterstützt Eltern, denen die Mehrsprachigkeit ihrer Kinder von Anfang an wichtig ist. Sind die Kinder noch klein, also nicht älter als drei oder vier Jahre, scheinen sie eine fremde Sprache ohne große Mühe aufzunehmen und darin zu kom-
40 munizieren. Aber schon ab vier Jahren gelingt die Konjugation der Verben nicht mehr fehlerlos. Und bereits mit acht bis zehn Jahren ist die Phase des kinderleichten Sprachenlernens vorbei. Und das zu einem Zeitpunkt, zu dem Kinder normalerweise in
45 der Schule mit dem Erlernen der ersten Fremdsprache beginnen.
Für Eltern ist es nicht leicht, fest daran zu glauben, dass das Aufwachsen mit mehreren Sprachen ein Vorteil für die eigenen Kinder ist. Warum spricht
50 mein Kind nicht in der zweiten Sprache? Warum dauert die Sprachentwicklung länger als bei einsprachigen Kindern? Das sind Fragen, mit denen sich Eltern zweisprachiger Kinder oft herumschlagen. Oder wenn Kinder beim Spielen die fremde Spra-
55 che vermeiden, weil sie nicht anders sein wollen. Die betroffenen Eltern müssen sehr geduldig sein. Und diese Geduld kann sich im späteren Leben auch auszahlen. Neben der Fähigkeit, mehrere Sprachen gut zu beherrschen, gibt es noch weitere
60 Kompetenzen, wie Albert Costa von der Universität Barcelona beobachtet hat. Der Psychologe stellte fest, dass zweisprachige Kinder mehr Eindrücke aufnehmen und wichtige Dinge besser von unwichtigen unterscheiden können. Schon vorher konnte
65 er nachweisen, dass Personen, die bilingual aufgewachsen waren, in einem lauten Großraumbüro bessere Konzentrationsleistungen zeigten als monolinguale Menschen.
Aber wie geht Sonia Ladet eigentlich mit den vielen
70 Sprachen um? Sie hört russische Lieder, diskutiert in englischen Polit-Foren und fragt auf Japanisch nach, was Frauen unter Schönheit verstehen. „So geht Sprachenlernen ganz leicht", sagt die Pariserin.
Simon Tauber

b Notieren Sie Argumente für das frühe Fremdsprachenlernen aus dem Artikel.

Sprachen früh lernen
→ *von der EU-Sprachenpolitik gewünscht (Zeile 11–19)*
→ *Eltern sehen bessere Startchancen für ihre Kinder (Zeile 21–22)*

STRATEGIE

Argumente aus einem Text zusammenstellen

– Gehen Sie Abschnitt für Abschnitt vor.
– Markieren Sie die für Sie wichtigsten Informationen in jedem Abschnitt.
– Notieren Sie zu jedem Abschnitt die wichtigsten Argumente.

c Machen Sie weitere Notizen zu den folgenden Punkten.

- Für Sie interessante Aspekte zum Thema
- Eigene Erfahrungen
- Ihre Meinung

▶ Ü 1

3a Lesen Sie Kommentare zum Artikel von Gegnern des frühen Fremdsprachenlernens. Sammeln Sie zu zweit Argumente und Gegenargumente zu den Aussagen.

monika	17.07.	16:30 Uhr
	Die meisten Familien sind doch einsprachig. Das ist kein Defizit und sollte kein Nachteil für die Kinder sein.

tabea	13.07.	12:56 Uhr
	Die Tochter einer Bekannten ist vier Jahre alt. Nach dem Kindergarten geht sie zum Ballett und übt Klavier. Jetzt kommt noch eine Trainerin nach Hause und singt und spielt mit ihr. Auf Chinesisch! Das ist doch zu viel. Kinder sollten selbst aussuchen dürfen, was und wie sie spielen.

robert	12.07.	18:12 Uhr
	Wenn Kinder mehrere Sprachen von den Eltern lernen, dann ist das ganz normal und alltäglich. Das passiert ganz nebenbei. Englisch im Kindergarten ist aber keine natürliche Situation und kann für manche Kinder schon Stress sein.

haymo	11.06.	22:46 Uhr
	In unserer Straße spielen unsere Kinder mit Kindern, die auch andere Muttersprachen sprechen. Sollen meine Kinder jetzt die anderen Sprachen lernen? Da lernen sie vier Sprachen nur ein bisschen und keine davon richtig.

patrizia	09.07.	18:43 Uhr
	Alles schön und gut mit dem kindlichen Lernen von Fremdsprachen. Man kann aber eine Fremdsprache erst richtig, wenn man sie auch lesen und schreiben kann. Und das lernt man vor der Schule eben noch nicht.

b Sammeln Sie in Gruppen Redemittel, um auf die Blogbeiträge zu antworten.

ARGUMENTE NENNEN	GEGENARGUMENTE NENNEN
Viel wichtiger als … finde ich … *An erster Stelle steht für mich, dass …*	*Das Gegenteil ist der Fall: …* *Dagegen spricht, dass …* *Im Prinzip ist das richtig, trotzdem …*

ZUSTIMMUNG AUSDRÜCKEN	ÜBER ERFAHRUNGEN BERICHTEN
Sie haben recht damit, dass …	*In meiner Kindheit habe ich …* *Im Umgang mit … habe ich erlebt, dass …*

c Schreiben Sie zu einem Kommentar in 3a eine Antwort. Vergleichen Sie dann, was andere zu demselben Kommentar geschrieben haben.

▶ Ü 2–3

Smalltalk – Die Kunst der kleinen Worte …

1a Sehen Sie die Fotos an. Notieren Sie Themen, die Sie ansprechen würden, um mit den Leuten auf den Fotos ins Gespräch zu kommen.

b Vergleichen Sie die Themen im Kurs. Welche Gemeinsamkeiten und Unterschiede stellen Sie fest?

2a Hören Sie eine Radiosendung zum Thema „Smalltalk". Notieren Sie die Reihenfolge der angesprochenen Teilthemen.

1.11-12

____ Orte für Smalltalk   ____ Gesprächspartner als Basis für Smalltalk

_1_ Funktion von Smalltalk   ____ Entspannt bleiben beim Smalltalk

____ Gründe für die Ablehnung von Smalltalk

b Hören Sie den ersten Teil der Sendung noch einmal und machen Sie Notizen.

1.11

1. Funktion von Smalltalk: _____

_____

2. Gründe für die Ablehnung: _____

_____

c Hören Sie den zweiten Teil noch einmal. Kreuzen Sie die Tipps an, die Frau Dr. Witter für Smalltalk gibt.

1.12

- ☑ 1. Wählen Sie ein Thema, das Ihnen sofort einfällt.
- ☐ 2. Überlegen Sie gründlich, wie Sie das Gespräch beginnen.
- ☐ 3. Entdecken Sie Ihr Talent.
- ☐ 4. Fragen Sie nicht direkt nach der beruflichen Tätigkeit.
- ☐ 5. Sie sollten in der Lage sein, etwas Komisches zu sagen.
- ☑ 6. Fragen Sie Ihr Gegenüber nach Hobbys.
- ☑ 7. Zeigen Sie Interesse an Ihrem Gegenüber.
- ☑ 8. Sprechen Sie über das Wetter, wenn Sie auf Nummer sicher gehen wollen.

3a Das Thema „Wetter" eignet sich fast immer für Smalltalk. Unterstreichen Sie das Subjekt in den Sätzen.

1. Heute ist es aber wieder heiß.
2. Regnet es bei Ihnen auch so oft?
3. Endlich wird es wieder wärmer.

4. Es schneit seit gestern Abend.
5. Es bleibt die nächsten Tage kühl.
6. Morgen soll es sogar regnen.

▶ Ü 1

b Unterstreichen Sie das Wort *es*. Welche Funktion hat *es* in diesen Sätzen: Subjekt oder Objekt?

	Subjekt	Objekt
1. Ich habe es eilig.	☐	☐
2. Wie geht es dir?	☐	☐
3. Meine Kollegin hat es schwer.	☐	☐
4. Es kommt auf das Wetter an.	☐	☐
5. Es gibt keine Tickets mehr.	☐	☐
6. Sie haben es gut.	☐	☐

▶ Ü 2

c Ergänzen Sie die Regel mit den Worten *Tages- und Jahreszeiten, Natur- und Zeiterscheinungen* und *das Wetter*.

G

das Wort *es*

Manche Verben und lexikalische Verbindungen haben immer ein *es* bei sich.
es steht als Subjekt bei Bezeichnungen für

– *das Wetter* (z. B. *Es regnet. / Es donnert. / …*)
– *Tages und Jahreszeiten* (z. B. *Es ist Abend/Frühling/…*)
– *Natur und Zeiterscheinungen* (z. B. *Es ist schon spät. / Im Winter bleibt es lange dunkel.*)

und in einigen festen lexikalischen Verbindungen (*Wie geht es dir? / Es gibt … / Es geht um … / Es ist gut/ schlecht/schön …*).
Wenn *es* Objekt ist (*Er hat es eilig. / Sie meint es ernst. / …*), steht *es* niemals auf Position 1.

4a *es* als Stellvertreter von *dass*-Sätzen oder Infinitivkonstruktionen. Lesen Sie die Beispiele und ergänzen Sie die Regel.

G

Es	1	ist	2	verwunderlich,	**dass** viele Menschen Smalltalk nicht mögen.
Dass viele Menschen Smalltalk nicht mögen,		ist		verwunderlich.	
Viele	1	lehnen	2	**es**	ab,	ein nichtssagendes Gespräch **zu** beginnen.
Ein nichtssagendes Gespräch **zu** beginnen,	1	lehnen	2	viele	ab.	

Steht der dass-Satz oder die Infinitivkonstruktion auf Position *eins*, entfällt *'es'*.

b Formen Sie die Sätze wie in 4a um.

1. Es ist ratsam, dass man sich ein geeignetes Einstiegsthema überlegt.
2. Viele finden es gut, den Smalltalk witzig zu beginnen.
3. Es ist völlig falsch, zu Beginn über Politik zu sprechen.
4. Viele empfinden es als unhöflich, dass man im Gespräch sehr direkt ist.

▶ Ü 3

5 Üben Sie Smalltalk. Wählen Sie eine der Situationen und beginnen Sie ein Gespräch.

A Der Aufzug kommt, Sie steigen ein. Plötzlich stehen Sie allein neben dem Chef.	**B** Sie sind zum ersten Mal zum Abendessen bei Ihrem neuen Kollegen eingeladen.

Wenn zwei sich streiten, ...

1a Sehen Sie die Fotos und Informationen zu
den Personen an. Wer teilt Kritik aus, wer
steckt Kritik ein? Begründen Sie.

Der Kabarettist:
Tony Trifft, 26, tourt
mit seinem Programm
„Berlin bringt´s"
Kritik-Motto:
*Hau drauf – es trifft
immer den Richtigen.*

Die Gepäckermittlerin:
Tanja Block, 35, ist Gepäckermittlerin bei
einer Fluggesellschaft
Kritik-Motto:
*Immer ruhig bleiben – und nichts persönlich
nehmen.*

Die Lehrerin:
Simone Ritterbusch, 31, unterrichtet
Deutsch und Wirtschaft an einer Saar-
brücker Berufsschule
Kritik-Motto:
Kritik und Respekt gehören zusammen.

b Erstellen Sie eine Liste mit Berufen, in denen man viel Kritik üben oder einstecken muss.

c Wann kritisieren Sie? Wann werden Sie kritisiert? Sprechen Sie im Kurs.

Zu Hause kritisiere ich oft, aber in meinem Job im Hotel muss ich mir die Kritik von Gästen anhören.

TELC 1.13-15

2a Hören Sie das Interview einmal. Was sagen die Personen aus 1a zum Thema „Kritik". Entscheiden
Sie beim Hören, ob die Aussagen 1–10 richtig oder falsch sind.

	richtig	falsch
Tanja Block		
1. Wir werden für etwas kritisiert, was andere Personen verschuldet haben.	☒	☐
2. Ich frage die Personen sofort, wie ich ihnen helfen kann.	☒	☒
3. Bei sehr wütenden Kunden kann auch mein Chef nicht mehr helfen.	☒	☐
Tony Trifft		
4. Die Leute erwarten, dass ich in meinem Programm humorvoll bin.	☒	☒
5. In meinem Programm kritisiere ich Politiker und Bürger.	☒	☐
6. Manchmal habe ich Mitleid mit dem einen oder anderen Politiker.	☐	☒
Simone Ritterbusch		
7. Ich kann keine Schüler kritisieren, die älter sind als ich.	☐	☒
8. Schüler reagieren bei Kritik schnell aggressiv.	☒	☒
9. Ich muss Schüler auffordern, Verbesserungen vorzuschlagen.	☒	☒
10. Einige Schüler blamieren sich vor der Klasse, wenn sie andere kritisieren.	☒	☒

b Hören Sie noch einmal. Wie gehen die Personen mit Kritik um? Welche Einstellungen haben sie
zu Kritik?

▶ Ü 1 **c** Welcher Einstellung stimmen Sie zu? Welcher nicht? Diskutieren Sie im Kurs.

3a Lesen Sie die Zwischenüberschriften zum Artikel „So streiten Sie richtig!". Was könnten Inhalte in den Abschnitten sein? Sammeln Sie zu zweit.

2 Immer bei einer Sache bleiben   5 ✓ „Ich" statt „Du"   1 ✓ Immer mit der Ruhe

6 ✓ Kein Konsens? Dann Kompromiss!   3 Alles zu seiner Zeit   4 ✓ Genau hinhören

7 ✓ Entschuldigungen sind keine Schwäche   8 ✓ Wie war's heute?

b Lesen Sie jetzt den Artikel. Ordnen Sie den Abschnitten die Überschriften zu.

So streiten Sie richtig!

„Streit kommt in den besten Familien vor", heißt es in einer deutschen Redewendung. Doch nicht nur dort, sondern auch am Arbeitsplatz oder unter Freunden geht es nicht ganz ohne Konflikte. Streit ist also ganz
5 normal, solange er niemanden verletzt und eine Lösung bringt. Wie man richtig streitet, kann man lernen.

1 Endete der letzte Streit wieder mal mit lautem Schreien und Türenknallen? Die Hamburger Therapeutin Sigrid Meissner sagt, dass das nicht sein muss,
10 und gibt Tipps, was man beachten kann, um der Konfliktlösung näher zu kommen. Keine gute Aussichten auf Erfolg hat ein Streit, der mit einem Vorwurf beginnt. Sie sind richtig sauer? Vielleicht mit Recht, aber versuchen Sie trotzdem ruhig zu bleiben und auch ru-
15 hig über Ihre Gefühle zu sprechen.

2 Die dreckige Küche hat Ihren Streit ausgelöst? Dann sprechen Sie auch nur darüber. Erweitern Sie Ihre Kritik nicht auf andere Punkte, die Sie eventuell auch noch stören wie Erziehungsfragen, Geld oder die
20 Erledigung von Arbeiten. „Bleiben Sie beim Thema", rät die Therapeutin. Dann hat Ihr Gegenüber auch die Chance, konkret zu reagieren.

3 Suchen Sie sich für eine Diskussion einen Zeitpunkt, zu dem Sie auch tatsächlich sprechen können.
25 Kurz vor Feierabend oder vor dem Einschlafen noch wichtige Themen anzusprechen, erzeugt nur unnötige Spannung. „Man kann nicht konstruktiv über Dinge sprechen, wenn einer müde ist oder unter Druck steht", rät Meissner. Zeit ist für jede Problemlösung eine wichti-
30 ge Basis, die man sich und dem anderen geben sollte. Die Diskussion sollte nicht auf die lange Bank, aber auf einen Termin mit Spielraum für beide verschoben werden.

4 Was der andere sagt, ist vielleicht nicht ange-
35 nehm, trotzdem sollten Sie gut zuhören und Interesse zeigen. „Der Partner will in erster Linie eines: gehört werden", sagt Meissner. Seien Sie also offen und achten Sie darauf, was ihr Partner Ihnen sagen möchte. Sie wünschen sich sicherlich ähnlich viel Respekt für Ihre Themen.

5 „Du hast schon wieder ..." Hier kommt der
40 Vorwurf gleich im ersten Satz und damit beginnen eher destruktive Gespräche. Versuchen Sie es lieber mit Botschaften über Sie selbst. „Ich möchte gerne ..." leitet viel eher eine konstruktive Diskussion ein.

6 Eine gemeinsame Lösung, mit der alle zufrie-
45 den sind, lässt sich nicht immer erreichen. Bei der Verteilung der Arbeit im Beruf muss man ab und zu auch mal eine weniger gerechte Aufgabenteilung
50 hinnehmen. Sie ist dann aber die Basis für die Verhandlung von einem Kompromiss in einem anderen Bereich.

7 Wurden Sie zu laut, zu hitzig, zu böse und es tut Ihnen jetzt leid? Dann sollten Sie sich entschuldigen. „Da muss man dann auch Größe zeigen, um Ver-
55 zeihung bitten und keine Rechtfertigungen für sein Verhalten suchen." Das sollte Ihnen im Beruf zwar am besten erst gar nicht passieren, wenn die falschen Worte aber erst einmal raus sind, ist hier eine Entschuldigung umso nötiger.

60 **8** Am Ende des Tages kann man ein Resümee ziehen. Was hat heute gut geklappt, was nicht? Nutzen Sie die Chance für einen gemeinsamen Austausch, bei dem Sie kleinere Unstimmigkeiten entspannt ansprechen können.

c Welche Informationen waren neu bzw. besonders interessant für Sie?

▶ Ü 2

Wenn zwei sich streiten, ...

1.16-18

4a Hören Sie nun drei Dialoge und machen Sie sich Notizen zu den Fragen.

- Was ist der Anlass / das Thema des Gesprächs?
- Welcher Dialog ist ein Gespräch, in dem Kritik geübt wird? Welcher ist ein Streit?

b Welche Faktoren führen zu einem konstruktiven Ende? Welche führen zu einem negativen
▶ Ü 3　Ausgang? Sammeln und diskutieren Sie im Kurs.

5a Arbeiten Sie in Gruppen. Sehen Sie die Bilder an. Wer und wo ist das? Worum geht es?

b Wählen Sie einen der drei Textanfänge und schreiben Sie aus der Sicht der Person weiter.
Wie handelt, denkt und fühlt die Person?

> *Liebes Tagebuch,*
> *immer dieser Stress bei uns. Das nervt. Immer räume ich*
> *die Küche auf. Heute auch. Und ...*

> Hallo Tom,
> ich kann dir wieder aus unserer tollen WG berichten.
> Hier gibt es echte Überraschungen ...

@sonja333　heute | 23:33 Uhr
Du glaubst ja nicht, was heute passiert ist.
Wir wollten uns einen gemütlichen Abend
machen und ...

6a Partnerarbeit – Rollenspiel. Entscheiden Sie sich für eine der drei Situationen und übernehmen Sie eine Rolle. Verwenden Sie Ich-Botschaften.

GEFÜHLE UND WÜNSCHE AUSDRÜCKEN

Ich denke, dass …

Ich würde mich freuen, wenn …

Ich fühle mich …, wenn …

Ich glaube, dass …

Ich finde es traurig, wenn …

Verlange ich zu viel, wenn …?

Ich würde mir wünschen, dass …

Mir geht es …, wenn ich …

Für mich ist es schön/gut/leicht/…, wenn …

Ich bin echt davon enttäuscht, dass …

… macht mich sauer/wütend/…

Für mich ist wichtig, dass …

Daniela, 26 (Studentin)
- möchte die Mitschrift von Benno, weil sie die letzten beiden Male nicht im Seminar war,
- meint, dass Benno ihr als Freund helfen sollte,
- hat Angst vor der Prüfung, weil sie nur wenig verstanden hat.

Benno, 28 (Student)
- ist sauer, weil Daniela ihm nie bei etwas geholfen hat,
- das ist das dritte Mal, dass Daniela seine Mitschrift haben möchte,
- fühlt sich ausgenutzt.

Bill, 40 (macht Umschulung)
- wohnt mit Constanze in einer WG,
- will für eine Prüfung lernen,
- kann sich nicht konzentrieren,
- meint, dass Constanze einen eigenen Probenraum braucht.

Constanze, 30 (Musikerin)
- muss heute noch Cello üben,
- hat heute Proben und morgen ein wichtiges Konzert,
- fühlt sich noch unsicher.

Stefan, 34 (Bibliothekar)
- möchte im Urlaub etwas erleben,
- fand den Strandurlaub letztes Jahr langweilig,
- möchte, dass Jolanta seine Interessen teilt (Sport, Natur, Leute kennenlernen),
- findet, dass in diesem Urlaub seine Wünsche berücksichtigt werden sollen.

Jolanta, 27 (Telefonistin)
- möchte im Urlaub ihre Ruhe haben,
- hat einen sehr hektischen Alltag,
- möchte, dass sie zusammen mit Stefan entspannen kann,
- findet, dass Stefan zu wenig Rücksicht nimmt.

b Spielen Sie die Dialoge vor und diskutieren Sie dann im Kurs: Was ist gut gelaufen? Wo haben die Tipps aus dem Artikel in 3b geholfen?

Sophie Hunger *(*31. März 1983)*

Musikerin, Komponistin, Autorin

Großes aus der kleinen Schweiz: Sophie Hunger brilliert mit smartem Indie-Pop, der poetisch daherkommt – aber nie platt.

SPIEGEL ONLINE: Sie haben mal gesagt: „Irgendwann habe ich entdeckt, dass ich mit Gesang die Menschen wütend, traurig oder fröhlich machen kann." Welches dieser drei Gefühle lösen Sie eigentlich am liebsten aus?

Sophie Hunger: Ha! So funktioniert das nicht. Singen ist kein Domino-Spiel, in dem ein Stein fällt, dann der nächste und der nächste – das hat nichts Systematisches. Es kommt darauf an, wie man die Sachen singt oder sagt.

SPIEGEL ONLINE: Trotzdem: Wer Gefühle auslösen kann, hat Macht über Menschen. Sind Sie sich dessen bewusst?

Hunger: Ja, in manchen Momenten.

SPIEGEL ONLINE: Erzählen Sie mal.

Hunger: Zur ersten Zugabe kehre ich zurück auf die Bühne, alleine. Das Publikum klatscht, ein klassischer Live-Moment. Da spüre ich viel Aufmerksamkeit – und viel Gunst. Die Leute erwarten, dass ich jetzt etwas mache, sie sind bereit, etwas anzunehmen.

Sophie Hunger möchte nach eigener Aussage mit ihrer Musik kommunizieren. Und das in vier Sprachen.

SPIEGEL ONLINE: Eine Sache fällt an Ihrer Musik besonders auf: Sie empfinden viel Spaß daran, Worte zu phrasieren – in allen Sprachen, in denen Sie singen. Haben Sie ein Lieblingswort?

Hunger: Auf Schweizerdeutsch mag ich sehr gerne „chumm", also „komm". Das drückt so eine Dringlichkeit aus. Man will unbedingt, dass die Person kommt.

SPIEGEL ONLINE: Im Französischen?

Hunger: „Personne". Das Wort heißt „niemand" – und zugleich „Person". Wer „niemand" sagt, sagt zugleich „jemand". Das ist hervorragend!

SPIEGEL ONLINE: Und im Hochdeutschen?

Hunger: Ein hochdeutsches Wort, das ich mag? Ich weiß nicht …

SPIEGEL ONLINE: Ist es Zufall, dass Sie beim Hochdeutschen länger überlegen?

Hunger: Sie sind Deutscher, vielleicht deswegen. Aber das Wort „niemand" gefällt mir schon sehr. Das habe ich dann auch mal gebraucht für ein Stück, „Walzer für Niemand".

SPIEGEL ONLINE: Ihr Album „1983" war international erfolgreich, aber nirgends so sehr wie in der Schweiz: Platz eins der Charts. Ist die Schweiz als kleines Land besonders stolz, wenn Schweizer Erfolg in der großen, weiten Welt haben?

Hunger: Die Schweizer können oft nur als Schweizer in der Schweiz stolz auf sich sein. Denn wenn etwas die Schweiz verlässt, verlässt es meistens den Wahrnehmungsbereich der Schweiz.

SPIEGEL ONLINE: Was bedeutet Ihnen die Schweiz?

Hunger: Die Schweiz ist meine geliebte Heimat. Geliebt, weil man ja das liebt, was zu einem gehört, abgesehen davon, ob man es mag oder nicht. Wenn ich die Alpen sehe, dann fühle ich sie in meinem Bauch. Diese Landschaft hat mich gezeichnet, sie ist immer bei mir. Ich wurde aber ungefragt als Schweizerin geboren.

SPIEGEL ONLINE: Klingt ein wenig nach Schicksal …

Hunger: … ja …

SPIEGEL ONLINE: … und fast nach einer Last.

Hunger: Nein! Die Schweiz ist eines der reichsten Länder der Welt, Schweizer zu sein, ist keine Last. Die Frage ist: Was macht man daraus?

---

www ▶ Mehr Informationen zu Sophie Hunger.

Sammeln Sie Informationen über Persönlichkeiten aus dem In- und Ausland, die für das Thema „Kommunikation" interessant sind, und stellen Sie sie im Kurs vor. Sie können dazu die Vorlage „Porträt" im Anhang verwenden.

Beispiele aus dem deutschsprachigen Bereich: Ruth Cohn – Paul Watzlawick – Massimo Rocchi – Michaela Maria Drux

1 Vergleichssätze

Vergleichssätze mit *als* und *wie*

Nebensätze mit *als* und *wie* drücken einen Vergleich aus. Sie hängen immer von einem Adjektiv ab. Das Verb steht am Ende.
Vergleichssätze werden bei Gleichheit mit *wie*, bei Ungleichheit und nach *ander(e)s* mit *als* eingeleitet:
1. Gleichheit: *so/genauso* + Grundform + *wie*
2. Ungleichheit: Komparativ + *als*, *anders* + *als* oder *etwas/nichts anderes* + *als*

Botschaften der Körpersprache nehmen wir **so schnell** *wahr,* **wie** *wir gesprochene Sprache aufnehmen.*
Wir achten instinktiv viel **mehr** *auf die Körpersprache,* **als** *wir meinen.*

Vergleichssätze mit *je …, desto/umso …*

Je *eindeutiger die Signale* <u>sind</u>,	**desto/umso** *besser* <u>verstehen</u> *wir sie.*
Nebensatz	Hauptsatz
je + Komparativ	desto/umso + Komparativ

Vergleichssätze mit *je …, desto/umso …* haben oft eine konditionale Bedeutung.
Wenn die Signale eindeutig sind, (dann) verstehen wir sie besser.

2 Das Wort *es*

es als Subjekt oder Objekt (obligatorisch)

	es als Subjekt	**es als Objekt**
Wetterverben	es nieselt, es regnet, es hagelt, es schneit, es donnert, es blitzt, es gewittert, es stürmt	
Tages- und Jahreszeiten	Es ist Morgen. Es wird Nacht. Es wird Frühling.	
Natur- und Zeiterscheinungen	Es ist schon spät. Im Winter bleibt es lange dunkel. Es wird hell. Es zieht.	
feste lexikalische Verbindungen	es geht, es gibt, es ist, es eilt mit + D, es fehlt an + D, es geht um + A, es handelt sich um + A, es klappt mit + D, es kommt an auf + A	es abgesehen haben auf + A, es eilig haben, es ernst/leicht/schwer nehmen, es ernst meinen, es gut/schlecht haben, es gut/schlecht meinen mit + D, es in sich haben, es sich gut gehen lassen, es weit bringen

Wenn *es* Objekt ist, steht *es* niemals auf Position 1.

es als Stellvertreter von dass-Sätzen oder Infinitivkonstruktionen

Es	ist	verwunderlich,	**dass** viele Menschen Smalltalk nicht mögen.	
Dass viele Menschen Smalltalk nicht mögen,	ist	verwunderlich.		
Viele	lehnen	**es**	ab,	ein nichtssagendes Gespräch **zu** beginnen.
Ein nichtssagendes Gespräch **zu** beginnen,	lehnen	viele	ab.	

Steht der dass-Satz oder die Infinitivkonstruktion auf Position 1, entfällt *es*.

Was man mit dem Körper sagen kann

1a Sehen Sie sich Bilder und Sätze aus einem Film über „Körpersprache" an. Vermuten Sie: Welches Bild passt zu welchem Satz?

1. Bild _____ Da Körpersprache überwiegend kulturabhängig ist, kann es zu Missverständnissen kommen.

2. Bild _____ Die Anwesenheit anderer gleichgestimmter Menschen verstärkt unsere Emotionen.

3. Bild _____ Es geht darum, Hemmungen abzubauen, Ausdrucksfähigkeit zurückzuerlangen.

4. Bild _____ Kommunikation durch Bewegung – die Sprache des Körpers zur Kunst erhoben.

5. Bild _____ Wenn ich so sitzen bleiben würde, würde ich die Stimmung dieser Haltung automatisch annehmen.

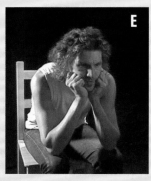

b Sehen Sie nun den ganzen Film. Waren Ihre Vermutungen richtig?

2a Sehen Sie die erste Filmsequenz. Ordnen Sie dann die Wörter den Fragen zu.

Angst	Ekel	Gestik	Haltung	Lachen	Mimik	Nachahmung	Wut

1. Aus welchen drei Elementen besteht Körpersprache?

   _____

2. Welche Beispiele für angeborene Körpersprache werden im Film genannt?

   _____

3. Wie eignet man sich erlernbare Körpersprache an?

   Durch _____

b Körpersprache kann zu interkulturellen Missverständnissen führen. Erklären Sie das Beispiel aus dem Film. Was ist bei Japanern anders als bei Deutschen?

c Nennen Sie aus Ihrer Erfahrung weitere kulturelle Unterschiede in der Körpersprache.

3a Sehen Sie die zweite Sequenz. Durch welche Elemente der Körpersprache gelingt bzw. misslingt
das Gespräch zwischen Arzt und Patient? Notieren Sie und vergleichen Sie im Kurs.

misslungenes Gespräch	gelungenes Gespräch
Arzt sucht keinen Blickkontakt	*freundliche Begrüßung*

b Überlegen Sie sich zu zweit eine Situation (beim Arzt, auf einer Behörde,
beim Bewerbungsgespräch, mit einem Lehrer ...). Legen Sie fest, ob das
Gespräch positiv oder negativ verlaufen soll.
Spielen Sie das Gespräch und achten Sie besonders auf Mimik, Gestik und
Haltung.

c Diskutieren Sie die Situationen aus 3b im Kurs. Wie war die Körpersprache?

 4a Sehen Sie die dritte Filmsequenz. Wer nimmt am
3   Körpersprache-Seminar teil? Was ist das Ziel des Seminars?

b Was demonstriert der Schauspieler auf dem Stuhl im Film?

5 Spielen Sie zu zweit eine Begegnung mit einer/einem
Bekannten auf der Straße. Überlegen Sie sich dafür eine
bestimmte emotionale Haltung: freundlich, schüchtern,
wütend, ärgerlich, höflich,
aggressiv, euphorisch ...
Setzen Sie bewusst Ihre Stimme
und Ihre Körpersprache ein.
Trauen Sie sich!

Arbeit ist das halbe Leben

E

1 In meinem Beruf muss man auf jeden Fall sehr sportlich sein und den Nervenkitzel lieben. Ich habe eine Stuntschule besucht und arbeite jetzt seit fünf Jahren als Stuntman beim Film. Mein Job ist oft gefährlich, aber immer abwechslungsreich. Trotzdem muss ich mir jetzt mal überlegen, was ich danach machen will. Denn länger als 15 bis 20 Jahre hält man das eigentlich nicht durch.

B

A

2 Zuerst war es nur ein Zeitvertreib, aber dann lief es immer besser und ich habe begonnen, mein Geld als Bloggerin zu verdienen. Mittlerweile habe ich so viele Werbepartner, dass ich vor zwei Jahren meinen Job an den Nagel hängen konnte und jetzt meinen Blog hauptberuflich betreibe. Ich schreibe über alles Mögliche: Musik, Mode, Reisen, Lifestyle. Das ist natürlich kein Job bis zur Rente. Mal sehen, was noch kommt.

B

3 Düfte fand ich schon immer faszinierend, deshalb wollte ich auch unbedingt Parfümeurin werden. Jetzt kreiere ich die passenden Düfte für Waschmittel, Shampoos oder Hautcremes. Zuerst schreibe ich die Rezeptur, dann mische ich. Man muss wissen, welche Bestandteile man wie mischen kann. Das ist das Handwerk. Und dann braucht man natürlich auch einen hervorragenden Geruchssinn.

C

A

4 Ich arbeite am Theater als Maskenbildner. Vorher habe ich eine Ausbildung zum Friseur gemacht und dann
eine spezielle Schule für Maskenbildner
besucht. Man braucht viel Fantasie,
Fingerspitzengefühl und Ausdauer in
diesem Beruf und man muss sich drauf
einstellen, dass man oft abends und am
Wochenende arbeiten muss.

D

C

5 Eigentlich wollte ich immer
Konzertpianist werden, aber dann
habe ich irgendwann eingesehen,
dass mein Talent nicht reicht. Ich
wollte trotzdem etwas machen, was
irgendwie mit dem Klavier verbunden ist, also bin ich Klavierbauer
geworden. In diesem Beruf sind vor
allem handwerkliches Geschick und
Genauigkeit besonders wichtig. Ich
restauriere, repariere und stimme
Klaviere.

E

F

D

6 Meine Leidenschaft waren schon immer Farben, Formen und Licht.
Mir hat es immer Spaß gemacht, Räume zu dekorieren und umzuge-
stalten. Nach dem Abitur habe ich Innenarchitektur studiert und habe
heute mein eigenes Büro mit drei Angestellten. Wir richten Privat-
wohnungen, Arztpraxen, Restaurants usw. ein. Das ist mein absoluter
Traumberuf, auch wenn ich bei großen Projekten oft bis spät in die
Nacht arbeite.

1a Sehen Sie die Fotos an. Welchen Beruf könnten die Leute haben?

b Arbeiten Sie zu dritt. Jeder liest zwei Texte und ordnet sie den Fotos zu. Um welche Berufe
handelt es sich? Welche Informationen bekommen Sie? Informieren Sie Ihre Gruppe.

2 Zeichnen Sie einen typischen Gegenstand Ihres Berufs/Traumberufs oder machen Sie eine
typische Handbewegung. Die anderen im Kurs raten, um welchen Beruf es sich handelt.

Mein Weg zum Job

1a Welche Möglichkeiten gibt es, eine Stelle zu finden? Sammeln Sie im Kurs.

Stellenanzeigen in der Zeitung …

1.19-26

b Hören Sie die Umfrage. Wie haben die Leute ihre Stelle gefunden? Notieren Sie und vergleichen Sie dann mit Ihren Ideen aus 1a.

Aylin Demir, BWL-Studentin

Jan Hoffmann, Bauzeichner

Sandy Wagner, Bürokauffrau

Adele Weiher, Schneiderin

Björn Burger, Koch

Carolin Jaensch, Informatikerin

Nadja Kluger, Grafikerin

Fabian Drechsler, Jurist

A: Webseite der Uni, Praktikumsbörse

c Hören Sie noch einmal. Warum haben die Leute eine Stelle gesucht? Ergänzen Sie Ihre Notizen aus 1b und vergleichen Sie.

▶ Ü 1 **2** Wie haben Sie schon mal eine Stelle, einen Nebenjob, ein Praktikum … gefunden? Berichten Sie.

1.27

3a Hören Sie noch einmal einige Sätze aus der Umfrage und ergänzen Sie die zweiteiligen Konnektoren.

1. Jetzt habe ich _____ nette Kollegen, _____ abwechslungsreichere Aufgaben.

2. Ich habe _____ über Stellenanzeigen in der Zeitung _____ über Internetportale eine neue Stelle gefunden.

3. _____ mehr Absagen ich bekam, _____ frustrierter wurde ich natürlich.

4. _____ kämpft man sich durch die Praktikumszeit _____ man findet wahrscheinlich nie eine Stelle.

5. Bei dem Praktikum verdiene ich _____ nichts, _____ ich sammle wichtige Berufserfahrung.

6. _____ hat mir der Job gut gefallen, _____ brauche ich immer neue Herausforderungen.

7. Ich muss mich _____ um das Design _____ um die Produktion kümmern.

b Ordnen Sie die Konnektoren aus 3a nach ihrer Bedeutung in die Tabelle ein.

zweiteilige Konnektoren				G
Aufzählung	**„negative" Aufzählung**	**Vergleich**	**Alternative**	**Einschränkung/ Gegensatz**
nicht nur ..., sondern auch				

Zweiteilige Konnektoren können Sätze oder Satzteile verbinden.
nicht nur …, sondern auch und *sowohl … als auch* verbinden meistens Satzteile.

▶ Ü 2

c Verbinden Sie die Sätze mit zweiteiligen Konnektoren. Manchmal gibt es mehrere Möglichkeiten.

1. Wenn man mehr Erfahrung hat, findet man leichter eine Stelle.
2. Bei einer Bewerbung ist der Lebenslauf wichtig. Das Bewerbungsschreiben ist auch wichtig.
3. Man bewirbt sich meistens per E-Mail. Bewerbungen über Online-Formulare sind auch möglich.
4. Für viele Stellen ist eine Ausbildung wichtig. Außerdem ist auch genügend Berufserfahrung wichtig.
5. Manche Berufe sind nicht interessant und auch nicht gut bezahlt.
6. Sich selbstständig zu machen, ist anstrengend. Es macht jedoch auch Spaß.
7. Es gibt viele freie Stellen. Trotzdem finden viele Leute keine Arbeit.

▶ Ü 3

d Rund um den Beruf. Wählen Sie drei Konnektoren und schreiben Sie Beispielsätze.

Ich habe sowohl im Internet als auch in Zeitungen nach einer Stelle gesucht.

▶ Ü 4

4 Wo möchten Sie in zehn Jahren beruflich stehen? Welche Pläne haben Sie? Erzählen Sie.

Glücklich im Job?

1a Was macht zufrieden im Beruf, was eher unzufrieden? Sammeln Sie im Kurs.

+   -

nette Kollegen   *viele Überstunden*

b Was bedeuten die Ausdrücke? Ordnen Sie zu.

1. Erwartungen erfüllen   _2_ A sehr wichtig sein
2. eine große Rolle spielen   _4_ B zu viel arbeiten / überlastet sein
3. eine reine Last sein   _5_ C etwas entscheiden/kontrollieren können
4. sich im Job aufreiben   _3_ D etwas ist nur Pflicht, kein Vergnügen
5. etwas selbst in der Hand haben   _1_ E etwas ist so, wie man gehofft hatte

2a Lesen Sie den Text und entscheiden Sie, welche Lösung (a, b oder c) richtig ist.

— : zufrieden

Lieben Sie Ihre Arbeit? ∿∿∿ : unzufrieden

Während man früher davon ausging, dass Arbeit eine reine Last ist, weiß man heute, dass der Job mitverantwortlich für das Lebensglück ist.

Als sicher gilt: Vor allem Menschen, die keine
5 Arbeit haben, sind unzufrieden. Am wichtigsten sind den meisten Menschen Gesundheit und Familie, aber gleich dahinter kommt der Beruf. Eine aktuelle Studie besagt, dass fast die Hälfte der arbeitenden Menschen sehr zufrieden mit ihrem Beruf ist, unabhängig da-
10 von, ob die Befragten Vollzeit oder Teilzeit arbeiten, angestellt oder selbstständig sind. Doch nur ein Fünftel der Arbeitslosen fühlt sich wohl. Wer arbeitslos ist, hat besonders mit dem Verlust von Ansehen und sozialen Kontakten und der mangelnden Strukturierung
15 des Tages zu kämpfen.

Eine große Rolle bei der Zufriedenheit spielt auch, ob man wirklich das macht, was man möchte. Viele träumen von der Schauspielschule, machen dann aber eine Banklehre, weil es vernünftiger und sicherer
20 scheint, oder studieren Jura statt Philosophie, weil es die Eltern so möchten. Dabei lockt auch das erwartete gute Gehalt. Doch dann kommt plötzlich alles anders, als man denkt, weil z. B. eine Finanzkrise die Karriereplanung stört. Und so kommt zum ungelieb-
25 ten Beruf noch der Misserfolg dazu. Studieren, was einen wirklich interessiert, könnte in den unsicheren wirtschaftlichen Zeiten von heute die einzige verlässliche Entscheidungshilfe sein.

Männer entscheiden sich eher als Frauen für lu-
30 krative Berufe, obwohl auch für sie Geld keine Garantie für Glück bedeutet. Wissenschaftler sind öfter zufrieden als Manager, obwohl sie weniger verdienen. Das Gehalt ist also gar nicht so entscheidend, sollte

aber der Leistung angemessen sein. Auch Flexibilität
35 und die Möglichkeit, Teilzeit zu arbeiten, erhöhen das Glück des Einzelnen. So bekommt man das Gefühl, sein Leben selbst in der Hand zu haben.

Um glücklich und zufrieden zu sein, braucht man aber nicht nur den richtigen Beruf, sondern auch den
40 richtigen Arbeitsplatz. Und dort spielen natürlich auch die Vorgesetzten eine große Rolle. Wer als Chef hauptsächlich Druck ausübt, der demotiviert die Angestellten auf Dauer. Stattdessen sollten Mitarbeiter fachlich unterstützt und Konflikte schnell gelöst wer-
45 den. Ein guter Chef kann auch eigene Fehler eingestehen und weiß, dass er nicht perfekt ist. Damit sich die Mitarbeiter wohlfühlen, ist eine positive und kooperative Firmenkultur unverzichtbar.

Aber auch die Art der Arbeit ist von Bedeutung.
50 Die meisten Menschen beschäftigen sich gern mit anspruchsvollen Aufgaben. Um diese zu bewältigen, sollte man allerdings genug Zeit haben und nicht ständig unter Stress stehen. Außerdem ist das Gefühl wichtig, etwas Sinnvolles zu tun. Besonders
55 schlimm ist es für Angestellte, wenn sie ständig Angst um ihren Job haben müssen und keinen Ausweg aus dieser Situation sehen, z. B. durch einen Stellenwechsel.

Die Wirtschaft verändert sich heutzutage immer
60 schneller. Arbeitnehmer sollten sich deshalb öfter fragen, ob die Arbeit ihre Erwartungen erfüllt. Sonst stellen besonders diejenigen, die sich im Job aufreiben, irgendwann fest, dass das restliche Leben leidet.

1. Heute kann man davon ausgehen, dass …
a Arbeit für die meisten Menschen eine lästige Pflicht ist.
b Menschen nicht glücklich sind, wenn sie keine Arbeit haben.
c die Arbeit für viele wichtiger als die Gesundheit ist.

2. Besonders zufrieden sind Menschen, die …
a bei der Berufswahl ihrem Herzenswunsch nachgehen.
b ihren Beruf aus vernünftigen Gründen wie Sicherheit wählen.
c ihren Beruf nach dem möglichen Einkommen aussuchen.

3. Männer entscheiden sich öfter als Frauen für …
a einen gut bezahlten Beruf.
b eine flexible Tätigkeit.
c ihren Wunschberuf.

4. Vorgesetzte sollten …
a ein angenehmes Arbeitsumfeld schaffen.
b wenige Fehler im Umgang mit ihren Mitarbeitern machen.
c die Mitarbeiter durch Druck motivieren.

5. Arbeitnehmer sind besonders unzufrieden, wenn sie …
a den Job häufig wechseln müssen.
b denken, dass ihre Stelle in Gefahr ist.
c die Erwartungen in der Firma nicht erfüllen.

b Arbeiten Sie zu zweit. Lesen Sie den Text noch einmal und erstellen Sie eine Tabelle. Was macht im Job zufrieden? Was macht unzufrieden?

3 Diskutieren Sie in Gruppen.

• Wie wichtig ist Arbeit und Beruf für Sie?
• Was brauchen Sie, um zufrieden zu sein?
• Was steht für Sie bei der Berufswahl an erster Stelle?

• Welche Erfahrungen haben Sie bis jetzt gemacht?
• Was erwarten Sie von Ihrer beruflichen Zukunft?

WICHTIGKEIT AUSDRÜCKEN	ÜBER ERFAHRUNGEN BERICHTEN	ÜBER EIGENE ERWARTUNGEN SPRECHEN
Für mich ist es wichtig, …	Ich habe die Erfahrung gemacht, dass …	Ich nehme an, …
Entscheidend für …, ist …		Eventuell/Wahrscheinlich …
Ein wichtiger Punkt ist …	Ich habe festgestellt, dass …	Ich könnte mir vorstellen, dass …
… bedeutet viel/wenig für mich.	Meine Erfahrungen haben mir gezeigt, dass …	Ich verspreche mir von …, dass …

▶ Ü 1–2

Teamgeist

1 Beschreiben Sie die Aktivitäten auf den Bildern. Was haben die Bilder gemeinsam? Worum könnte es hier gehen?

 2a Hören Sie das Gespräch. Um welches Event geht es und was ist das Problem?

1.28

b Hören Sie noch einmal. Welche Argumente werden für und gegen das Event genannt? Notieren Sie.

▶ Ü 1

3a Lesen Sie die Einladung zum Event aus 2a. Hätten Sie Lust, daran teilzunehmen? Warum? Warum nicht?

Einladung zum Team-Tag!

Liebe Kolleginnen und Kollegen,

am Freitag, den 25. April, lösen wir zusammen mal ganz andere Probleme: Anstatt im Büro zu sitzen, bauen wir gemeinsam ein Drachenboot! Mit Hammer und Säge machen wir uns an die Arbeit, ohne von Mails oder Anrufen abgelenkt zu werden. Sobald das Boot fertig ist – voraussichtlich am späten Nachmittag –, rudern wir in Fünfer-Teams um die Wette. Welches Team umrundet die nahe-gelegene Insel am schnellsten? Danach rudern wir ganz gemütlich zur Insel, um uns dort von einem Grillmeister verwöhnen zu lassen.

📢 Die wichtigsten Daten:

🔔 Freitag, 25. April

🕗 Abfahrt 8:00 Uhr vor dem Büro

🚌 Wir fahren mit dem Bus.

👟⛏ Freizeitkleidung + warme Jacke + Kleidung zum Wechseln

🕗 Rückkehr: spät

Wir freuen uns auf einen spannenden, lustigen und unser Team stärkenden Tag! 👍

Die Geschäftsleitung

P. S.: ☀🌧 Wir fahren bei jedem Wetter!

---

b Markieren Sie die Sätze mit *um … zu*, *ohne … zu* und *anstatt … zu* in der Einladung. Was drücken die Konnektoren aus? Notieren Sie zu jeder Umschreibung den passenden Konnektor.

Konnektoren mit *zu* + Infinitiv G

1. ein Ziel oder eine Absicht   *um ... zu*

2. etwas passiert nicht (Einschränkung)   *ohne ... zu*

3. etwas passiert nicht, dafür etwas anderes   *anstatt ... zu*
   (Alternative oder Gegensatz)

c Formulieren Sie die Sätze um. Verwenden Sie *~~zu~~ ohne zu, um zu* oder *(an)statt zu*.

1. Sie ruft an, weil sie das Teamevent für die Firma buchen möchte. *(um)*
2. Sie hat angerufen, aber sie hat das Teamevent nicht gebucht. *(ohne zu)*
3. Sie hat angerufen, ~~damit~~ sie Informationen zum Teamevent bekommt. *(um)*
4. Sie hat nicht angerufen, sondern sie hat das Event per Mail gebucht.
   Sie hat das Event per Mail gebucht, anstatt sie anzurufen ▶ Ü 2

4a Markieren Sie die Subjekte in den Haupt- und Nebensätzen.

1. Viele Firmen bieten Teamevents an, damit ihre Mitarbeiter besser zusammenarbeiten.
2. Sie hat lange gewartet, ohne dass die Firma ein Angebot geschickt hat.
3. Sie könnten mir das Angebot per Mail schicken, (an)statt dass wir lange telefonieren.

b Markieren Sie in Ihren Sätzen aus 3c die Subjekte und vergleichen Sie mit den Sätzen in 4a.
   Notieren Sie dann die Konnektoren.

Subjekt im Hauptsatz = Subjekt im Nebensatz	Subjekt im Hauptsatz ≠ Subjekt im Nebensatz G
um ... zu	*damit*

▶ Ü 3–4

5 Hätten Sie Lust, an einem Teamevent teilzunehmen? Was kann man noch machen, um die
   Zusammenarbeit in Teams zu verbessern? Welche Aktivitäten zur Verbesserung der Teambildung
   finden Sie gut? Schreiben Sie einem Freund / einer Freundin.

- Beschreiben Sie das Event.
  Bei dem Event sollen alle …
  Man baut gemeinsam …, um …

- Schreiben Sie, was Ihnen daran gefällt und
  was nicht.
  Ich finde das Event …
  Besonders gefällt mir daran …
  Nicht so gut finde ich, dass …

- Machen Sie Vorschläge für andere Team-
  bildungsaktivitäten.
  Ich würde lieber …, als …
  Anstatt gemeinsam Kinderspiele zu machen,
  sollte/könnte man …
  Um ein gut funktionierendes Team zu bilden, müssen meiner Meinung nach vor allem …
  Bei … lernt man die Kollegen auch mal ganz anders kennen. Das finde ich …

Werben Sie für sich!

1a Der Lebenslauf. Lesen Sie die Kommentare einer Bewerbungstrainerin zu einem Lebenslauf und ordnen Sie sie zu.

a) Die Überschrift ist gut, jeder erkennt sofort, was vor ihm liegt. Übersichtlicher ist es, wenn die Überschrift über der zweiten Spalte steht.

b) Nicht nur das Jahr, sondern auch die Monate angeben, z. B. 06/13 oder Juni 13. Achten Sie darauf, dass die Datumsangaben einheitlich sind.

c) Sprachkenntnisse stehen am Ende des Lebenslaufs.

d) Die Überschriften „Studium" und „Abschlüsse" sollte man besser unter einer Überschrift, z. B. „Ausbildung", zusammenfassen.

e) Bei EDV-Kenntnissen immer auch angeben, wie gut man das Programm kann und seit wann man das Programm verwendet.

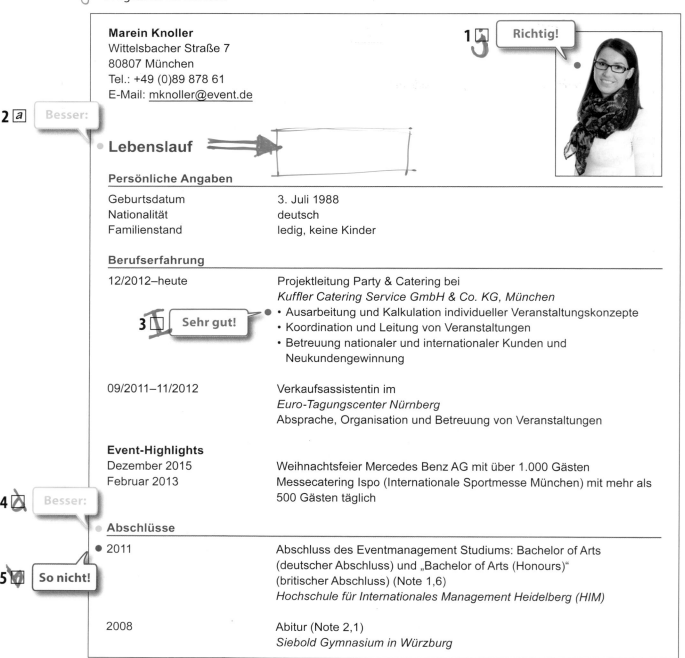

Marein Knoller
Wittelsbacher Straße 7
80807 München
Tel.: +49 (0)89 878 61
E-Mail: mknoller@event.de

1 ☐ Richtig!

2 a Besser:

Lebenslauf

Persönliche Angaben

Geburtsdatum	3. Juli 1988
Nationalität	deutsch
Familienstand	ledig, keine Kinder

Berufserfahrung

12/2012–heute	Projektleitung Party & Catering bei *Kuffler Catering Service GmbH & Co. KG, München*

3 ☐ Sehr gut!
- Ausarbeitung und Kalkulation individueller Veranstaltungskonzepte
- Koordination und Leitung von Veranstaltungen
- Betreuung nationaler und internationaler Kunden und Neukundengewinnung

09/2011–11/2012	Verkaufsassistentin im *Euro-Tagungscenter Nürnberg* Absprache, Organisation und Betreuung von Veranstaltungen

Event-Highlights

Dezember 2015	Weihnachtsfeier Mercedes Benz AG mit über 1.000 Gästen
Februar 2013	Messecatering Ispo (Internationale Sportmesse München) mit mehr als 500 Gästen täglich

4 ☐ Besser:

Abschlüsse

2011	Abschluss des Eventmanagement Studiums: Bachelor of Arts (deutscher Abschluss) und „Bachelor of Arts (Honours)" (britischer Abschluss) (Note 1,6) *Hochschule für Internationales Management Heidelberg (HIM)*

5 ☐ So nicht!

2008	Abitur (Note 2,1) *Siebold Gymnasium in Würzburg*

f) Der Lebenslauf ist ein offizielles Dokument, deswegen dürfen Ort, Datum und Unterschrift niemals fehlen.

g) Nennen Sie nur Weiterbildungen, die im Zusammenhang mit der Stelle stehen.

h) Tipp- und Rechtschreibfehler unbedingt vermeiden!

i) Zu Berufserfahrung und Praktika gehören eine kurze Beschreibung der Tätigkeiten.

j) Das Foto kommt oben rechts auf den Lebenslauf. Man sollte seriös und freundlich zugleich aussehen.

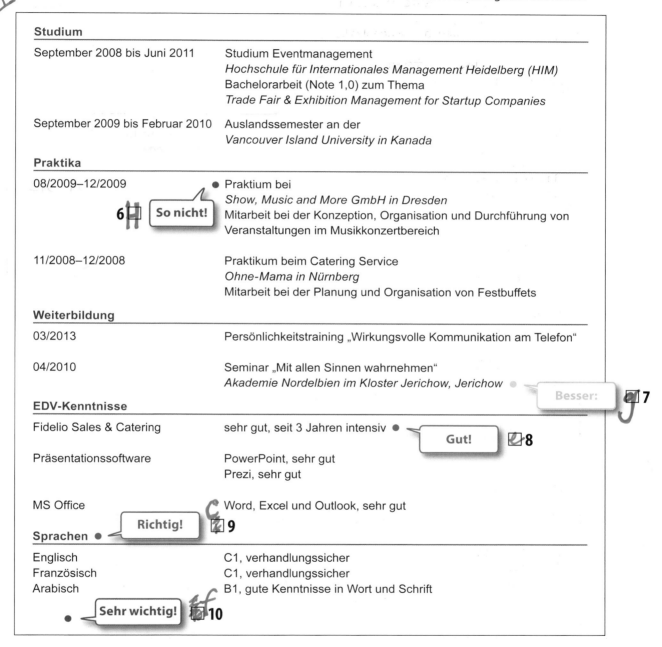

Studium	
September 2008 bis Juni 2011	Studium Eventmanagement *Hochschule für Internationales Management Heidelberg (HIM)* Bachelorarbeit (Note 1,0) zum Thema *Trade Fair & Exhibition Management for Startup Companies*
September 2009 bis Februar 2010	Auslandssemester an der *Vancouver Island University in Kanada*
Praktika	
08/2009–12/2009	• Praktium bei *Show, Music and More GmbH in Dresden* Mitarbeit bei der Konzeption, Organisation und Durchführung von Veranstaltungen im Musikkonzertbereich
11/2008–12/2008	Praktikum beim Catering Service *Ohne-Mama in Nürnberg* Mitarbeit bei der Planung und Organisation von Festbuffets
Weiterbildung	
03/2013	Persönlichkeitstraining „Wirkungsvolle Kommunikation am Telefon"
04/2010	Seminar „Mit allen Sinnen wahrnehmen" *Akademie Nordelbien im Kloster Jerichow, Jerichow* •
EDV-Kenntnisse	
Fidelio Sales & Catering	sehr gut, seit 3 Jahren intensiv •
Präsentationssoftware	PowerPoint, sehr gut Prezi, sehr gut
MS Office	Word, Excel und Outlook, sehr gut
Sprachen •	
Englisch	C1, verhandlungssicher
Französisch	C1, verhandlungssicher
Arabisch	B1, gute Kenntnisse in Wort und Schrift

So nicht! 6

Besser: 7

Gut! 8

Richtig! 9

Sehr wichtig! 10

b Vergleichen Sie den Lebenslauf und die Kommentare mit Lebensläufen, die Sie kennen. Was ist anders?

c Schreiben Sie mithilfe des Musters Ihren Lebenslauf.

STRATEGIE

Einen Lebenslauf schreiben

– Notieren Sie Informationen, die für Ihren Lebenslauf relevant sein können, auf Zettel.

– Ordnen Sie die Zettel nach den Themen „Persönliches", „Beruf", „Ausbildung", „Praktika", „Weiterbildung", „EDV" und „Sprachen". Notieren Sie auch Hobbys und Interessen, die für Ihren Beruf relevant sind, z. B. wenn das Hobby zeigt, dass Sie teamfähig sind.

– Formulieren Sie den Lebenslauf. Schreiben Sie nie mehr als zwei Seiten.

– Achten Sie darauf, dass der Lebenslauf übersichtlich und klar gegliedert ist.

Werben Sie für sich!

2 Lesen Sie die Stellenausschreibung und notieren Sie.

- Was macht die Firma, die die Anzeige aufgegeben hat?
- Welche Aufgaben soll der Bewerber übernehmen?
- Welche Anforderungen müssen und welche sollten vom Bewerber erfüllt werden?

Wir sind eine der größten Veranstaltungsagenturen Deutschlands. Unsere Kunden sind nationale und internationale Markenunternehmen.

Wir suchen eine/n **Manager/in Eventmarketing**

Ihr Aufgabengebiet: Sie entwickeln und betreuen verschiedene Kampagnen, Sie planen Veranstaltungen, erstellen dafür Angebote und verantworten das Budget.

Ihr Profil: abgeschlossenes Studium, mindestens 2–3 Jahre Berufserfahrung im Projektmanagement, Konzeptions- und Kommunikationsstärke, selbstständige und zielorientierte Arbeitsweise, fließende Englischkenntnisse, weitere Fremdsprachen von Vorteil

Wir bieten: ein kreatives Arbeitsumfeld, eine offene Atmosphäre und klare Entwicklungsperspektiven

Sie sind interessiert? Dann freuen wir uns auf Ihre aussagekräftige Bewerbung – bitte ausschließlich per Mail (max. 5 MB) – an:

VERGRU Veranstaltungs-Gruppe, Hubert Bornemann, Raue-Str. 11, 80573 München, personal@vergru.de

e Stellenanzeige

3a Das Bewerbungsschreiben. Ordnen Sie die Bezeichnungen den Teilen des Bewerbungsschreibens zu.

A Schlusssatz   B Adresse   C Ort, Datum   D Unterschrift   E Vorstellung der eigenen Person   F Anrede
G Betreff   H Absender   I Eintrittstermin   J Einleitung   K Erwartungen und Ziele   L Grußformel

H

B

C
G

F J

J

E

K

I

A

L

D

Marein Knoller
Wittelsbacher Straße 7
80807 München

VERGRU Veranstaltungs-Gruppe
z. Hd. Herrn Hubert Bornemann
Raue-Straße 11
80573 München

München, den …

Bewerbung als Managerin Eventmarketing
Ihre Anzeige auf myJob.de vom …

Sehr geehrter Herr Bornemann,

Sie suchen eine selbstständig und zielorientiert arbeitende Managerin im Eventmarketing zur Durchführung und Leitung verschiedener Kampagnen. Als ausgebildete Eventmanagerin habe ich umfangreiche Erfahrungen in der Planung und Durchführung von Events gesammelt, die ich gerne in Ihr Unternehmen einbringen möchte.

Meine bisherige berufliche Erfahrung hat mir gezeigt, dass ich gerne im Team arbeite und mir die Konzeption und leitende Durchführung auch von umfangreichen Events für anspruchsvolle Kunden ebenso liegt wie die budgetverantwortliche Angebotserstellung. Meine Englischkenntnisse sind dank meines Studiums, in dem ab dem dritten Semester alle Veranstaltungen in englischer Sprache stattfanden, sehr gut und verhandlungssicher. Während meines Auslandssemesters in Kanada konnte ich meine Englischkenntnisse noch weiter vertiefen. Meine Französischkenntnisse sind durch Sprachkurse und kürzere Auslandsaufenthalte ebenfalls verhandlungssicher. Darüber hinaus habe ich auch gute Arabischkenntnisse.

Von einem Eintritt in Ihr Unternehmen verspreche ich mir, meine Kenntnisse und Fähigkeiten in vollem Umfang einbringen zu können. Die Tätigkeit als Managerin Eventmarketing in Ihrem Unternehmen könnte ich ab dem 1. Juli aufnehmen.

Über eine Einladung zu einem persönlichen Vorstellungsgespräch freue ich mich sehr.

Mit freundlichen Grüßen

Marein Knoller

b Vergleichen Sie das Bewerbungsschreiben mit der Anzeige. Worauf ist Marein Knoller in ihrem Anschreiben eingegangen?

c Sammeln Sie zu der Übersicht passende Redemittel aus dem Anschreiben.

EINE BEWERBUNG SCHREIBEN

Einleitung	**Erwartungen an die Stelle**
in Ihrer oben genannten Anzeige …	Von einem beruflichen Wechsel zu Ihrer Firma erhoffe ich mir, …
da ich mich beruflich verändern möchte, …	Mit dem Eintritt in Ihr Unternehmen verbinde ich die Erwartung, …
vielen Dank für das informative und freundliche Telefonat.	
Bisherige Berufserfahrung/Erfolge	**Eintrittstermin**
Nach erfolgreichem Abschluss meines …	Mit der Tätigkeit als … kann ich zum … beginnen.
In meiner jetzigen Tätigkeit als … bin ich …	
Im Praktikum bei der Firma … habe ich gelernt, wie/dass …	**Schlusssatz**
Durch meine Tätigkeit als … weiß ich, dass …	Ich freue mich darauf, Sie in einem persönlichen Gespräch kennenzulernen.

[„Ich wurde " : mehr höflicher]

▶ Ü 1–2

4a Suchen Sie eine Stellenanzeige in deutscher Sprache, auf die Sie sich bewerben möchten.

b Schreiben Sie einen Bewerbungsbrief. Ihr Brief sollte mindestens zwei der folgenden Punkte und einen weiteren Aspekt enthalten:

- Ihre Ausbildung
- Ihre Interessen und Vorlieben
- Grund für die Wahl dieser Stelle
- Grund für die Bewerbung in Deutschland/Österreich/Schweiz

Bevor Sie den Brief schreiben, überlegen Sie sich eine passende Reihenfolge der Punkte, die Einleitung und den Schluss. Vergessen Sie nicht Absender, Anschrift, Datum, Betreffzeile und Schlussformel. Schreiben Sie 150–200 Wörter.

▶ Ü 3

5a Bei einem Vorstellungsgespräch ist die Selbstdarstellung wichtig. Lesen Sie die Checkliste und hören Sie das Vorstellungsgespräch. Was hat die Bewerberin nicht oder falsch gemacht?

1.29

> **Checkliste Selbstdarstellung**
> 1. Machen Sie deutlich, welche Stationen Ihrer Ausbildung/Karriere für die Stelle wichtig sind.
> 2. Erklären Sie, welche Ziele Sie noch erreichen möchten.
> 3. Beschreiben Sie persönliche Erfahrungen und Qualifikationen, die wichtig für die Stelle sind.
> 4. Reden Sie niemals schlecht über andere Arbeitgeber.
> 5. Seien Sie selbstbewusst, aber nicht arrogant!
> 6. Werden Sie nicht zu privat. Was Sie erzählen, sollte im Zusammenhang mit der Stelle stehen.
> 7. Machen Sie deutlich, warum Sie sich gerade auf diese Stelle bewerben.

b Was ist bei Vorstellungsgesprächen in Ihrem Land wichtig? Was ist anders?

6 Spielen und üben Sie zu zweit die ersten Minuten eines Vorstellungsgesprächs für die Stelle, auf die Sie sich in 4b beworben haben.

▶ Ü 4

manomama®

Eine textile Geschäftsidee von Sina Trinkwalder

Sina Trinkwalder ist Textilunternehmerin. Aber nicht irgendeine. Sie hat mit manomama® das erste öko-soziale Unternehmen (Social Business) im Textilbereich in Deutschland gegründet. Für ihr Engagement kam Lob von allen Seiten und das Schönste ist: Das Unternehmen arbeitet wirtschaftlich erfolgreich.

Sina Trinkwalder in ihrer Manufaktur in Augsburg

Sie hätte es auch lassen können. Sina Trinkwalder, 36, Mutter eines kleinen Sohnes, verdiente gutes Geld als Geschäftsführerin einer Werbeagentur. Aber sie besitzt nun mal von Kindesbeinen an einen ausgesprochenen Gerechtigkeitssinn. So hängte sie ihren Job an den Nagel und gründete manomama®, das erste Social Business im Textilbereich in Deutschland – 100 Prozent ökologisch und regional verankert.

„Wir machen nicht bio, weil es sich gut verkauft, sondern weil wir es als Grundvoraussetzung für ein respektvolles, soziales Handeln sehen", sagt die Unternehmerin. Wichtiger als bio ist ihr aber der soziale Aspekt. „Wir können doch Menschen, die gern arbeiten würden, nicht die Chance verweigern!"

Gestartet mit einer kleinen Manufaktur 2010, produziert sie mittlerweile in einem umgebauten Rohwarenlager im Zentrum Augsburgs Biobaumwolltaschen und Bekleidung. Alles, was dafür gebraucht wird, vom Garn bis zur Naht, wird in Deutschland oder wenn möglich im Umkreis von 250 km um Augsburg hergestellt. Einzig die Baumwolle (kba = kontrolliert biologischer Anbau) wird aus der Türkei und aus Westafrika importiert. Sina Trinkwalder beschäftigt rund 150 Menschen, die auf dem Arbeitsmarkt sonst kaum mehr gefragt waren, wie langzeitarbeitslose, ältere Frauen.

Dass es gelingen würde, in Deutschland konkurrenzfähige Textilien herzustellen, haben ihr nicht viele zugetraut – das sei hier einfach zu teuer. Zur Erinnerung: Tausende Näherinnen hatten hierzulande ihren Job verloren, die Produktion wurde vor allem in Billiglohnländer verlagert.

Mit ihrem Projekt hat sie viel Aufsehen erregt, avancierte zum Liebling der Arbeitsagentur und wird von Politik und Gewerkschaften hofiert. Aber auch die Kunden kommen. „Wir können das bieten, was die Kunden bei anderen Textilherstellern verzweifelt suchen: Transparenz – vom Feld bis in den Schrank", sagt die manomama-Chefin.

www Mehr Informationen zu manomama.

Sammeln Sie Informationen über Persönlichkeiten oder Unternehmen aus dem In- und Ausland, die zum Thema „Arbeit und Beruf" interessant sind, und stellen Sie sie im Kurs vor. Sie können dazu die Vorlage „Porträt" im Anhang verwenden.

Beispiele aus dem deutschsprachigen Bereich: Swatch – Loony – Heidi Klum – fritz-Kola

1 Zweiteilige Konnektoren

Funktionen

Aufzählung	Jetzt habe ich **nicht nur** nette Kollegen, **sondern auch** abwechslungsreichere Aufgaben. Ich muss mich **sowohl** um das Design **als auch** um die Produktion kümmern.
„negative" Aufzählung	Ich habe **weder** über Stellenanzeigen in der Zeitung **noch** über Internetportale eine neue Stelle gefunden.
Vergleich	**Je** mehr Absagen ich bekam, **desto/umso** frustrierter wurde ich.
Alternative	**Entweder** kämpft man sich durch die Praktikumszeit **oder** man findet wahrscheinlich nie eine Stelle.
Gegensatz/ Einschränkung	Bei dem Praktikum verdiene ich **zwar** nichts, **aber** ich sammle wichtige Berufserfahrung. **Einerseits** hat mir der Job gut gefallen, **andererseits** brauche ich immer neue Herausforderungen.

Zweiteilige Konnektoren können Sätze oder Satzteile verbinden.
weder … noch, nicht nur …, sondern auch und *sowohl … als auch* verbinden meistens Satzteile.

Zwischen diesen zweiteiligen Konnektoren steht immer ein Komma:
nicht nur …, sondern auch   *je …, desto/umso*
zwar …, aber   *einerseits …, andererseits*

2 Konnektoren *um zu, ohne zu* und *(an)statt zu* + Infinitiv und Alternativen

Bedeutung	um/ohne/(an)statt + zu + Infinitiv: gleiches Subjekt im Haupt- und Nebensatz	damit, ohne dass, (an)statt dass: unterschiedliche Subjekte im Haupt- und Nebensatz*	Alternativen
Absicht, Ziel, Zweck (final)	Ich rufe an, **um** das Teamevent **zu** buchen.	Ich rufe an, **damit** die Firma ein Angebot erstellt.	Ich rufe an, **weil** ich das Teamevent buchen **möchte**.
Einschränkung (restriktiv)	Ich habe lange gewartet, **ohne** ein Angebot **zu** bekommen.	Ich habe lange gewartet, **ohne dass** die Firma ein Angebot geschickt hat.	Ich habe lange gewartet, **aber** ich habe das Angebot **nicht** bekommen. Ich habe lange gewartet, **trotzdem** habe ich das Angebot nicht bekommen.
Alternative oder Gegensatz (alternativ oder adversativ)	**(An)statt** lange **zu** telefonieren, könntest du das Angebot fertig machen.	**(An)statt dass** wir lange telefonieren, könnten Sie mir das Angebot per Mail schicken.	Sie haben **nicht** telefoniert, **sondern** die Firma hat das Angebot per Mail geschickt.

* *damit* verwendet man auch bei gleichem Subjekt (*Ich rufe an, damit ich das Teamevent buchen kann.*).
ohne dass und *anstatt dass* wird selten bei gleichem Subjekt verwendet.

Gleicher Lohn für gleiche Arbeit?

1a Was sind typische Frauen- und Männerberufe?
Warum wählen besonders viele Frauen oder
Männer diese Berufe? Diskutieren Sie.

b Gleichberechtigung im Beruf – was heißt das?
Diskutieren Sie im Kurs.

 2 Bilden Sie zwei Gruppen und sehen Sie die erste Filmsequenz. Jede Gruppe ergänzt eine Spalte
der Tabelle mit Informationen und stellt anschließend die Frau vor.

	Gruppe A: Kerstin Reschke	Gruppe B: Belgin Tanriverdi
beruflicher Weg:	*früher Bürokauffrau*	
Einkommen:		
Familienverhältnisse:		
Zufriedenheit im Job:		
Sonstiges:		

3a In Deutschland gilt gesetzlich: Gleicher Lohn für gleiche Arbeit. Trotzdem verdienen Frauen oft weniger als Männer. Sehen Sie den ganzen Film und ergänzen Sie die Sätze mithilfe der Stichwörter.

> weniger Berufsjahre   Teilzeit   meist schlechter bezahlt   Geld

Frauen verdienen oft weniger, weil …

1. … typische Frauenberufe _____.

2. … sie wegen der Familie _____.

3. … sie wegen Schwangerschaft und Familie _____.

4. … Frauen bei der Berufswahl nicht als Erstes _____.

b Wie sieht es mit der beruflichen Gleichberechtigung in Ihrem Heimatland aus? Berichten Sie.

4a Bilden Sie Gruppen und diskutieren Sie die Meinungen aus dem Forum.

Dina1010

15.07. | 16:30 Uhr
Die meisten Frauen arbeiten, aber die große Karriere machen die Männer. Ich finde, man sollte auch bei uns eine verpflichtende Frauenquote einführen. Mindestens 40 Prozent der oberen Führungspositionen sollten mit Frauen besetzt werden. In vielen anderen Ländern gibt es so eine Frauenquote. Warum nicht auch bei uns?

Kilian_89

15.07. | 16:38 Uhr
Beruf und Familie unter einen Hut zu bekommen, ist wirklich schwierig. Wie soll man Vollzeit arbeiten und Karriere machen, wenn man zwei kleine Kinder hat? Aber vielleicht könnten ja auch mal die Väter eine Weile Teilzeit arbeiten und sich mehr um die Familie kümmern.

aNNa_Muc

15.07. | 16:42 Uhr
Besonders Frauen arbeiten oft in Berufen, bei denen man sich um andere Menschen kümmert. Und die sind ja meistens besonders schlecht bezahlt. Ich verstehe nicht, warum man als Krankenschwester nicht mehr verdient. Das ist wirklich eine schwere und anstrengende Arbeit und das sollte auch honoriert werden. Das Gleiche gilt natürlich für Altenpfleger, Erzieher usw.

ThoreDD

15.07. | 16:45 Uhr
Wenn man wirklich Karriere machen möchte, dann kann man das auch; egal, ob man eine Frau oder ein Mann ist. Die richtige Ausbildung, genug Durchsetzungsvermögen und Zielstrebigkeit sind wichtig, denke ich. Und am besten ein Arbeitgeber, der familienfreundlich ist, also z. B. durch flexible Arbeitszeiten oder Homeoffice.

b Schreiben Sie einen eigenen Forumsbeitrag zum Thema.

Zusammen leben

→ Familien-tradition

→ Standards in der Restaurant küche

→ Beschwerde

→ die Beleidigung einer Respektperson
 – das Mobbing

Sie lernen

Modul 1 | Einen Text über ein Projekt zu Sport gegen Gewalt verstehen

Modul 2 | Über das Thema „Armut" sprechen

Modul 3 | Eine Radiosendung zum Thema „Internetverhalten und Onlinesucht" verstehen

Modul 4 | Einen Text über Zukunftswünsche schreiben

Modul 4 | In einem Rollenspiel über Dinge sprechen, die einen stören

Grammatik

Modul 1 | Relativsätze mit *wer*

Modul 3 | Nomen-Verb-Verbindungen

"Ausgebrannt" ⇒ *burnt out*

*eine Marktlücke ent-
e Geschäftsidee* decken

*Streichholz — abgebrannt
Mitarbeiter → ausgebrannt
(burnt out)*
Teamfähigkeit / e´ Kollegialität;
by ©Tom Stressresistenz

*Reisverkehr - Rücksicht Nehmen auf andere Höflichkeit
- Regeln für Handy-Nutzen*

1a Welche Themen sind in einer Gesellschaft wichtig? Sehen Sie sich die Cartoons an und sammeln Sie im Kurs.

b Welcher Cartoon gefällt Ihnen am besten? Warum?

2 Bringen Sie einen Cartoon mit, der Ihnen gut gefällt, und stellen Sie ihn im Kurs vor.

Sport gegen Gewalt

1a Lesen Sie die Überschrift des Artikels und sehen Sie das Foto an. Was denken Sie: Wie kann Sport gegen Gewalt helfen?

b Lesen Sie nun den Artikel. Was erfahren Sie über Fahim Yusufzai? Sammeln Sie im Kurs.

Sport gegen Gewalt

1 Wie in jeder Großstadt gibt es auch in Hamburg soziale Probleme. Denn was machen 15-Jährige in einem sozial schwachen Stadtteil nach der Schule? Vor einigen Jahren hätten die meisten Kids von
5 Hamburg Jenfeld geantwortet: „Ab ins Einkaufszentrum." Hier ist es warm und trocken, man hat ein Dach über dem Kopf und kann sich seine Langeweile vertreiben: das eine oder andere klauen, Handtaschen stehlen, Graffiti sprühen und so weiter.

10 **2** Fahim Yusufzai, ein gebürtiger Afghane, arbeitete viele Jahre als Sicherheitsleiter im Einkaufszentrum Jenfeld. Täglich schnappte er Jugendliche beim Klauen oder Leute-Ärgern und Randalieren. Wer erwischt wurde, der bekam zunächst Hausverbot. Doch das
15 nützte nichts. Wen Fahim Yusufzai der Polizei übergeben hatte, dem begegnete er am nächsten Tag garantiert erneut im Einkaufszentrum.

3 Irgendwann wollte der Sicherheitsleiter nicht mehr tatenlos akzeptieren, dass es immer die gleichen
20 Jugendlichen waren, die Ärger im Einkaufszentrum machten. Und er hatte eine Idee: Mit 13 begann sein Vater, ihm den Kampfsport Taekwondo beizubringen. „Tae" steht für die Fußtechnik, „Kwon" für Faust- und Armtechnik und „Do" für den geistigen Weg. Seit
25 1989 trägt Fahim Yusufzai den schwarzen Gürtel. Wer diesen Sport treibt, dem sind Eigenschaften wie Disziplin, Selbstbeherrschung und Verantwortung für das eigene Handeln nicht fremd. Warum sollte er sein Wissen nicht an die Jugendlichen weitergeben?

30 **4** Mit dem Verein „Sport gegen Gewalt" konnte er den Jugendlichen besser helfen als durch Eintragungen der Polizei in ihr Führungszeugnis. Denn wer einmal solche Eintragungen hat, der hat sich seine Zukunft verbaut. Deshalb stellte er die Jugendlichen vor die Wahl: Wer
35 zu ihm in sein Taekwondo-Training kommt, den bringt er nicht zur Polizei. Bis heute hat Fahim Yusufzai mit mehreren Hundert Kindern und Jugendlichen trainiert. Neben Taekwondo wird im Verein auch Kickboxen, Fußball und Basketball angeboten. Das regelmäßige
40 Training stärkt das Gefühl, respektiert zu werden und etwas leisten zu können.

5 Die Jugendlichen sind motiviert und lernen, Stresssituationen ohne Waffe zu bewältigen und sich an Regeln zu halten. Wer im Training zum Beispiel flucht
45 oder jemanden beleidigt, der muss Liegestütze machen. Die Kids werden selbstbewusster, entwickeln Zukunftspläne. Manche machen direkt nach dem Training ihre Hausaufgaben, bei denen sie Hilfe bekommen. Seitdem Fahim Yusufzai sein Training anbietet,
50 ist die Zahl der Sachbeschädigungen und Diebstähle stark zurückgegangen.

6 Der ehemalige Sicherheitsleiter des Einkaufszentrums Jenfeld ist immer für seine Kids da. Wen Probleme plagen, der hat die Möglichkeit, jederzeit mit ihm
55 zu sprechen. Vertrauen, Disziplin und Respekt sind wichtige Vokabeln im Wortschatz von Fahim Yusufzai. Mit ihnen begründet er, was zunächst recht komisch scheint: Er lehrt kriminellen Jugendlichen einen Kampfsport. Aber: Wem er Taekwondo beibringt, der
60 merkt schnell, dass es keinen Sinn macht, Mist zu bauen. Stattdessen kümmern sich die Jugendlichen um die Schule oder um einen Ausbildungsplatz.
Der von Fahim Yusufzai gegründete Verein „Sport gegen Gewalt" gilt als Vorbild für ähnliche Projekte in vie-
65 len Großstädten Deutschlands.

c Welcher Satz passt zu welchem Abschnitt? Notieren Sie die Nummer.

____ Fahim Yusufzai wollte das Problem durch Kampfsportunterricht lösen.

____ Kriminelle Jugendliche machen ein Einkaufszentrum unsicher.

____ Die Jugendlichen mussten sich entscheiden: Kampfsport oder Strafanzeige.

____ Der Sicherheitsleiter war machtlos gegenüber den Jugendlichen.

____ Fahim Yusufzai hat für die Jugendlichen immer ein offenes Ohr und steht ihnen zur Seite.

____ Der Erfolg des Vereins zeigt sich darin, dass die Anzahl an Straftaten sinkt.

▶ Ü 1–2

d Wie finden Sie dieses Projekt? Kennen Sie ähnliche Projekte? Welche Angebote würden Sie sich wünschen?

2a Suchen Sie im Artikel Relativsätze mit dem Relativpronomen *wer* und machen Sie eine Tabelle.

Wer	erwischt wurde,	der	bekam zunächst Hausverbot.
Wen	Fahim Yusufzai der Polizei übergeben hatte,	dem	begegnete er …
Wem	…	der	…

▶ Ü 3

b Unterstreichen Sie in den Sätzen in 2a das Verb. Welcher Satz ist Hauptsatz, welcher Nebensatz?

c Sehen Sie sich das Beispiel an und ergänzen Sie die Regel.

Jemand *hat* solche Eintragungen. Er *hat* sich seine Zukunft *verbaut*.

Wer solche Eintragungen *hat*, **[der]** *hat* sich seine Zukunft *verbaut*.
Nominativ Nominativ

| ~~Hauptsatz~~ | ~~Kasus~~ | ~~Person~~ | ~~der/den/dem~~ | ~~Nebensatz~~ |

G

Relativsätze mit *wer*

1. Relativsätze mit *wer* beschreiben eine unbestimmte _PERSON_ näher.
2. Der _Nebensatz_ beginnt mit dem Relativpronomen *wer*, der _Hauptsatz_ mit dem Demonstrativpronomen *der*.
3. Der _Kasus_ der Pronomen richtet sich nach dem Verb im jeweiligen Satz.
4. Wenn beide Pronomen im gleichen Kasus stehen, kann _der/den/dem_ entfallen.

▶ Ü 4–5

3 Lesen Sie die beiden Meinungen zum Thema „Sport gegen Gewalt". Welcher Meinung schließen Sie sich an? Begründen Sie.

A Ich finde die Idee, schwierigen Jugendlichen eine Kampfsportart beizubringen, erschreckend. Es ist doch klar, dass …

B Ich glaube, dass dieses Projekt eine wunderbare Methode ist, um Jugendliche auf den richtigen Weg zu bringen. …

Armut

1a Was verbinden Sie mit dem Begriff „Armut"? Ergänzen Sie die Mindmap.

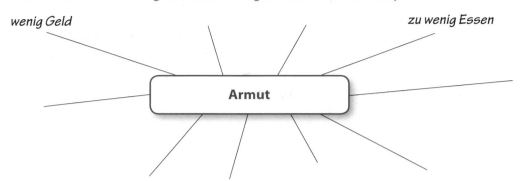

wenig Geld

zu wenig Essen

Armut

▶ Ü 1–2

b Wann ist Ihrer Meinung nach ein Mensch arm? Schreiben Sie einen kurzen Text und hängen Sie ihn im Kursraum auf.

Meiner Meinung nach bedeutet Armut, dass …
Unter Armut verstehe ich, …
Für mich ist ein Mensch arm, wenn er …

c Vergleichen Sie Ihre Erklärungen im Kurs. Welche Gemeinsamkeiten und welche Unterschiede stellen Sie fest?

Ⓟ TELC

2 Lesen Sie zuerst die acht Überschriften. Lesen Sie dann die Texte und entscheiden Sie, welcher Text (1–4) am besten zu welcher Überschrift (A–H) passt.

A Was bedeutet Armut für Arme?
B Armut macht krank
C Kostenlose Kleidungsstücke für Arme
D Portemonnaie der Eltern entscheidet über Bildungserfolg der Kinder
E Aufruf zur Spende von Kleidungsstücken
F Kinder brauchen Zuneigung der Eltern für den Lernerfolg
G Einladung zu unserem diesjährigen Kongress
H Armut – das größte Problem der Welt

STRATEGIE

Überschriften zuordnen

Lesen Sie zuerst die Überschriften. Überlegen Sie, auf welches Thema sie sich beziehen. Lesen Sie dann den ersten Text. Vergleichen Sie die zu diesem Text passenden Überschriften. Welche gibt den Inhalt des Textes am besten wieder? Verfahren Sie genauso mit den anderen Texten und Überschriften.

1 Armut zu definieren, ist schwierig, denn jeder empfindet sie anders. Hunger, Krankheiten oder Angst lassen sich nur schwer messen. Aus diesem Grund gibt es international anerkannte Kriterien, die dabei helfen zu erfassen, was Armut ist und wer als arm gilt. Auf ihrer Grundlage lässt sich Armut vergleichen. In einer Studie der Weltbank wurde untersucht, wie Arme ihre eigene Situation einschätzen. Dazu befragte man rund 60.000 Arme aus aller Welt. Die Studie macht sehr deutlich, welche Auswirkungen Armut auf diese Menschen hat: Hunger, kein Geld für die nötigsten Dinge des Alltags, ein Leben ohne Sicherheit, keine Aussicht auf eine bessere Zukunft und Krankheiten. Oft sind sie Naturkatastrophen und Gewaltübergriffen schutzlos ausgeliefert und haben keine Möglichkeit, ihr Leben selbst zu bestimmen.

Weltweit leben mehr als eine Milliarde Menschen in extremer Armut. Ursachen dafür gibt es viele, zum Beispiel Dürreperioden, die die Ernte vernichten, viel zu niedrige Arbeitslöhne, Korruption, Kriege, Epidemien, Naturkatastrophen und ein hohes Bevölkerungswachstum. Meistens sind mehrere Gründe gleichzeitig für die Armut der Menschen in einem Land verantwortlich. Viele Ursachen von Armut können von den betroffenen Ländern nicht selbst und nicht allein beeinflusst werden.

2 Armut schließt immer mehr Menschen aus der Gesellschaft aus. Armut und soziale Ausgrenzung sind ein wesentlicher Faktor für die Entstehung gesundheitlicher Probleme. Wie ist die Situation in Deutschland? Dazu findet in diesem Jahr **am Donnerstag und Freitag, den 13. und 14. März,** in der Technischen Universität Berlin der **Public Health-Kongress „Armut und Gesundheit"** statt.

Unter dem Motto „Gesundheit langfristig fördern" werden in zahlreichen Vorträgen und Seminaren Strategien zur Verbesserung der Gesundheitschancen von Menschen in schwierigen Lebenslagen thematisiert. Den Auftakt bildet am Donnerstag der Vortrag von Frau Prof. Meyer mit dem Titel „Armut macht krank – Krankheit macht arm?!".

Ab sofort besteht die Möglichkeit, sich für den Kongress „Armut und Gesundheit" als Teilnehmer/in anzumelden. Wir laden Sie herzlich dazu ein.

Bis 5. Januar können Sie Kongresskarten zum **Frühbucherrabatt** erwerben.

Bestellungen richten Sie bitte an: kongress@gesundheit.de

3 Wir möchten Sie darüber informieren, dass der DRK-Ortsverein Köln seit Kurzem auf dem DRK-Gelände eine Kleiderausgabe eröffnet hat. Dort werden gespendete Kleidungsstücke gesammelt, gereinigt und aufbereitet. Das DRK gibt während der Öffnungszeiten diese Kleider gegen eine niedrige Gebühr (0,50–2 €) an bedürftige Menschen ab. Gedacht ist dieses Angebot für all jene, die wenig Geld zur Verfügung haben: Sozialhilfeempfänger, Menschen ohne festen Wohnsitz, Flüchtlinge und Asylberechtigte sowie Menschen in akuten Notlagen. Neben gut erhaltenen Kleidungsstücken können Bedürftige auch Dinge für ihren Haushalt mitnehmen wie Wäsche, Bettzeug, Decken oder Geschirr.

Wir würden uns freuen, wenn Sie uns Ihre nicht mehr gebrauchten, gut erhaltenen Kleidungsstücke und Heimtextilien für unsere soziale Arbeit überlassen. Wir nehmen auch Hausrat an. Sie können Ihre Spende während der Öffnungszeiten des Kleiderladens (Dienstag und Donnerstag, 14:00–18:00 Uhr) abgeben oder Sie werfen sie einfach durch die Kleiderklappe, die außen am Kleiderladen angebracht ist. Bitte nur gut erhaltene Kleidungsstücke einwerfen. Wir danken Ihnen für Ihre Spendenbereitschaft.

4 Jeder kennt das Sprichwort: „Der Apfel fällt nicht weit vom Stamm." Doch welcher Zusammenhang besteht in Deutschland zwischen der sozialen Herkunft eines Kindes und seinen Bildungschancen? Zwar heißt es immer wieder, Kinder brauchen vor allem Liebe und Zuneigung, doch wenn man Leistungs- und Bildungserwartungen hat, reicht das nicht aus. Wächst ein Kind in einer ökonomisch sicheren Familie auf, existieren in der Regel mehr Materialien (Spiele, Lernmaterialien) und zwar schon lange vor der Schulzeit. Die Familie kann sich außerdem Musikunterricht, Sportkurse und andere Fördermaßnahmen problemlos leisten. Wenn das Kind dann in die Schule geht, machen den Eltern auch Nachhilfestunden nur wenig aus. Mehr Geld zu haben bedeutet folglich, besser in der Schule zu sein.

Mit der sozialen Herkunft hängt auch zusammen, welchen Stand die Bildung in der Familie hat. Eltern, die selbst einen höheren Bildungsabschluss haben und erfolgreich in Beruf und Leben sind, erachten es als wichtiger, ihren Kindern eine gute Bildung zu ermöglichen. Sie schätzen Bildung auch im Alltag und in der Freizeit. Den Kindern wird vorgelebt, dass Bildung etwas Erstrebenswertes ist. Dadurch steigern Kinder ihre Leistungsbereitschaft.

3 Haben sich Ihre Definitionen von Armut in den Texten bestätigt? Welche Aspekte sind neu dazugekommen?

▶ Ü 3–4

Im Netz

1a Was machen Sie im Internet am häufigsten? Notieren Sie zuerst für sich drei Antworten. Machen Sie dann eine Umfrage im Kurs.

1.30

b Hören Sie den ersten Teil einer Radiosendung und notieren Sie, wie die Personen in der Straßenumfrage das Internet nutzen. Vergleichen Sie dann mit Ihrer Umfrage in 1a.

Koche gerne, Krimis kaufen,
_____

treffen mit Freunden;
spielen, chatten

e Sucht:
addiction/dependence

Skype mit Familien
_____
_____

gut informieren: fotos, hotels,
Reisen oder Produkten

1.31

c Hören Sie den zweiten Teil der Radiosendung zum Thema „Onlinesucht". Markieren Sie, über welche Teilthemen Professor Westermann spricht.

☐ 1. Ergebnisse einer Studie   ☐ 4. Merkmale einer Sucht
☐ 2. Behandlungsmöglichkeiten einer Sucht   ☐ 5. Medikamente gegen eine Sucht
☐ 3. Formen von Suchtkrankheiten   ☐ 6. Ursachen für eine Sucht

d Hören Sie den zweiten Teil noch einmal. Machen Sie Notizen.

Zahlen		Merkmale von Onlinesucht	
1. 10 %:	_____	1.	_____
2. 12 %:	_____	2.	_____
3. 10–20 %:	_____	3.	_____

e Lesen Sie den Infokasten. Was überrascht Sie?

> – Jeder dritte Deutsche spielt mehrmals pro
>   Monat (26 Mio.).
> – davon: → 11,6 Mio. Frauen (44 % der Spieler)
>   → 5,5 Mio. Teenager
>   → 5 Mio. Personen 50 +
> – Durchschnittsalter: 32 Jahre

2a Hören Sie einige Sätze aus dem Interview
noch einmal. Ergänzen Sie die Nomen, die mit
den Verben eine feste Verbindung bilden.

1.32

1. Die Berliner Charité hat _____ zum Thema „Computerspielsucht" <u>angestellt</u>.

2. Die Ergebnisse <u>versetzten</u> nicht nur Eltern und Lehrer <u>in</u> _____.

3. Da möchte ich Ihnen gleich die nächste _____ <u>stellen</u>.

4. Die Jugendlichen <u>ergreifen</u> einfach die _____ in virtuelle Parallelwelten.

b Nomen-Verb-Verbindungen. Bilden Sie aus den eingesetzten Nomen in 2a Verben. Formulieren Sie
dann die Sätze neu.

1. untersuchen: Die Berliner Charité hat das Thema „Computerspielsucht" untersucht.

c In einigen Nomen-Verb-Verbindungen kann man nicht vom Nomen auf das Verb schließen.
Ordnen Sie die Bedeutungen zu und formulieren Sie die Sätze neu.

____ 1. Bei der Entstehung einer Sucht <u>spielt</u> Stress <u>eine große Rolle</u>.   A möglich sein

____ 2. Jugendliche <u>stehen</u> heute enorm <u>unter Druck</u>.   B sehr relevant sein

____ 3. Da <u>kommen</u> mehrere Merkmale <u>in Betracht</u>.   C gestresst sein

1. Bei der Entstehung einer Sucht ist Stress …

d Ergänzen Sie die Regel.

Präposition	Verb	Bedeutung	Nomen	gleiche

G

Nomen-Verb-Verbindungen

Nomen-Verb-Verbindungen bestehen aus einem _____, das nur eine grammatische

Funktion hat, und einem _____, das die Bedeutung trägt. Manchmal kommt eine

_____ dazu.

Das Nomen hat oft die _____ Bedeutung wie das zugrunde liegende Verb (z. B. *jmd. in*
Aufregung versetzen = jmd. *aufregen*).

Bei manchen Nomen-Verb-Verbindungen kann man die _____ nicht direkt vom
Nomen ableiten (z. B. *unter Druck stehen = gestresst sein*).

▶ Ü 1–4

3 Arbeiten Sie zu dritt. Jede Gruppe notiert zehn
Nomen-Verb-Verbindungen getrennt auf
Kärtchen und gibt sie an die nächste Gruppe.
Bilden Sie mit den neuen Kärtchen Nomen-
Verb-Verbindungen. Wer ein passendes Paar
gefunden hat, bildet einen Satz. Wer findet die
meisten Paare?

*Turnschuhe
kommen immer
wieder in Mode.*

▶ Ü 5

Der kleine Unterschied

1a Männer und Frauen. Arbeiten Sie in Gruppen: Welche Assoziationen haben Sie zu …

- Farben für Mädchen und Jungen?
- Wunschberufen von Mädchen und Jungen?
- Spielzeug für Mädchen und Jungen?
- Tätigkeiten für Frauen und Männer?
- Hobbys für Frauen und Männer?

b Vergleichen Sie Ihre Ergebnisse. Was ist Klischee? Was ist Realität?

▶ Ü 1

2a Welche Wünsche und Erwartungen haben Frauen und Männer? Sehen Sie die Grafiken im Artikel an. Wo finden Sie die größten Unterschiede?

Was Frauen und Männer wirklich wollen

Sechs Jahre lang hat die Frauenzeitschrift „Brigitte" gemeinsam mit dem Wissenschaftszentrum Berlin für Sozialforschung (WZB) und mit dem infas Institut für angewandte Sozialwissenschaft die Lebensentwürfe und Lebensverläufe von jungen Frauen und Männern verfolgt. Heute sind die Befragten 21 bis 34 Jahre alt. Welche Einstellungen haben sie zu Familie, Arbeit und Leben? Wie haben sich ihre Hoffnungen, Träume und Pläne über die Zeit verändert?

Die zentralen Ergebnisse der Studie:

Arbeiten? Na klar!

Der Wunsch, finanziell auf eigenen Beinen zu stehen, ist ungebrochen hoch: 91 Prozent der befragten Frauen sind Erwerbsarbeit und eigenes Geld sehr wichtig. Bemerkenswert ist der Wertewandel der Männer: 76 Prozent der Männer wollen heute eine Partnerin, die „sich um den eigenen Unterhalt kümmert" (2007: 54 Prozent). Immer seltener fühlen sie sich als Alleinernährer der Familie.

Kein Rückzug in die Familie

Selbst wenn Frauen eine Familie gegründet und Kinder bekommen haben, weichen sie nicht von ihren Werten und Einstellungen ab. Sie bleiben auf Erwerbsarbeit orientiert. Diese erachten sie als selbstverständlich, heute noch stärker als vor fünf Jahren. Der Anteil von Frauen, denen Familie heute wichtiger ist als die eigene Erwerbstätigkeit, liegt bei unter 5 Prozent.

Großer Kinderwunsch, wenig Kinder

Der Kinderwunsch von Frauen ist unverändert hoch. 93 Prozent der Frauen wollen Nachwuchs. Die Vereinbarkeit von Beruf und Familie beurteilen die jungen Frauen zurückhaltend. Obwohl sie heute eher als 2007 meinen, dass Unternehmen auf die Wünsche von Eltern eingehen, sehen sie mit Kindern ihre Chance auf eine Karriere gefährdet.

53 Prozent der Frauen stimmten 2012 der Aussage zu: „Wer Kinder hat, kann keine wirkliche Karriere machen." (2007: 36 Prozent) Die befragten Frauen, die

Männer wünschen sich: Meine Partnerin soll viel Geld verdienen

17% 2007

2012 45%

Ich denke, dass ich es später bereuen würde, keine Kinder zu haben

79%

77%

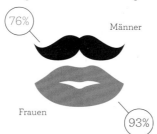

Mein Partner/meine Partnerin soll… für eigenen Lebensunterhalt sorgen

76% Männer

Frauen 93%

eigene Interessen haben	
Frauen	93%
Männer	94%

Zeit auch ohne mich verbringen	
Frauen	90%
Männer	95%

Mein Partner soll für die Existenzsicherung zuständig sein, ich für Haushalt und Kinder

6% Frauen
1% Männer

sich für meinen Job interessieren

76%

86%

Kinder bekommen haben, fühlen sich beruflich im Nachteil. Hinzu kommt: Insbesondere Männer erleben die Gesellschaft als kinderfeindlich. Obgleich auch sie gerne Kinder hätten, bleiben sie unentschlossen. Frauen und Männer zögern die Familiengründung immer länger hinaus.

Frauen leisten noch immer mehr unbezahlte Arbeit als Männer

Frauen und Männer wünschen sich eine gesunde Balance zwischen Beruf und Familie – die Wirklichkeit sieht anders aus. Zeitintensive Arbeiten im

Ich werde meine Kinder nicht für den Beruf zurückstellen

7%

17%

Haushalt wie Putzen, Waschen und Kochen werden mehrheitlich von den Frauen übernommen – auch dann, wenn noch keine Kinder im Haushalt

leben. Auch Pflege und Kindererziehung bleiben Frauensache. Ein Drittel der Männer würde die Erwerbsarbeit nicht für die Kindererziehung unterbrechen, die restlichen Männer nur kurz.

Wer eine schlechte Ausbildung hat, bleibt auf der Strecke

Frauen und Männer mit guter Ausbildung sind heute erfolgreicher und sehr viel zufriedener mit ihrem Leben als jene mit schlechter Bildung. Diese waren 2007 noch ebenso selbstbewusst und zuversichtlich wie die gut Gebildeten. Heute bewerten sie ihre Chancen schlecht.

[handschriftliche Notiz: wenn ein Person ein Abschluss haben]

b Lesen Sie jetzt den Artikel. Welche weiteren Informationen finden Sie? Markieren Sie zu zweit.

c Welche Einstellungen haben sich im Lauf der Zeit verändert? Welche sind gleich geblieben? Notieren Sie Stichpunkte aus dem Artikel.

Finanzielles	Karriere	…
Frauen: 91 % Arbeit / eigenes Geld sehr wichtig → gleich geblieben		

3a Arbeiten Sie zu zweit und ordnen Sie die Überschriften den Redemitteln zu.

~~interessante Inhalte nennen~~   ~~über eigene Erfahrungen berichten~~   ~~die eigene Meinung äußern~~
~~widersprechen/bezweifeln~~   ~~Inhalte wiedergeben~~   ~~zustimmen~~

EINEN TEXT ZUSAMMENFASSEN UND DARÜBER DISKUTIEREN

Inhalte wiedergeben	*interessante Inhalte nennen*	*zustimmen*
In dem Text geht es um …	Ich finde besonders auffällig/ bemerkenswert, dass …	Aus meiner Position kann ich zustimmen, dass …
Der Abschnitt … handelt von …	Am besten gefällt mir …	Auch ich glaube, dass …
Der Text behandelt die Themen …	Ein wichtiges Ergebnis aus dem Text ist für mich …	Ich sehe es genauso, dass …
die eigene Meinung äußern	*über eigene Erfahrungen berichten*	*widersprechen/bezweifeln*
Zum Thema … bin ich der Ansicht, dass …	Ich habe erlebt, dass …	Dazu habe ich eine andere Meinung: …
Ich meine/finde, dass …	Aus meiner Erfahrung kann ich dazu nur sagen, dass …	Ich bin nicht sicher, ob …
Meiner Meinung/Ansicht nach …	Ich habe immer wieder festgestellt, dass …	Da möchte ich widersprechen, denn …

TELC

b Diskutieren Sie mit Ihrem Partner / Ihrer Partnerin über den Inhalt des Textes, bringen Sie Ihre Erfahrungen ein und äußern Sie Ihre Meinung. Begründen Sie Ihre Argumente. Sprechen Sie über mögliche Lösungen.

▶ Ü 2–4

Der kleine Unterschied

4a Wie wünschen sich die Frauen im Kurs Männer in zehn Jahren? Wie wünschen sich die Männer im Kurs Frauen in zehn Jahren? Schreiben Sie ein Kurs-Forum.

> *Was Frauen sich wünschen ...*
>
> *Ich würde mir wünschen, dass Männer sich mehr Rat bei den Frauen holen. Sie müssen nicht immer alles alleine machen, entscheiden und lösen; auch nicht in zehn Jahren. Frauen haben eine andere Perspektive als Männer. Sie betrachten Probleme oft von einer anderen Seite. Ich würde es toll finden, wenn Probleme gemeinsam gelöst werden.*
>
> *Katja*

b Hängen Sie die Beiträge im Kurs auf. Was sind die häufigsten Wünsche?

5a Frauen und Männer sind ... anders. Deshalb sind sie auch oft Thema für Witze, Comics und das Kabarett. Was könnten typische Themen sein?

aufräumen ...

b Hören Sie eine Szene aus einem Kabarett-Programm von Horst Schroth. Welche Probleme sieht er beim Zusammenleben von Mann und Frau? Kreuzen Sie an.

- a Der Mann macht nie sauber.
- b Man bemerkt alle unangenehmen Gewohnheiten.
- c Die Schwiegermutter hat immer recht.
- d Die Frau kauft zu viel Kleidung.
- e Der Mann hat keine Lust auf Gespräche.
- f Die Frau telefoniert stundenlang mit ihren Freundinnen.

c Horst Schroth berichtet von Macken, die Menschen haben können, und nennt zwei Beispiele. Welche?

d Was denken Sie: Was ist wahr? Was ist übertrieben? Diskutieren Sie im Kurs.

> *Männer wollen nur ihre Ruhe haben, wenn sie von der Arbeit kommen.*

> *Das stimmt nicht. Ich freue mich immer darauf, mit meinen Kindern zu spielen!*

6a Arbeiten Sie in Gruppen. Sammeln Sie typische Situationen mit Freunden, Kollegen oder Partnern, die Sie immer wieder nerven.

Bevor mein Freund aus dem Haus geht, muss er immer kontrollieren, ob der Herd aus ist.

b Sie möchten, dass jemand eine schlechte Angewohnheit ablegt. Er/Sie findet es aber gar nicht so schlimm. Überlegen Sie sich zu zweit einen Dialog. Wählen Sie eine Situation A–D oder erfinden Sie eine eigene.

Sonja kommt schon wieder zu spät. Till hat keine Lust, immer zu warten.

Cindy hat sich bei Haide für den Urlaub fünf Reiseführer und einen Koffer ausgeliehen. Haide wartet seit sechs Monaten auf die Sachen. Wie immer!

Kai-Uwe spricht so laut am Telefon, dass sein Kollege Martin sich nur sehr schwer auf seine Arbeit konzentrieren kann.

Britta macht viel im Haushalt. Wenigstens die Zahnpastatube könnte Tobias mal wegräumen.

VERÄRGERUNG AUSDRÜCKEN / KRITIK ÜBEN	AUF KRITIK REAGIEREN
Du könntest wenigstens mal …	Tut mir leid, das ist mir gar nicht aufgefallen.
Es ist mir ein Rätsel, warum …	Du hast ja recht, aber …
Für mich wäre es leichter, wenn …	Ich kann dich schon verstehen, aber …
Ich habe keine Lust mehr, …	Ich verstehe, was du meinst, aber …
Ich verstehe nicht, wieso …	Was ist denn los? Ich habe/bin doch nur …
Ständig muss ich / machst du …	Immer bist du am Meckern, dabei …
Kannst du mir mal sagen, warum …?	Deine Vorwürfe nerven total. Ich finde …

c Spielen und vergleichen Sie die Dialoge. Wie können die Gespräche erfolgreich und ohne Streit verlaufen?

Die Tafeln

Lebensmittel für Bedürftige

Der Bundesverband Deutsche Tafeln e. V. wurde 1995 gegründet. Er kümmert sich darum, dass Essen bei denen auf den Tisch und in die Kühlschränke kommt, wo das Geld mehr als knapp ist. Die erste Tafel hat Sabine Werth 1993 in Berlin ins Leben gerufen und schon bald folgten ihr viele deutsche Städte. Aber wie funktioniert das mit den heute etwa 900 Tafeln genau? Vier Fragen an den Verband:

1. Was machen die Tafeln?
Die Idee, die hinter den Tafeln steckt, ist bestechend einfach: Auf der einen Seite gibt es Lebensmittel, die im Wirtschaftsprozess nicht mehr verwendet werden können, aber qualitativ noch einwandfrei sind. Auf der anderen Seite gibt es auch viele Bedürftige, die diese Lebensmittel gebrauchen können: vor allem Arbeitslose, Alleinerziehende, Geringverdiener, kinderreiche Familien und Rentner. Woche für Woche nutzen rund 1,5 Millionen Menschen das Angebot der Tafeln, ein Drittel davon sind Kinder und Jugendliche.

Die ehrenamtlichen Helfer sammeln die „überschüssigen" Lebensmittel und geben sie an Bedürftige weiter – unentgeltlich oder zu einem symbolischen Betrag. Die Tafeln helfen so wirtschaftlich benachteiligten Menschen und verhindern gleichzeitig, dass wertvolle Lebensmittel im Müll landen.

Gespendete Lebensmittel werden abgeholt

2. Wie stellen die Tafeln sicher, dass die Hilfe bei den Bedürftigen ankommt?
Durch ihre lokal begrenzten Gebiete kennen die Tafelbetreiber ihre Region sehr genau. Da sich zudem die Bedürftigen selbst bei den Tafeln melden, können die ehrenamtlichen Mitarbeiter vor Ort sicherstellen, dass die Hilfe direkt dort ankommt, wo sie benötigt wird.

Die Verwaltung der Tafeln ist schlank gehalten. Die typische Tafel-Mitarbeiterin bzw. der typische Tafel-Mitarbeiter engagiert sich ehrenamtlich.

3. Wie finanzieren sich die Tafeln?
Die Tafeln finanzieren sich grundsätzlich über Spenden. Doch wozu benötigen die Tafeln Geld, wenn sie Lebensmittel gespendet bekommen und ehrenamtlich arbeiten?
Um die gespendeten Lebensmittel an die Bedürftigen verteilen zu können, benötigen die Tafeln Fahrzeuge und Kraftstoffe. Für verderbliche Ware wie Milchprodukte, Wurst, Käse und Gemüse sind spezielle Kühlfahrzeuge nötig. Dazu kommen die Kosten für Miete, Lagerhaltung, Kühlräume etc. sowie die Infrastruktur für ein (wenn auch meist kleines) Büro.

Eine ehrenamtliche Helferin verteilt Lebensmittel

4. Wer unterstützt die Tafeln?
Bei den Tafeln gilt das Motto „Jeder gibt, was er kann". Vor Ort spenden insgesamt rund 50.000 ehrenamtliche Helfer ihre Freizeit und ihr Know-how dafür, dass gespendete Lebensmittel abgeholt und an Bedürftige ausgegeben werden – samt Organisation und Verwaltung der lokalen Tafeln. Bundesweit unterstützen tausende Unternehmen die Tafeln: Örtliche Bäckereien, Fleischereien, Supermärkte spenden Lebensmittel, Kfz-Betriebe reparieren Fahrzeuge, Grafiker erstellen Informationsmaterial und so weiter. Daneben engagieren sich bundesweit Sponsoren wie überregionale Handelsunternehmen, Lebensmittel- und Automobilhersteller, Mobilfunkanbieter und Beratungsagenturen.

In Österreich und in der Schweiz gibt es ähnliche Organisationen wie die *Wiener Tafel*, die *Schweizer Tafel* oder das *Tischlein deck dich*.

---

www Mehr Informationen zu *Die Tafeln*.

Sammeln Sie Informationen über Persönlichkeiten oder Organisationen aus dem In- und Ausland, die für das Thema „Gesellschaft" interessant sind, und stellen Sie sie im Kurs vor. Sie können dazu die Vorlage „Porträt" im Anhang verwenden.

Beispiele aus dem deutschsprachigen Bereich: Rotes Kreuz – Margot Käßmann – Stiftung Warentest – Jutta Allmendinger – Margarete Mitscherlich – Helmut Schmidt

1 Relativsätze mit *wer*

Relativpronomen

Nominativ	wer
Akkusativ	wen
Dativ	wem

Bildung

Jemand	*hat Eintragungen bei der Polizei.*	*Er*	*hat sich seine Zukunft <u>verbaut</u>.*
Wer Nominativ	*Eintragungen bei der Polizei <u>hat</u>,*	**[der]** Nominativ	*hat sich seine Zukunft <u>verbaut</u>.*

Jemand	*<u>kommt</u> ins Taekwondo-Training.*	*Ihn*	*<u>bringt</u> der Trainer nicht zur Polizei.*
Wer Nominativ	*ins Taekwondo-Training <u>kommt</u>,*	**den** Akkusativ	*<u>bringt</u> der Trainer nicht zur Polizei.*

Jemandem	*<u>bringt</u> der Trainer Taekwondoo bei.*	*Er*	*<u>lernt</u> Respekt und Fairness.*
Wem Dativ	*der Trainer Taekwondo <u>beibringt</u>,*	**der** Nominativ	*<u>lernt</u> Respekt und Fairness.*

Relativsätze mit *wer* beschreiben eine unbestimmte Person näher.
Der Nebensatz beginnt mit dem Relativpronomen *wer*, der Hauptsatz mit dem Demonstrativpronomen <u>*der*</u>.
Der Kasus der Pronomen richtet sich nach dem Verb im jeweiligen Satz. Wenn beide Pronomen im gleichen
Kasus stehen, <u>kann</u> *der/den/dem* entfallen.

2 Nomen-Verb-Verbindungen

Nomen-Verb-Verbindungen bestehen aus einem Verb, das nur eine grammatische Funktion hat, und einem
Nomen, das die Bedeutung trägt. Manchmal kommt eine Präposition dazu. Es gibt zwei Typen:

Typ 1	Das Nomen und das zugrunde liegende Verb haben die gleiche Bedeutung: *jmd. in <u>Aufregung</u> versetzen = jmd. <u>aufregen</u>* *die <u>Flucht</u> ergreifen = <u>fliehen</u>* *eine <u>Wirkung</u> haben = <u>wirken</u>* *den <u>Anfang</u> machen = <u>anfangen</u>* *sich <u>Hoffnungen</u> machen = <u>hoffen</u>*
Typ 2	Die Bedeutung der Nomen-Verb-Verbindung kann man nicht direkt vom Nomen ableiten: *unter Druck stehen = gestresst sein* *eine Rolle spielen = relevant/wichtig sein* *in Betracht kommen = möglich sein* *sich vor etw. in Acht nehmen = vorsichtig sein* *etw. in Frage stellen = etw. bezweifeln*

Nomen-Verb-Verbindungen können eine aktivische oder passivische Bedeutung haben:
Aktiv: *jmd. eine Frage stellen = jmd. fragen*   Passiv: *Beachtung finden = beachtet werden*

Eine Liste mit wichtigen Nomen-Verb-Verbindungen finden Sie im Anhang.

Blind geboren

1 a Was verbinden Sie mit „Blindsein"? Welche Schwierigkeiten haben blinde Menschen vermutlich im Alltag und wie lösen sie sie?

b Schließen Sie die Augen und packen Sie mit geschlossenen Augen Ihre Sachen (Buch, Heft, Stifte usw.) vom Tisch in Ihre Tasche. Wie ist es, eine alltägliche Sache zu machen, ohne zu sehen?

2 a Sehen Sie die erste Filmsequenz. Was erfahren Sie über Kevin und seine Familie? Fassen Sie kurz zusammen.

b Sehen Sie die zweite Filmsequenz und ergänzen Sie den Text.

Kevins Eltern war es wichtig, dass ihr Sohn trotz seiner Behinderung so _____ (1) wie möglich aufwächst. So hat Kevin schon mit vier Jahren begonnen, _____ (2) zu spielen. Mit _____ (3) Jahren kam er in die Schulband. Außer _____ (4) spielt Kevin auch _____ (5) und Schlagzeug. Kevin ist nicht nur musikalisch begabt. Die Blindenschrift Braille beherrschte er schon im _____ (6) Schuljahr. Jetzt lernt er Steno für Blinde. Durch den Computer ist es ihm möglich, mit Menschen aus aller Welt zu _____ (7).

c Wählen Sie eine Frage. Sehen Sie die dritte Filmsequenz und tauschen Sie dann Ihre Antworten in Gruppen aus.

- Wie „sieht" Kevin?
- Wie verstehen sich Kevin und sein Bruder Dennis?
- Was machen die Eltern, um Kevin zu unterstützen?

3 Sehen Sie die Filmsequenzen 1–3 noch einmal. Arbeiten Sie zu zweit: Ordnen Sie die Adjektive den
1-3 Personen zu und beschreiben Sie die Familie.

entschieden	begabt	liebevoll	besorgt	bewundernd	konzentriert	geschockt
glücklich	schnell	stolz	vielseitig	vorausschauend	neugierig	leidenschaftlich
sicher	verständnisvoll	musikalisch	interessiert	ruhig	hilfsbereit	fürsorglich selbstständig

Kevin	Dennis	Eltern

4 Sehen Sie die letzte Filmsequenz und machen Sie Notizen
4 zu den folgenden Punkten.

Gefühle:

Zukunftspläne:

5 Bilden Sie zwei Gruppen. Jede
Gruppe wählt einen von Kevins
Wunschberufen. Überlegen Sie
gemeinsam, was Kevin für diesen
Beruf besonders auszeichnet und
welche Hindernisse er vermutlich
überwinden muss, wenn er den
Beruf ausüben will.

6a Lesen Sie den Text zu
„Dialog im Dunkeln".
Was kann man hier
machen? Was ist die
Idee der Ausstellung?

b Wie finden Sie die Idee?
Hätten Sie Lust, die
Ausstellung zu besuchen?
Kennen Sie ähnliche
Angebote?

c Was ist Ihrer Meinung
nach im Miteinander
von Menschen mit und
ohne Behinderung am
wichtigsten? Diskutieren
Sie in Gruppen.

Ausstellung
Schärfen Sie Ihre Sinne – und
überprüfen Sie, wie eine Welt ohne
Augenschein auf Sie wirkt. Betreten Sie
unsere Ausstellung, in der Sie
unterschiedliche Alltagssituationen in
kompletter Dunkelheit erleben und in
der blinde Menschen zu Sehenden
werden. Im Rahmen einer 90-minütigen Tour erleben Sie einen
Spaziergang durch den Park, das Überqueren einer
Straßenkreuzung in der Stadt, eine Bootsfahrt und den Besuch
in der Dunkel-Bar. Hören, fühlen, schmecken Sie und tauchen
Sie ein in diese nicht-visuelle Welt. Hoch kompetente blinde
und sehbehinderte Mitarbeiter führen Sie durch die
Ausstellungsräume und sorgen dafür, dass Sie sich in dieser
ungewohnten Szenerie stets wohlfühlen.

Wer Wissen schafft, mach[t]

2. Für jeden Schritt aktiviert der Mensch 54 ~~Nordic walking~~ *Muskeln*

Biologie / Sport / Medezine

1. Das Mittelalter dauerte __4 - 15__ Jahrhunderte.

~~Wissenschaft~~ *Geschichte*

3. Katzen verschlafen etwa __60 - 70__ Prozent ihres Lebens.

TierArtz / ~~Psologie~~
Psykologie

4. Was ist die kleinste Längeneinheit?
- (a) Millimeter
- (b) Femtometer
- (c) Nanometer

chemie / Physik

5. Wer entwickelte den ersten Benzinmotor?
- (a) Nicolaus Otto
- (b) Gottlieb Daimler
- (c) Wilhelm Maybach

Gas Motor

Physik / Geschichte

Sie lernen

Modul 1 | Einen Text zum Thema „Kinder und Wissenschaft" verstehen

Modul 2 | Ein Radiofeature zum Thema „Lügen" verstehen und eine kurze Geschichte schreiben

Modul 3 | Einen Artikel über eine Zukunftsvision verstehen und eigene Szenarien entwickeln

Modul 4 | Ein Interview zum Thema „Büroschlaf" verstehen

Modul 4 | Einen Leserbrief schreiben

Grammatik

Modul 1 | Passiv und Passiversatzformen

Modul 3 | Indefinitpronomen

Wissenschaft

5

6. Wie viele Kalorien haben diese Lebensmittel?
546, 810 oder 898 pro 100 g?

Schokolade   Speck   Olivenöl

a __546__   b __810__   c __898__

Ernährungswissenschaft

8. Wo ist die Lebenserwartung am höchsten?

(a) In der Schweiz.   (b) In Schweden.   (c) In Spanien.

Sozial Wissenschaft

7. Die älteste Schrift entwickelten ...

(a) die Ägypter (Hieroglyphen).

(b) die Sumerer (Keilschrift).

(c) die Phönizier (Alphabet).

inguiste

9. Eine Mücke schlägt pro Sekunde

(a) 100 Mal

(b) 500 Mal

(c) 1.000 Mal

mit ihren Flügeln.

Biologie

10. Die Top 3 der Flüsse im deutschsprachigen Raum. Welcher ist am längsten?

(a) Elbe   (b) Donau   (c) Rhein

Biologie

1a Lösen Sie das Quiz in Gruppen.

b Vergleichen Sie Ihre Lösungen im Kurs. Schlagen Sie dann auf Seite 171 nach.

c Aus welchen Wissenschaften stammen die Quizfragen?

2 Welche Informationen finden Sie wichtig? Für wen und wozu ist dieses Wissen nützlich? Sprechen Sie zu zweit.

3 Sammeln Sie interessante Informationen aus unterschiedlichen wissenschaftlichen Bereichen und erstellen Sie in Gruppen ein eigenes Quiz.

Wissenschaft für Kinder

1 Was passt zusammen? Ordnen Sie zu.

_e_ 1. eine Fähigkeit erwerben   A einen Plan in eine Richtung lenken
_D_ 2. wie ausgewechselt sein   B gespannt zuhören
_B_ 3. an den Lippen hängen   C sich bestmöglich entwickeln
_a_ 4. die Weichen stellen   D völlig anders sein
_C_ 5. sich voll entfalten   E etwas lernen

(Handschriftliche Notizen: gain/acquire, guide, exchanged, curious, at its best, Guide, to develop/unfold)

2a Lesen Sie den Artikel und sagen Sie in einem Satz, worum es geht.

Kleine Nachwuchskräfte

Oft klagen Lehrer über die mangelnde Konzentration und Motivation ihrer Schüler im Unterrichtsalltag. Doch ein Tag im „NatLab" ist alles andere als Alltag. Die Schüler hängen einem jungen
5 Mann an den Lippen, stellen interessierte Fragen und versuchen begeistert, Antworten zu geben.

Kurze Zeit später stehen die Kinder im Labor und führen ein Experiment durch. Gespannt folgen sie der Anleitung bzw. erklären sie sich gegenseitig, wie sie
10 vorgehen müssen. Beim Besuch des Mitmach- und Experimentierlabors „NatLab" der Freien Universität (FU) Berlin, das speziell für Schüler konzipiert worden ist, sind die Kinder konzentriert bei der Sache. In diesem Umfeld lässt sich die Scheu der Kinder vor der Forscher-
15 welt leicht abbauen. Seit sie sich ihre weißen Laborkittel angezogen haben, sind sie wie ausgewechselt. Im „NatLab" werden die Kinder sanft und mit viel Spaß an die Wissenschaft herangeführt. Naturwissenschaftliche Phänomene sind so viel besser verständlich. Das
20 „NatLab" der FU wurde 2002 gegründet und ist nur eine von vielen Einrichtungen in der Hauptstadt, in die Schulen ihre Schüler zu Experimentierkursen schicken.

Kinder in der Wissenschaft – das klang vor Jahren noch außergewöhnlich, doch wird es heute von deutschen
25 Forschungseinrichtungen sogar als überlebenswichtig gesehen. Denn der Bedarf an qualifiziertem Personal ist hoch und bereits jetzt absolvieren zu wenige junge Deutsche ein Studium in den Natur- und Ingenieurwissenschaften. Durch die schrumpfende Kinderzahl wird
30 das Problem verschärft.

Außerdem weiß man heute, dass die Weichen für spätere Studien- und Berufsentscheidungen viel früher gestellt werden, als man bisher dachte. Mathematische und andere analytische Fähigkeiten müssen von Kin-
35 dern schon früh erworben werden, damit sie sich voll entfalten können. D. h. die Begeisterung der Kinder für die Wissenschaft muss möglichst früh geweckt werden, denn sie stellt sich nach dem Abitur nicht über Nacht ein.

40 In Berlin gibt es bundesweit die meisten Initiativen dieser Art. Sie wollen bei Kindern die Freude am Experimentieren wecken. Die Kinder sollen Spaß daran haben, Phänomene der Natur zu verstehen.

Auch im Kindergartenalter können bereits naturwis-
45 senschaftliche Experimente durchgeführt werden, wie z. B. in einem Kindergarten in Berlin-Neukölln. Dort steht eine Gießkanne mit Wasser auf dem Tisch. „Kommt, wir bauen einen wackligen Wasserberg", sagt ein Pädagoge. Dann spritzen die Kinder mit Pi-
50 petten Wasser in einen Becher, bis dieser sehr voll ist. Das Wasser steht ein wenig über den Rand hinaus. Alle Kinder zusammen lassen den Wasserberg vorsichtig wackeln. „Warum fällt das Wasser nicht herunter?" Die Kinder wundern sich, wissen jedoch
55 keine Antwort. Der Pädagoge bittet sie, sich im Kreis die Hände zu geben und sich dann zurückfallen zu lassen: Der Kreis hält, kein Kind fällt um. „Ihr seid wie die Wasserteilchen", sagt er, „die echten Teilchen halten genauso zusammen wie ihr."

(Handschriftliche Notizen am Rand: to steel/lament, enthusiastic, to act/until now, to acquire, enthusiasm, to wake up, essential for survival, to intensify, to shrink/shrivel, instructions, to conceive of, dread/timidity, gentle/mellow, to introduce, facilities, to sound extraordinary, watering can, rickety, beaker, brim, circle/ring, to fall, to inspire so. w/sth.)

b Arbeiten Sie zu zweit und beantworten Sie die Fragen.

1. Was machen die Kinder im „NatLab"?
2. Warum ist es wichtig, Kinder schon früh an die Wissenschaft heranzuführen?
3. Wie wird den Kindern der „Wasserberg" erklärt?

c Wie finden Sie solche Initiativen? Gab es in Ihrer Schulzeit Ähnliches? ▶ Ü 1–2

3a Ergänzen Sie die richtige Form von *werden* in den Passivsätzen. Markieren Sie dann alle Verbteile, die zum Passiv gehören.

		G
Passiv	Form von werden + Partizip II	
Präsens	Im „NatLab" __werden__ die Kinder an die Wissenschaft herangeführt.	
Präteritum	Das „NatLab" __wurde__ 2002 gegründet.	
Perfekt	Das Labor __ist__ speziell für Schüler konzipiert __worden__.	
mit Modalverb	Analytische Fähigkeiten müssen von Kindern früh erworben __werden__. ↳ am Ende	▶ Ü 3–4

b Statt Passiv mit Modalverb kann man auch Passiversatzformen verwenden. Ergänzen Sie die Tabelle mit den passenden Alternativen aus dem Artikel in 2a.

1.	**sein + zu + Infinitiv** *Die Begeisterung der Kinder für die Wissenschaft ist möglichst früh zu wecken.*	**Passiv mit müssen/können/sollen** Die Begeisterung der Kinder __muss__ [geweckt] worden.
2.	**sich lassen + Infinitiv** Die Scheu der Kinder lässt sich leicht abbauen.	**Passiv mit können** *In diesem Umfeld kann die Scheu der Kinder vor der Forscherwelt leicht abgebaut werden.* Experimente können [durchführt] werden.
3.	**Adjektiv mit Endung -bar** *Auch im Kindergartenalter sind bereits natur-wissenschaftliche Experimente durchführbar.*	**Passiv mit können** Die Scheu ~~kann~~ der Kinder ~~kann~~ [abgebaut] werden.
4.	**Adjektiv mit Endung -lich** Naturwissenschaftliche Phänomene sind besser verständlich.	**Passiv mit können** *Naturwissenschaftliche Phänomene können so viel besser verstanden werden.*

▶ Ü 5

4 Wählen Sie für jeden Satz eine andere Passiversatzform und schreiben Sie ihn um.

1. Kinder können leicht motiviert werden.
   → Kinder ~~sind leicht motivierbar.~~ lassen sich leicht motivieren.

2. Viele Projekte für Kinder können ohne staatliche Hilfe nicht finanziert werden.
   → Viele Projekte für Kinder sind ohne staatliche Hilfe ~~nicht~~ finanzierlich.

3. Die Aufgaben müssen von den Kindern gelöst werden.
   → Die Aufgaben sind von den Kindern zu lösen.

▶ Ü 6–7

75

Wer einmal lügt, …

1a Lesen Sie die Aussagen. Was bedeuten sie? Welcher stimmen Sie zu?

Der Erfinder der Notlüge liebte den Frieden mehr als die Wahrheit.
(J. Joyce)

Die Lüge ist wie ein Schneeball: Je länger man sie wälzt, desto größer wird sie.
(M. Luther)

Die Wahrheit enthält immer auch Lüge.
(J. W. v. Goethe)

b Kennen Sie Sprichwörter oder Redewendungen über Wahrheit und Lüge in Ihrer Sprache? Erklären
▶ Ü 1   Sie sie.

c Suchen Sie Nomen, Verben und Adjektive zu Wahrheit und Lüge. Arbeiten Sie mit dem Wörterbuch.

Wahrheit	Lüge
ehrlich	*die Notlüge*

2a Wie oft lügt man am Tag und in welchen Situationen? Sprechen Sie im Kurs.

GI   2.2-5

b Hören Sie nun ein Radiofeature zum Thema „Wahrheit und Lüge". Sie hören es zunächst einmal
ganz, danach ein zweites Mal in Abschnitten. Kreuzen Sie die richtige Antwort an.

1. Was haben amerikanische Untersuchungen zum Thema „Lügen" herausgefunden?

a Die meisten Versuchspersonen finden Menschen, die lügen, unsympathisch.

b Über die Hälfte einer Versuchsgruppe hat gelogen, um Sympathie zu wecken.

c 40 Prozent wirkten unsympathisch, weil sie die Wahrheit über sich sagten.

2. Wie werden die Lügen der Männer beschrieben?

a Die männlichen Kandidaten haben versucht, mit falschen Komplimenten Sympathie zu wecken.

b Einige Probanden haben dermaßen übertrieben, dass ihnen niemand glaubte.

c Männer zeigten die Tendenz, sich besonders positiv zu präsentieren.

3. Wie lauten die Hauptaussagen der Versuchsreihe?

a Lügen ist ein häufiges Phänomen, das besonders in längerfristigen Beziehungen eine Rolle spielt.

b Das Lügen ist weit verbreitet, besonders in kurzfristigen Bekanntschaften.

c Viele Menschen lügen, aber in längerfristigen Beziehungen sagen sie die Wahrheit.

4. Wieso ist aktives Lügen ein Zeichen für die intellektuelle Entwicklung?

a Weil erst Jugendliche zwischen Wahrheit und Lüge unterscheiden können.

b Weil Lügen die Fähigkeit voraussetzt, abstrakte Inhalte zu verbinden.

c Weil Kinder erst ab einem bestimmten Alter Lügengeschichten erzählen können.

5. Aus welchem Grund ist Lügen intellektuell anspruchsvoller, als die Wahrheit zu sagen?

a Weil beim Lügen ein Netz von Nervenzellen aufgebaut werden muss.

b Weil in Untersuchungen nachgewiesen wurde, dass nur intelligente Menschen gut schwindeln können.

c Weil man nicht nachdenken muss, wenn man die Wahrheit sagt.

6. Sind auch Tiere in der Lage, ihre Artgenossen zu täuschen?

a Ja. Sie setzen z. B. akustische Warnsignale für ihre Interessen ein.

b Nein. Sie verfügen nicht über ausreichende Kommunikationsmittel.

c Tiere haben kein Interesse an der Täuschung von Artgenossen.

7. Was ist ein häufiger Grund, um zu einer Lüge zu greifen?

a Die Lüge wird benutzt, um jemandem zu gefallen.

b Es wird gelogen, weil alle anderen Menschen auch nicht die Wahrheit sagen.

c Man lügt, um Konflikten aus dem Weg zu gehen.

8. Wie wird das Lügen heute gesellschaftlich bewertet?

a Das Lügen ist eine Eigenschaft, die jeder nutzt, die aber negativ bewertet wird.

b Das Lügen verschafft Vorteile und steht bei der Bewertung von Eigenschaften auf Platz fünf.

c Lügen ist weit verbreitet und wurde in die Liste der wünschenswerten Eigenschaften aufgenommen.

9. Wieso erkennen die meisten Menschen viele Lügen nicht?

a Die Lügen sind so gut, dass wir sie nicht von der Wahrheit unterscheiden können.

b Lügen regulieren unser Zusammenleben. Deshalb ignoriert unser Gehirn oftmals eine Lüge.

c Viele Menschen akzeptieren nicht, dass andere lügen. Darum übersehen sie die Lügen.

10. Wieso sollten wir nicht nur andere, sondern auch uns selbst täuschen können?

a Weil die meisten die Wahrheit nicht ertragen. Die Psyche kann nur Positives verarbeiten.

b Weil die Psyche ab und zu positive Informationen braucht, auch wenn diese nicht wahr sind.

c Weil wir unser Gehirn kontinuierlich trainieren müssen, um glaubwürdig lügen zu können.

3 Lesen Sie die Situationen. Welche Lüge finden Sie am schlimmsten? Wie könnte man anders reagieren?

Sebastian hat im Moment kein Geld. Das ist ihm peinlich, weil er alte Schulden bezahlen musste. Er muss aber noch die Miete zahlen. Sein Mitbewohner Jan fragt schon danach.

Frau Günther hat einen Besprechungstermin vergessen. Ihr Chef fragt sie, warum sie nicht bei der Besprechung war.

Paul trifft sich das erste Mal mit Sabrina und schenkt ihr einen großen Strauß rote Rosen. Sabrina findet das total übertrieben und unpassend. Sie möchte Paul aber nicht verletzen.

▶ Ü 2–3

4 Jetzt dürfen Sie lügen. Schreiben Sie ein wahres oder erfundenes Erlebnis aus Ihrem Leben auf und lesen Sie es vor. Die anderen raten, ob Sie lügen. Erzählen Sie, was an Ihrer Geschichte wahr oder falsch ist.

Ich habe mal eine Geldbörse mit 1200 Euro, Kreditkarten und Papieren gefunden. Ich habe sie dem Besitzer zurückgebracht, aber …

Ist da jemand?

1a Stellen Sie sich vor, dass es auf der Erde keine Menschen mehr gibt. Was würde sich in 10, 50, 1.000 ... Jahren verändern?

b Lesen Sie den Artikel und ordnen Sie die Überschriften den Abschnitten zu.

> A Durch die Zukunft die Gegenwart verstehen
> B Das Ende der Atomenergie
> C Langlebige Überreste
> D Die Natur vernichtet Großstädte
> E Der Zerfall der Architektur
> F Tierische Gewinner und Verlierer

STRATEGIE **Überschriften schaffen Orientierung**

Lesen Sie für einen ersten Überblick die Überschriften eines Textes. Sie verraten bereits viel über den Inhalt und den Aufbau. Das Verstehen des gesamten Textes ist danach leichter.

Irgendwer zu Hause?

Nach zahlreichen Gesprächen mit Forschern und Technikern zeigt uns der Journalist Alan Weisman seine Vision von der Zukunft: Eine Welt ohne die Spezies Mensch.

5 Ökologen freuen sich schon jetzt über die Prognosen, die Weisman in seinem Buch „The world without us" beschreibt: Unsere Erde kann gut ohne den Menschen auskommen und es gibt kaum einen, der uns vermissen würde. Die Natur würde sich Städte und Gebäu-
10 de schnell zurückerobern, wenn der Mensch nicht mehr da ist. Trotzdem hinterlassen wir Spuren, die auch noch in Millionen von Jahren sichtbar wären.

___1 Bereits nach 48 Stunden ohne Menschen, schreibt Weisman, würde die New Yorker U-Bahn un-
15 ter Wasser stehen. Der Grund: Ohne Pumpen, um die sich niemand mehr kümmern könnte, läuft Grundwasser in die U-Bahn. Bis zu 40 Millionen Liter Wasser hätten dann freie Bahn und keiner hält sie auf. Auch andere Bauwerke in der Stadt würden ohne uns bereits
20 nach einigen Jahren einstürzen. Die Straßen versinken in der Erde und bilden eine gute Basis für neue Flüsse. Die Natur braucht nur zwei Jahrzehnte und niemanden von uns als Hilfe, um die Städte wieder fest im Griff zu haben.
25 ___2 Grüne Städte können einen schon fast romantisch stimmen, aber die Entwicklung hätte auch dramatische Seiten. Die Atomkraftwerke wären nach einem Jahr zerstört, nicht eins hätte noch einen Atommeiler, der intakt wäre. Denn schon nach wenigen
30 Tagen fällt das Kühlsystem aus. Es ist eben keiner da, um Diesel für die Notversorgung aufzutanken. Doch die Kraftwerke sind nicht ohne Leben. Tiere würden sich in der radioaktiven Umgebung ansiedeln, darunter auch viele Vögel.

35 ___3 Und diese würden sich enorm vermehren, denn ohne unsere Lichter und Stromleitungen könnten nach Schätzung von Weisman eine Milliarde mehr von ihnen überleben. Schlecht hätten es dagegen Tiere, die mehr oder weniger direkt vom Menschen leben: Läuse, Ratten
40 oder Kakerlaken wären dann vom Aussterben bedroht. Es gibt also doch jemanden, dem wir fehlen würden.

___4 Von den Strukturen, die der Mensch geschaffen hat, bleibt nur wenig, sagt Weisman. Brücken, Dämme und Städte sind nach 1.000 Jahren zerfallen
45 oder vom Wasser zerstört. Nur geschützte Gebäude werden bleiben wie der Tunnel unter dem Atlantik, der England auch weiter mit Europa verbinden wird. Aber wird er jemandem nützen? Wohl kaum.

___5 Trotzdem wird uns die Welt nicht so schnell
50 vergessen. Bis die Erde frei von Blei wäre, würden 35.000 Jahre vergehen. Für das Plutonium aus unseren Waffen sind sogar 250.000 Jahre nötig. An Giften aus Kunststoffen und Farben würde die Welt noch die nächsten Millionen Jahre leiden. Und Plastiktüten, die
55 irgendwer vor langer Zeit weggeworfen hat, wird unser Planet erst wieder los, wenn es neue Arten von Bakterien gibt, die diese Stoffe abbauen können.

___6 Klingt das nun deprimierend oder eher romantisch? Weisman will weder das eine noch das an-
60 dere. Aber das Spiel mit dem Gedanken, was passiert, wenn niemand mehr von uns auf diesem Planeten lebt, ist „eine Art zu begreifen, was in unserer Gegenwart geschieht". Eine wesentliche Information lautet: Die Natur ist eine Kämpferin. Sie würde sich die Welt schnell
65 zurückerobern – auch wenn es Ausnahmen gibt. Und die andere gute Nachricht von Weisman ist: „Ich glaube nicht, dass wir alle verschwinden müssen, damit sich die Erde wieder erholt."

▶ Ü 1

c Was würde sich verändern, wenn die Menschen nicht mehr auf der Erde wären? Notieren Sie.

Was?	Wie?	Warum?
– Großstadt	– U-Bahn voll Grundwasser – Häuser stürzen ein	– keine Pumpen

d Stimmen die Aussagen mit Ihren Vermutungen aus 1a überein?

2a Markieren Sie die Indefinitpronomen im Artikel. Ergänzen Sie dann die Tabelle.

Indefinitpronomen		*der/das/die*			
Nominativ	man	(k)einer/(k)eines/(k)eine	*Niemand*	jemand	*irgendwer*
Akkusativ	(k)*einen* /(k)eins/(k)eine		*niemanden*	jemanden	irgendwen
Dativ	(k)einem/(k)einem/(k)einer		niemandem	*jemandem*	irgendwem

▶ Ü 2

b Ergänzen Sie die Regel mit den folgenden Wörtern.

~~man~~ irgendwer irgendwas ~~irgendwann~~ ~~etwas~~ irgendwo ~~jemand~~ ~~irgendwohin~~ ~~irgendwoher~~ ~~eins~~

Die Indefinitpronomen beziehen sich auf Personen: ___man___ / *jemand* /
irgendwer, Orte: *irgendwo* / *irgendwoher*irgendwohin ____ sowie Zeiten:
irgendwann und Dinge: *irgendwas* / ___etwas___ , die nicht genauer definiert werden.
einer/ ___eins___ /eine können Personen und Dinge beschreiben.

So bekommen Aussagen mit Indefinitpronomen einen allgemeinen Charakter.

▶ Ü 3–4

c Schreiben Sie drei Fragen mit Pronomen aus 3b und spielen Sie Minidialoge.

Kannst du mich heute irgendwann anrufen?
Ja, klar. Heute Abend.

d Jemand? – Niemand! Welche Wörter verneinen die Pronomen aus 3b? Erstellen Sie eine Tabelle mit
den Wörtern im Kasten.

~~niemand~~ nirgendwo nichts nie nirgendwohin ~~keiner~~ nirgendwoher niemals nirgends

Person	man, jemand, einer, irgendwer		niemand, keiner

▶ Ü 5

3 „Ich glaube nicht, dass wir alle verschwinden müssen, damit sich die Erde wieder erholt."
Was können/müssen wir jetzt für die Erde tun? Diskutieren Sie.

Man müsste stärker … *Wenn wir irgendwann handeln, ist es zu spät, darum …*
Wir sollten irgendwas tun, zum Beispiel … *Man kann irgendwo anfangen. Vielleicht …*

Gute Nacht!

1a Wie viele Stunden schlafen Sie? Wann schlafen Sie besonders gut, wann nicht so gut?

b Arbeiten Sie zu zweit. Erklären Sie sich gegenseitig die Ausdrücke. Der Partner / Die Partnerin rät, welcher Ausdruck passt. Sie können auch mit dem Wörterbuch arbeiten.

verschlafen	noch einmal über etwas schlafen	wie ein Murmeltier schlafen	ausschlafen
dösen	ein Nickerchen machen	übernachten	mit offenen Augen schlafen

2a Lesen Sie den Artikel und notieren Sie fünf Fragen zum Inhalt.

Eintauchen in eine geheimnisvolle Welt

Die Menschen werden immer rastloser, schlafen viel weniger als vor 100 Jahren – das hat Folgen

Bis heute weiß die Wissenschaft nicht, warum der Mensch ein Drittel seines Lebens verschläft. Damit
5 die Organe entspannen? Damit Hirn und Seele verarbeiten können, was sie erleben? Oder weil die Erde kahl wäre, gäbe der Allesfresser Mensch nicht zwischendurch Ruhe?
Vor hundert Jahren schliefen die Menschen im
10 Schnitt neun Stunden, vor zwanzig Jahren waren es noch mehr als acht, heute sind es sieben, den verlängerten Wochenend-, Feiertags- und Urlaubsschlaf eingerechnet. Die Industrieländer mit ihren 24-Stunden-Gesellschaften werden schlaflos: Eine Nacht
15 durchzuarbeiten gilt als Ausweis besonderer Leistungsfähigkeit im Zeitalter globaler Konkurrenz; bis nach Mitternacht auszugehen gilt als Teil gehobener Lebenskunst. Spät ins Bett: Das ist für die Pubertierenden der Beweis dafür, dass sie schon erwachsen sind, und für die Gealterten ist es ein Beleg ihrer ewigen Jugend. Wer will schon das Leben verpennen? Nur klingelt beim Durchschnitts-Deutschen der Wecker bereits morgens vor halb sieben.
20 Viel zu früh nach Ansicht von Schlafforschern wie denen vom Schlaflabor der Berliner Charité. Einmal, weil die meisten Menschen vor acht Uhr kaum vernünftig denken können, und dann, weil dauerhafter Schlafmangel krank macht, weil Schlaflose hungrig werden und dick, Bluthochdruck bekommen und am Ende gar den Herzinfarkt. Die Zahl der Menschen mit Schlafstörungen steigt; jeder vierte Deutsche wälzt sich nachts im Bett, statt zu ruhen. Inzwischen gibt es über
25 300 Schlaflabors im Land; Bettenhäuser preisen Spezialmatratzen; Pillen, Tropfen und Tees haben einen soliden Markt. Die Ärzte entdecken die Wirkung des mittelalterlichen Heilschlafs neu, Mediziner und Feuilletonisten preisen gleichermaßen die Kultur des Nickerchens: zwanzig Minuten im Bürostuhl, und die Welt sieht wieder ganz anders aus.
In Japan gilt es als Zeichen vorbildlichen Eifers, wenn einer mittags müdegearbeitet den Kopf
30 auf die Schreibtischplatte und abends an die Schulter des U-Bahn-Nachbarn sinken lässt; in China machen Schulkinder ein Mittagsschläfchen. Nie haben Schüler den Ministerpräsidenten von Baden-Württemberg mehr geliebt als an jenem Tag, da er vorschlug, die Schule eine Stunde später beginnen zu lassen.
Und die Nachteulen, die Bettflüchter, Partylöwen, Einsam-am-Schreibtisch-Sitzer? Die können
35 sich mit jenen Studien trösten, denen zufolge zu viel Schlaf auch nicht gesund ist, und es Menschen gibt, die nach fünf Stunden Ruhe wieder fit sind. Thomas Alva Edison war als Erfinder der Glühbirne ohnehin der ärgste Feind des Schlafs. „Alles, was die Arbeit hemmt, ist Verschwendung", pflegte er zu sagen; vier Stunden Schlaf seien ausreichend. Doch als Henry Ford, der Autobauer, den genialen Erfinder besuchte, sagte Edisons Assistent: „Psst, der
40 Meister hält ein Nickerchen." Edison holte sich seinen Schlaf tagsüber – ein guter Grund, selbst mal ein kleines Schläfchen zwischendurch zu machen.

b Arbeiten Sie zu zweit. Stellen Sie sich gegenseitig Ihre Fragen und antworten Sie.

c Sammeln Sie alle wichtigen Informationen aus dem Artikel in Stichworten. Vergleichen Sie im Kurs.

3a Hören Sie ein Interview zum Thema „Mittagsschlaf". Welche Teilthemen werden angesprochen? Kreuzen Sie an.
2.6-7

☐ A Empfohlene Dauer des Mittagsschlafs
☐ B Zusammenhang zwischen zu wenig Schlaf und Herzproblemen
☐ C Ruf des Mittagsschlafs
☐ D Mittagsschlaf in anderen Ländern
☐ E Tipps bei Einschlafproblemen
☐ F Experiment des Schlafforschers Jürgen Zulley
☐ G Gymnastik nach dem Mittagsschlaf

*Dr. Gesa Hartmann,
Schlafexpertin*

b Hören Sie das Interview noch einmal in Abschnitten.
2.6

Abschnitt 1: Sind die Aussagen richtig oder falsch? Kreuzen Sie an.

	richtig	falsch
1. Bei dem Experiment mussten alle Teilnehmer einen Mittagsschlaf halten.	☐	☐
2. Die Menschen hatten schnell kein Gefühl mehr für die Tageszeiten.	☐	☐
3. Fazit des Experiments: Jeder Mensch schläft dreimal pro Tag, wenn er kann.	☐	☐
4. Jürgen Zulley setzt sich für den Mittagsschlaf im Büro ein.	☐	☐
5. In deutschen Unternehmen wird der Mittagsschlaf noch wenig akzeptiert.	☐	☐

Abschnitt 2:
2.7
A Welche Informationen erhalten Sie über den Mittagsschlaf in anderen Ländern? Ergänzen Sie die Tabelle.

Land	*Japan*		
Information			

B Beantworten Sie die Fragen.

1. Wie lange sollte der Mittagsschlaf dauern? _____

2. Um wie viel Prozent steigert sich die Leistungsfähigkeit durch die Pause? _____

3. Was ist beim Mittagsschlaf hilfreich und warum? _____

_____ ▶ Ü 1

4 Wie verbringen Sie normalerweise Ihre Mittagspause und wie fit fühlen Sie sich danach? ▶ Ü 2

Gute Nacht!

5 Im Internet lesen Sie die folgende Meldung:

Wissenschaftler fordern Mittagsschlaf im Büro
„Uns fehlt der bewusste Umgang mit Ruhezeiten, angenehmen Schlafräumen und gesunder Ernährung", so Ingo Fietze, Leiter der schlafmedizinischen Abteilung in der Berliner Charité. Schlafforscher Jürgen Zulley fordert einen Kulturwandel. „Der Mittagsschlaf wird immer noch mit Faulenzertum verbunden", sagt der Wissenschaftler. Nach Zulleys Angaben schläft derzeit rund ein Viertel der Beschäftigten heimlich im Büro. Wird es bald normal sein, bei einem Service-Unternehmen anzurufen, und auf dem Anrufbeantworter lautet es: „Wir halten gerade Büroschlaf. Bitte rufen Sie in 30 Minuten wieder an."? Schaden und Nutzen für die Unternehmen werden sich erst im Lauf der Zeit zeigen.

a Sie möchten als **Reaktion** auf diese Meldung an die Online-Redaktion schreiben. Diese Redemittel helfen Ihnen dabei. Ordnen Sie die Überschriften zu.

> Beispiele und eigene Erfahrungen anführen   zusammenfassen
> eine Reaktion einleiten   Meinung äußern und Argumente abwägen

EINEN LESERBRIEF SCHREIBEN

Mit großem Interesse habe ich Ihren Artikel „…" gelesen.

Ihr Artikel „…" spricht ein interessantes/wichtiges Thema an.

Ich vertrete die Meinung / die Ansicht / den Standpunkt, dass …	Ich kann dazu folgendes Beispiel nennen: …
Meiner Meinung nach …	Man sieht das deutlich an folgendem Beispiel: …
Man sollte bedenken, dass …	An folgendem Beispiel kann man besonders gut sehen, dass/wie …
Ein wichtiges Argument für/gegen … ist die Tatsache, dass …	Meine eigenen Erfahrungen haben mir gezeigt, dass …
Zwar …, aber …	Aus meiner Erfahrung kann ich nur bestätigen, …
Dafür/Dagegen spricht …	
Einerseits …, andererseits …	

Insgesamt kann man feststellen, …

Zusammenfassend lässt sich sagen, …

Abschließend möchte ich nochmals betonen, …

b Markieren Sie pro **Rubrik** mindestens eine Formulierung, die Sie in Ihrer Reaktion verwenden wollen.

c Schreiben Sie jetzt Ihre Reaktion auf die Meldung. Die Adresse der Internetredaktion brauchen Sie nicht anzugeben. Vergessen Sie nicht Anrede und Gruß. Schreiben Sie mindestens 180 Wörter.

Sagen Sie,
* wie sich die Unternehmen Ihrer Meinung nach verhalten sollen,
* wie Sie Situation und Folgen beurteilen,
* was Sie in Ihrer Mittagspause tun,
* was Sie anders machen würden, wenn Sie könnten.

d Kontrollieren Sie Ihren Text und überprüfen Sie die folgenden Punkte:

* Sind Sie auf alle Inhaltspunkte eingegangen?
* Finden sich im Text typische Fehler wie z. B. Wortstellung, Endungen, Tempusform?
* Sind die Sätze miteinander verbunden? Haben Sie Konnektoren verwendet?

e Tauschen Sie Ihren Text mit einem Partner / einer Partnerin und korrigieren Sie sich gegenseitig. ▶ Ü 3

6a Sie wollen die Arbeitsbedingungen in Ihrer Firma verbessern. Arbeiten Sie zu viert und sammeln Sie Ideen und Argumente.

Idee	Argumente
– *Ruheräume einrichten* – *…*	– *höhere Leistungsfähigkeit der Mitarbeiter*

b Überzeugen Sie Ihren Arbeitgeber. Spielen Sie zu zweit. Einer erklärt die Ideen und Argumente dafür. Der Partner / Die Partnerin stimmt zu, widerspricht oder macht eigene Vorschläge. Am Ende sollten Sie zu einer Lösung kommen.

VORSCHLÄGE MACHEN	VORSCHLÄGE ANNEHMEN
Wie wäre es, wenn wir …?	Das hört sich gut an.
Was halten Sie von folgendem Vorschlag: …?	Ja, das könnte man so machen.
Könnten Sie sich vorstellen, dass …?	Ich kann diesem Vorschlag nur zustimmen.
Ich finde, man sollte …	Das ist eine hervorragende Idee.
Man könnte doch …	Ich denke, das könnte man umsetzen.

VORSCHLÄGE ABLEHNEN	SICH EINIGEN
Das halte ich für keine gute Idee.	Wir könnten uns vielleicht auf Folgendes einigen: …
Dieser Vorschlag ist nicht durchführbar.	Wie wäre es mit einem Kompromiss: …?
Wie soll das funktionieren?	Was halten Sie von einem Kompromiss: …?
Das kann man so nicht machen.	Wären Sie damit einverstanden, wenn …?
Das lässt sich nicht realisieren.	

Albert Einstein *(14. März 1879–18. April 1955)*

Physiker und Nobelpreisträger

„Aus Ihnen wird nie etwas, Einstein!"

Albert Einstein wird am 14. März 1879 in Ulm geboren und wächst in München auf. 1901 gibt Einstein die deutsche Nationalität auf und wird Bürger der Schweiz.

Lehrer meinen, aus Einstein werde nie etwas, weil er sich nichts sagen lässt und unaufmerksam ist. Auch als Student zeigt er sich als eigensinnig und fehlt oft bei den Pflichtveranstaltungen, um zu Hause die Meister der theoretischen Physik zu studieren.

Einstein sitzt oft stundenlang da und grübelt. Er versucht stets, Fragen von möglichst vielen Seiten zu betrachten und von unterschiedlichen Disziplinen her zu beleuchten.

Seine Beiträge zur theoretischen Physik veränderten maßgeblich das physikalische Weltbild. Einsteins Hauptwerk ist die Relativitätstheorie, die das Verständnis von Raum und Zeit revolutionierte. Im Jahr 1905 erscheint seine Arbeit mit dem Titel „Zur Elektrodynamik bewegter Körper", deren Inhalt heute als spezielle Relativitätstheorie bezeichnet wird. 1916 publiziert Einstein die allgemeine Relativitätstheorie. Auch zur Quantenphysik leistet er wesentliche Beiträge: Für seine Erklärung des photoelektrischen Effekts, die er ebenfalls 1905 publiziert hat, wird ihm 1921 der Nobelpreis für Physik verliehen.

Er ist Professor in Zürich, danach in Prag und Berlin, wo er von 1914 bis 1932 arbeitet. In seinem berühmtesten Buch „Über die Spezielle und die Allgemeine Relativitätstheorie" (1917) gibt er eine allgemein verständliche Erklärung seiner Gedanken. Im Rahmen einer Sonnenfinsternis-Expedition der Royal Society of London wird die Richtigkeit seiner Theorie 1919 bestätigt. Auf einen Schlag wird Einstein weltberühmt.

Albert Einstein, Physiker

Er beginnt, seinen Namen verstärkt für seine politischen Überzeugungen einzusetzen, und engagiert sich aktiv für den Pazifismus. Für Einstein, der die politische Entwicklung mit wachem Blick verfolgt, kommt der Nationalsozialismus nicht unerwartet. Nach einer Vortragsreihe in den USA kündigt der jüdische Wissenschaftler an, dass er nicht nach Deutschland zurückkehren wird. Einsteins gesamtes Vermögen wird von den Nationalsozialisten konfisziert und er entscheidet sich, in den USA zu bleiben. Dort erhält er den Ruf als Professor an das „Institute for Advanced Study" in Princeton. Auch in seiner neuen Position ist er politisch aktiv. Einstein bemüht sich zusammen mit anderen Physikern erfolglos darum, den Einsatz der Atombombe durch Präsident Truman zu verhindern. Auch nach dem Krieg wendet er sich vehement gegen alle Formen der Unterdrückung und Militarisierung und ruft die Intellektuellen dazu auf, sich für die Meinungsfreiheit einzusetzen.

Inhaltlich versucht Einstein jetzt, eine einheitliche Feldtheorie zu formulieren, die Gravitation und Elektrizität miteinander vereint. Aber auch nach langwieriger Arbeit gelingt es ihm nicht, sie zu formulieren. Seitdem sind alle Versuche, eine „Weltformel" zu formulieren, ohne Erfolg geblieben. Einstein, der als Inbegriff des Forschers und Genies gilt, stirbt am 18. April 1955 in Princeton.

www ▶ Mehr Informationen zu Albert Einstein.

Sammeln Sie Informationen über Persönlichkeiten oder Institutionen aus dem In- und Ausland, die zum Thema „Wissenschaft" interessant sind, und stellen Sie sie im Kurs vor. Sie können dazu die Vorlage „Porträt" im Anhang verwenden.

Beispiele aus dem deutschsprachigen Bereich: Wilhelm Conrad Röntgen – Josef Penninger – Lise Meitner – Jugend forscht

1 Passiv und Passiversatzformen

Das Passiv wird verwendet, wenn ein Vorgang oder eine Handlung im Vordergrund steht (Vorgangspassiv).

Bildung des Passivs

Präsens	*werde/wirst/wird/…* + Partizip II	*Die Begeisterung wird geweckt.*
Präteritum	*wurde/wurdest/wurde/…* + Partizip II	*Die Begeisterung wurde geweckt.*
Perfekt	*bin/bist/ist/…* + Partizip II + *worden*	*Die Begeisterung ist geweckt worden.*
Plusquamperfekt	*war/warst/war/…* + Partizip II + *worden*	*Die Begeisterung war geweckt worden.*
mit Modalverb	Modalverb + Partizip II + *werden*	*Die Begeisterung soll geweckt werden.*

Passiversatzformen

Passiv
Die Experimente können bereits von Kindergartenkindern durchgeführt werden.

Passiv mit *müssen/können/sollen* → *sein* + *zu* + Infinitiv
Die Experimente sind bereits von Kindergartenkindern durchzuführen.

Passiv mit *können* → *sich lassen* + Infinitiv
Die Experimente lassen sich bereits von Kindergartenkindern durchführen.

Passiv mit *können* → *sein* + Adjektiv mit Endung *-bar/-lich*
Die Experimente sind bereits von Kindergartenkindern durchführbar.
Naturwissenschaftliche Phänomene sind so viel besser verständlich.

2 Indefinitpronomen

Indefinitpronomen beziehen sich auf Personen, Orte, Zeiten und Dinge, die nicht genauer definiert werden. So bekommen Aussagen mit Indefinitpronomen einen allgemeinen Charakter.

Nominativ	man	(k)einer/ (k)eins/ (k)eine	niemand	jemand	irgendwer
Akkusativ	(k)einen/(k)eins/(k)eine		niemanden*	jemanden*	irgendwen
Dativ	(k)einem/(k)einem/(k)einer		niemandem*	jemandem*	irgendwem

* In der gesprochenen Sprache wird im Akkusativ und Dativ auch die Form des Nominativs benutzt:
○ *Hast du **jemand** getroffen, den du kennst?*
● *Nein, **niemand**.*

	Indefinitpronomen		Negation
Person	*man, jemand, einer, irgendwer*	→	*niemand, keiner*
Ort	*irgendwo, irgendwoher, irgendwohin*	→	*nirgendwo, nirgendwoher, nirgendwohin, nirgends*
Zeit	*irgendwann*	→	*nie, niemals*
Dinge	*irgendwas, etwas, eins*	→	*nichts, keins*

An der Nase herumgeführt

1 Stellen Sie sich vor, Sie gehen durch die Fußgängerzone einer Stadt: Was sehen Sie? Was hören Sie? Was riechen Sie? Notieren Sie und vergleichen Sie mit einem Partner / einer Partnerin.

2a *riechen* hat zwei Bedeutungen. Ordnen Sie die Bedeutungen den Sätzen zu.

A einen Geruch wahrnehmen B einen Geruch haben/verströmen

____ 1. Das Gebäck riecht nach Vanille.

____ 2. Er ist erkältet und kann nicht so gut riechen.

____ 3. Der Hund schnuppert an den Würstchen.

____ 4. Wir müssen dringend lüften. Hier riecht es nicht gut.

____ 5. Du hast ein neues Parfüm. Darf ich mal riechen?

____ 6. Der Käse stinkt fürchterlich.

____ 7. Ich liebe Rosen. Sie duften so gut!

b *riechen – duften – stinken*. Ordnen Sie die Wörter in der Skala an.

| stinken | der Wohlgeruch | duften | schlecht riechen | der Duft | der Gestank | gut riechen |

negativ — *riechen* — *positiv*

c Woran denken Sie, wenn Sie die folgenden Dinge riechen? Welche der Gerüche empfinden Sie als angenehm bzw. unangenehm? Sprechen Sie zu zweit. Gibt es Gemeinsamkeiten?

Meer   Regen   Zigarettenrauch   Pferd   Tanne   Fisch   Zimt   Lavendel   Farbe

 3 Sehen Sie die erste Filmsequenz. Was erfahren Sie über das Riechen? Wie wirken Gerüche oder Düfte auf den Menschen? Welche Konsequenz zieht die Industrie daraus?

*Hans Hatt,
Uniklinik Bochum*

4a Sehen Sie die zweite Filmsequenz und ordnen Sie die Aussagen den Experten zu.

1. Düfte lösen Erinnerungen aus und beeinflussen unsere Gefühle.
2. Düfte haben genauso Einfluss auf die Kaufentscheidung wie Werbung.
3. Vielleicht kann man mit Düften sogar Gefühle hervorrufen.
4. Gerüche bewirken nicht, dass der Käufer etwas kauft, was er gar nicht haben will.
5. Düfte beeinflussen unsere Entscheidungen, ohne dass wir es merken.

b Welche Beispiele für den Einsatz von Düften werden im Film genannt? Was sollen die Düfte bewirken? Sammeln Sie weitere Beispiele.

*Hans Voit, Spezialist
für Duftmarketing*

5a Wir werden im Alltag von künstlichen Düften umgeben.
Welche Gefahren oder Probleme kann das mit sich bringen?

3

b Sehen Sie nun die dritte Filmsequenz. Was kritisiert Carel
Mohn, ein Mitarbeiter der Verbraucherzentrale? Vergleichen
Sie mit Ihren Vermutungen aus 5a.

Die Stimme der Verbraucher

Carel Mohn
Bundesverband der Verbraucherzentrale

6 Sie haben die Sendung über Duftmarketing im Fernsehen gesehen. Schreiben Sie
in einer E-Mail an die Redaktion Ihre Meinung zum Thema.

- Fassen Sie den Inhalt der Sendung kurz zusammen.
- Schreiben Sie etwas über Ihre persönlichen Erfahrungen oder nennen Sie weitere Beispiele.
- Was ist Ihre Meinung zum Einsatz von künstlichen Düften? Begründen Sie.

7a Was bedeuten die folgenden Ausdrücke und Redewendungen zu *Nase* und *riechen*? Ordnen Sie zu.

____ 1. jemanden an der Nase herumführen

____ 2. einen guten Riecher für etwas haben

____ 3. jemanden nicht riechen können

____ 4. vor der Nase weggefahren

____ 5. seine Nase in etwas stecken

____ 6. auf die Nase fallen

a nur knapp verpasst

b jemanden in die Irre führen

c sich in Dinge einmischen, die einen nichts angehen

d jemanden nicht mögen

e einen Misserfolg erleben

f ein gutes Gespür für etwas haben, Chancen oder
Möglichkeiten erkennen

b Gibt es in Ihrer Sprache ähnliche Ausdrücke und Wendungen? Erzählen Sie.

c Überlegen Sie sich zu zweit Situationen,
in denen die Ausdrücke von 7a passen
können. Schreiben und spielen Sie
kleine Dialoge.

> *Marco hat sich mit seiner Firma*
> *selbstständig gemacht und ist schon*
> *jetzt sehr erfolgreich.*

> *Ja, mit seiner Idee hat er einen*
> *guten Riecher gehabt.*

Heimat ist ...

Vor dem Start: Diese Übungen bereiten Sie auf das Kapitel vor.

1a Markieren Sie Adjektive, die Sie mit dem Begriff „Heimat" verbinden.

vertraut	aufregend	bekannt	alltäglich	langweilig	anstrengend
entspannend	städtisch	ländlich gebirgig	flach	kahl	trocken grün
gewöhnlich	herrlich	sicher	familiär	provinziell	geborgen schön
einengend		interessant	gefährlich	modern	fremd

b Arbeiten Sie **zu zweit und erklären Sie sich gegenseitig für mindestens drei Adjektive, warum Sie sie gewählt haben.**

2 Heimat. Lesen Sie die Forumsbeiträge und ordnen Sie die Wörter zu.

Kindheit ✓	zeitgemäß ✓	bedeutet ✓	Welt ✓	Geborgenheit ✓	fremd ✓
Geburtsort ✓	Geruch ✓	vertraut ✓	Traditionen ✓	Wurzeln ✓	Menschen ✓

Molly83 Also, Heimat ist für mich mein (1) _Geburtsort_____. Dort bin ich aufgewachsen und jede Straße, jeder Platz ist mir (2) _vertraut_____. Mit den Freunden aus meiner (3) _Kindheit_____ habe ich heute noch Kontakt, obwohl wir mittlerweile alle an verschiedenen Orten wohnen.

Lenny2000 Heimat ist für mich kein bestimmter Ort. Ich kann mich überall auf der (4) _____ zu Hause fühlen, wenn ich (5) _____ um mich habe, die ich mag und die mich verstehen.

MaxMax Ganz klar, meine Heimat ist mein Dorf, die Region mit ihren (6) _____ und Bräuchen. Hier kenne ich alle Leute. Warum soll ich weggehen? Woanders würde ich mich nur (7) _____ fühlen.

Tiniblini Ich kann mit dem Begriff „Heimat" überhaupt nichts anfangen. Das ist doch in Zeiten der Globalisierung nicht mehr (8) _____. Also, ich fühle mich als Weltbürger.

Kar_la Ich weiß eigentlich erst, was Heimat für mich (9) _____, seit ich ans andere Ende der Welt gezogen bin. Erst jetzt sind mir meine (10) _____ bewusst geworden und die sind eindeutig in Norddeutschland ☺. Die Landschaft und die Menschen fehlen mir!

Gusto Heimat – das ist der (11) _____ von frisch gebackenem Kuchen, wenn man nach Hause kommt. Und dann setzt man sich mit der Familie gemütlich an den Tisch und erzählt, was alles so passiert ist. Dieses Gefühl der (12) _____ verbinde ich mit Heimat.

3 Auswandern. Was passt zusammen? Verbinden Sie.

1. _e._ sich in einer neuen Stadt   a verabschieden
2. _b._ sich an ein anderes Klima   b gewöhnen
3. _a._ sich von seinen Freunden   c beherrschen
4. _c._ eine Sprache   d knüpfen
5. _d._ neue Kontakte   e einleben

4 Suchen Sie die passenden Nomen im Rätsel und notieren Sie sie mit Artikel und Plural. Manchmal ist kein Plural möglich.

R	V	E	R	H	A	L	T	E	N	P	V	A	S
S	A	F	B	C	I	D	X	N	R	R	O	U	N
I	B	E	Z	I	E	H	U	N	G	P	A	S	T
T	V	E	R	F	A	H	R	U	N	G	C	L	D
M	V	O	R	U	R	T	E	I	L	M	E	A	M
S	E	H	N	S	U	C	H	T	A	Q	L	N	O
U	J	U	N	T	E	R	S	C	H	I	E	D	R
I	G	E	F	Ü	H	L	D	S	Y	N	C	T	E
Z	K	M	M	F	I	Y	E	G	A	L	L	H	G
I	E	N	T	S	C	H	E	I	D	U	N	G	E
P	A	N	S	X	L	I	M	R	U	M	F	E	L

1. nicht das Land, in dem man zu Hause ist
2. eine feste Meinung über Menschen/Dinge, von denen man nicht viel weiß
3. Verbindung zwischen zwei Menschen
4. das, worin zwei Dinge oder Personen nicht gleich sind
5. das Vermissen von Menschen/Dingen
6. die Auswahl einer von mehreren Möglichkeiten (nach gründlichem Überlegen)
7. Wissen oder Können, das man durch eigene Erlebnisse erwirbt
8. Emotion
9. Vorschrift, Richtlinie
10. Art und Weise, wie ein Mensch in verschiedenen Situationen handelt

1. s Ausland
2. s Vorurteil
3. e Beziehung
4. r Unterschied
5. e Sehnsucht
6. e Entscheidung
7. e Erfahrung
8. s Gefühl
9. e Regel
10. s Verhalten

5 Wie heißt das Gegenteil? Finden Sie die Paare und notieren Sie sie.

finden ✓   gemeinsam ✓   auswandern ✓   vertraut ✓   das Heimweh ✓   sich erinnern ✓   sich fremd fühlen ✓   weggehen ✓   ablehnen ✓   sich bemühen ✓

sich geborgen fühlen ✓   annehmen ✓   zurückkehren ✓   allein ✓   das Fernweh ✓   einwandern ✓   sich nicht anstrengen ✓   vergessen ✓   fremd ✓   verlieren ✓

_____

_____

_____

_____

6 Schreiben Sie einen kurzen Text über Ihre Heimat.

Neue Heimat

1 Lesen Sie den folgenden Text und entscheiden Sie, welches Wort (a, b oder c) in die jeweilige Lücke passt.

Liebe Miriam,

jetzt haben wir schon wieder so lange nichts (1) **voneinander** gehört und ich dachte, ich muss mich (2) **unbedingt** mal wieder <u>melden</u>. Ich würde dich ja auch gerne mal anrufen, aber wegen der Zeitverschiebung ist es so kompliziert, die richtige Tageszeit zu <u>erwischen</u>. Ich hoffe, bei dir läuft alles gut! Mir geht es immer noch (3) **ziemlich** gut hier in Australien. Ich habe mich (4) **an** das Klima und alles andere gewöhnt. Mein Job gefällt mir, meine Kollegen sind nett und ich habe mittlerweile auch ein paar Freunde gefunden. Ich bin gerade umgezogen, endlich raus aus dem Mini-Zimmer! Stell dir vor, ich habe jetzt ein richtiges kleines Häuschen. Ein Bekannter von mir, (5) **dem** das Haus gehört, ist für ein Jahr beruflich in Europa und so lange kann ich hier wohnen. Mal sehen, was dann kommt. Aber auch wenn es mir gut geht, <u>packt mich</u> natürlich trotzdem öfter mal das Heimweh und deshalb habe ich geplant, diesen Sommer nach Hause zu fliegen. Wahrscheinlich komme ich Mitte August und bleibe dann für vier Wochen, (6) **damit** sich der lange Flug auch lohnt. Jetzt wollte ich nachfragen, (7) **ob** du in dieser Zeit da bist. Oder machst du da Urlaub? Es wäre wirklich schön, wenn wir etwas zusammen (8) **unternehmen** könnten und mal wieder so richtig Zeit hätten zu plaudern. Ich habe auch vor, Andrea und Jonas in Berlin zu besuchen. Hast du Lust mitzukommen? Da gibt es im Sommer eine große Foto-Ausstellung, die (9) **mich** sehr interessieren würde. Hast du eigentlich mal was von Brigitte gehört? Sie (10) **soll** doch jetzt wieder in Deutschland sein. Würde mich interessieren, wie sie sich wieder eingelebt hat, nach fünf Jahren in Argentinien. Lass bald von dir hören!

Liebe Grüße

Ella

1. a) uns
   b) voneinander
   c) zusammen

2. a) außerdem
   b) unbedingt
   c) zuletzt

3. a) bestimmt
   b) schön
   c) ziemlich

4. a) an
   b) bei
   c) für

5. a) dem
   b) den
   c) ihm

6. a) damit
   b) deswegen
   c) wenn

7. a) dass
   b) ob
   c) wenn

8. a) unterhalten
   b) unternehmen
   c) vorhaben

9. a) ich
   b) mich
   c) mir

10. a) darf
    b) kann
    c) soll

TIPP | **In der schriftlichen Prüfung**

Sie sind sich nicht sicher, wie die richtige Antwort für eine Aufgabe lautet? Kreuzen Sie trotzdem eine Antwort an. Vielleicht haben Sie Glück. Wenn Sie nichts ankreuzen, verlieren Sie auf jeden Fall Punkte.

2 Markieren Sie, an welcher Stelle im Satz die Wörter rechts eingefügt werden müssen.

1. Maria und Paul wandern aus. Zum Abschied schenken wir einen Fluggutschein.   ihnen

2. Paul wollte Informationen über China. Das Reisebüro hat sie gegeben.   ihm

3. Maria hat nach den Visa-Bestimmungen gefragt. Der Beamte hat ihr erklärt.   sie

4. Maria hat ein Visum beantragt. Das Konsulat hat ihr dann zugeschickt.   es

5. Paul und Maria ziehen in zwei Wochen um. Ich hoffe, sie schicken viele E-Mails.   uns

6. Ihre neue Stadt ist toll und im Sommer zeigen sie sie.   mir

 3 Alles schon erledigt! Reagieren Sie auf die Fragen und Aussagen. Verwenden Sie dabei Pronomen.

1. Kannst du mir die E-Mail-Adresse von Ella schicken?
2. Gibst du mir bitte meinen Bildband über Australien zurück?
3. Es wäre super, wenn du auch Max die Informationen zum Visum geben würdest.
4. Hast du Hannah den Schlüssel schon gebracht?
5. Wir müssen dem neuen Gaststudenten noch den Weg ins Wohnheim erklären.

1. Ich habe sie dir doch schon geschickt.

 4 Tekamolo – Erweitern Sie die Sätze. Beginnen Sie Ihre Sätze mit dem unterstrichenen Satzteil.

1. Wir sind geflogen. (zu Ella / <u>letzten Monat</u> / ganz spontan)
2. Das Flugzeug startete. (mit großer Verspätung / vom Flughafen Frankfurt / <u>wegen eines Unwetters</u>)
3. Mir war ziemlich schlecht. (wegen des Sturms / <u>während des langen Fluges</u>)
4. Wir fuhren. (zu Ellas Haus / <u>ziemlich erschöpft</u> / nach unserer Ankunft)
5. Wir haben eine Stadtrundfahrt gemacht. (zusammen / <u>an unserem ersten Urlaubstag</u>)
6. Wir lagen am Strand. (<u>an den nächsten Tagen</u> / meistens faul / wegen der starken Hitze)
7. Die Zeit ist vergangen. (viel zu schnell / <u>im Urlaub</u>)
8. Wir haben ein paar Andenken gekauft. (<u>am Flughafen</u> / noch schnell / vor unserem Abflug)
9. Wir flogen zurück. (wieder nach Hause / nach drei Wochen / <u>gut erholt</u>)

1. Letzten Monat sind wir ganz spontan zu Ella geflogen.

 5 Ergänzungen und Angaben. Korrigieren Sie die Wortstellung.

1. Für den Umzug habe ich gestern den Kleinbus mir von einem Freund geliehen.

2. Der Vermieter hat erst letzte Woche uns den neuen Mietvertrag geschickt.

3. Zum Abschied habe ich gestern Blumen meiner Freundin geschenkt.

4. Meine Mutter kennt meinen neuen Mitbewohner nicht. Ich habe ihr ihn noch nicht vorgestellt.

5. Mein Bruder muss jetzt öfter bei der Hausarbeit meiner Mutter helfen.

6a Präpositionalergänzungen. Ergänzen Sie die Präposition.

Ben träumte schon lange (1) __von__ einem längeren Auslandsaufenthalt. Deshalb bewarb er sich letztes Jahr (2) __bei__ einer italienischen Firma. Nachdem er seine Bewerbungsunterlagen abgeschickt hatte, wartete er ungeduldig (3) __für__ eine Antwort. Vier Wochen später wurde er tatsächlich (4) __zu__ einem Vorstellungsgespräch eingeladen. Er bekam die Stelle und freute sich (5) __auf__ seinen Umzug nach Italien, der schon zwei Wochen später stattfinden sollte. Jetzt lebt Ben seit einigen Monaten in Rom und hat sich schon gut (6) __an__ sein neues Leben gewöhnt. Seine neuen Arbeitskollegen kümmern sich sehr nett (7) __um__ ihn. Am Wochenende verabredet er sich oft (8) __mit__ ihnen im Restaurant und dann unterhalten sie sich (9) __über__ alles Mögliche. So wird auch sein Italienisch immer besser, sodass er langsam auch (10) __an__ allen Besprechungen im Büro aktiv teilnehmen kann.

b Schreiben Sie die Sätze. Achten Sie besonders auf die Position der Präpositionalergänzung.

1. Ella / verliebt / hat / in einen Australier / sich / vor zwei Jahren / auf einer Reise
2. Daraufhin / entschlossen / hat / zu einem Umzug nach Australien / sie / sich / ziemlich schnell
3. Nach der ersten großen Verliebtheit / über ihre unterschiedlichen Zukunftsvorstellungen / ständig / Ella und David / gestritten / haben / sich
4. Leider / sich / von David / hat / schon kurze Zeit später / sie / getrennt
5. Sie / versteht / mittlerweile / mit ihrem Exfreund / sich / wieder gut / und / ihr / manchmal / bei bürokratischen Problemen / er / hilft

7 Hören Sie ein Interview. Notieren Sie Stichwörter zu den folgenden Themen und vergleichen Sie mit einem Partner / einer Partnerin.

1. Auswandern in Zahlen:	100.000 Menschen Deutschland aber viele kommen zurück. sehr flexibel
2. Sprache: überschätzen sich zubeherrschen	es ist schwierig ein Arbeit zu bekommen wenn man keine nicht die Sprache lernen kann.
3. Geld:	Neue Stelle gefunden unterschetzen viele Menschen sie haben viele finanziell Probleme plötzlich
4. Weitere Tipps:	Ganz wichtig Das Man der Zukunft des Land komme
5. Beliebteste Auswanderungsziele der Deutschen:	die Schweiz die USA

P
TELC

1 Lesen Sie die Aufgabe und bearbeiten Sie sie.

Sie finden in einer Zeitschrift folgende Anzeige:

Ski fahren und Deutsch lernen – das Swiss-Ski-Camp

Deutsch lernen: mit Freunden – mit Spass – mit Schnee und Bergen – zu fairen Preisen

Weisse Schneelandschaften, hohe Berge, blauer Himmel, die besten Ski-Pisten und viel Spass – auch nach der Abfahrt: Die Schweiz im Winter zu erleben ist ein wahrer Traum. Geniessen Sie die beeindruckende Natur: Am Vormittag reicht ein Blick aus dem Kursraum – am Nachmittag gehen Sie selber auf die Piste.

Unsere Mitarbeiter helfen Ihnen gern bei allen Fragen zu den Sprach- und Skikursen. Wenn Sie Fragen haben, kontaktieren Sie uns bitte.

Unsere Kurse

- erfahrene Deutschlehrer/innen (Muttersprachler/innen) und ausgebildete Skilehrer/innen
- kleine Gruppen (maximal 10 Teilnehmer)
- individuelle Zielsetzung (Was sind Ihre Ziele? Wir helfen – im Klassenraum und auf der Skipiste!)
- Abschlusszertifikat

Swiss Ski- und Sprachschule, Talstrasse 2, 7260 Davos, Schweiz

Sie möchten einen kombinierten Ski- und Deutschkurs in der Schweiz buchen und haben noch Fragen. Sie möchten zusammen mit einem Freund / einer Freundin anreisen, der/die nur den Deutschkurs besuchen möchte, und Sie machen auch gerne andere Wintersportarten.

Schreiben Sie einen Brief, in dem Sie um mehr Informationen bitten.

Behandeln Sie darin entweder
a) mindestens drei der folgenden Punkte oder
b) mindestens zwei der folgenden Punkte und einen weiteren Aspekt Ihrer Wahl.
- Beschreiben Sie, wie gut Sie Ski fahren können und welches Alternativprogramm Sie sich für Ihren Freund / Ihre Freundin vorstellen können.
- Beschreiben Sie, warum Sie Ihre Deutschkenntnisse verbessern möchten und welche Ziele Sie damit anstreben.
- Beschreiben Sie, welche Leistungen Sie sich wünschen (Anzahl der Kursstunden, Niveau, besondere Lernziele, Unterkunft, weitere Wintersportmöglichkeiten …).
- Stellen Sie weitere Fragen zu den Leistungen.

Bevor Sie den Brief schreiben, überlegen Sie sich eine passende Reihenfolge der Punkte, eine passende Einleitung und einen passenden Schluss. Vergessen Sie nicht Ihren Absender, die Anschrift, Datum, Betreffzeile, Anrede und Schlussformel.

Schreiben Sie mindestens 150 Wörter.

1 Wie ist das **in Ihrem Land? Ergänzen Sie die Sätze.**

1. Bei uns gilt es als sehr unhöflich, wenn …
2. Touristen werden oft missverstanden, wenn sie …
3. Einige Leute können nicht verstehen, warum …
4. Wenn man bei uns Besuch empfängt, erwartet man von den Gästen, dass …
5. Bei uns ist es für viele Leute wichtig, …

 2a Lesen Sie den ersten Teil eines Textes. Sind die Aussagen richtig oder falsch?

	richtig	falsch
1. In beiden Ländern werden alle Kinder mit bunten Sonnenbrillen geboren. Die Farbe spielt dabei keine Rolle.	☐	☐
2. Die Menschen kommen dort schon immer mit Sonnenbrille auf die Welt.	☐	☐
3. Die Menschen finden die Sonnenbrillen komisch.	☐	☐
4. Die Sonnenbrillen sind ein Symbol für die Kultur des Landes.	☐	☐

Die Sonnenbrillen-Analogie

Stellen Sie sich bitte ein Land vor – zum Beispiel ein deutschsprachiges Land –, in dem seit der Zeit der ersten Menschen, heutzutage und bis weit in die Zukunft, jeder Mensch, der je geboren wurde oder
5 erst geboren werden wird, mit zwei Beinen, zwei Armen, zwei Augen, einer Nase, einem Mund
10 und einer Sonnenbrille geboren wird. Die Farbe der Sonnenbrillengläser ist gelb. Niemand hat
15 es je seltsam gefunden, dass diese Sonnenbrillen da sind, weil sie schon immer da waren und Teil des menschlichen Körpers sind. Jeder Mensch hat sie.

Was die Sonnenbrille gelb macht, sind die Werte, Einstellungen, Ideen, Glaubenssätze und Annahmen,
20 die den Menschen in ihrem Land gemeinsam sind.

Alles, was sie gesehen, gelernt oder erfahren haben (in der Vergangenheit, Gegenwart und Zukunft), ist durch die gelben Gläser ins Gehirn gelangt. Alles wurde durch die Werte und Ideen, welche die Glä-
25 ser gelb gefärbt haben, gefiltert und interpretiert. Die gelben Gläser repräsentieren also ihre Einstellungen, Werte und Glaubenssätze.

Tausende Kilometer entfernt in einem anderen Land (zum Beispiel in Japan) wurde seit der Zeit
30 der ersten Menschen, heutzutage und bis weit in die Zukunft, jeder Mensch, der je geboren wurde oder geboren werden wird, mit zwei Beinen, zwei Armen, zwei Augen, einer Nase, einem Mund und einer Sonnenbrille geboren. Die Farbe der Sonnenbrillengläser
35 ist blau. Niemand hat es je seltsam gefunden, dass diese Sonnenbrillen da sind, weil sie immer schon da waren und Teil des menschlichen Körpers sind. Jeder Mensch hat sie. Alles, was Japanerinnen und Japaner sehen, lernen und erleben, wird durch die
40 blauen Gläser ihrer Sonnenbrillen gefiltert.

b Stellen Sie sich vor, eine Person aus dem Land der gelben Sonnenbrillen möchte in das andere Land fahren. Was wird passieren? Notieren Sie Ihre Vermutungen.

_____

_____

c Lesen Sie das Ende des Textes und vergleichen Sie mit Ihren Notizen aus 2b.

Ein Reisender, der nach Japan fahren möchte, ist wahrscheinlich klug genug zu erkennen, dass er japanische Sonnenbrillen erwerben muss, damit er Japan „sehen" und mehr über das Land erfahren kann. Wenn
45 der Reisende also in Japan ankommt, trägt er japanische Sonnenbrillen, bleibt zwei Monate lang und hat das Gefühl, er lernt wirklich viel über die Werte, Einstellungen und Glaubenssätze der japanischen Menschen. Er „sieht" tatsächlich Japan, indem er japani-
50 sche Sonnenbrillen trägt. Er kehrt in sein eigenes Land zurück und erklärt sich nun zum „Experten" für Japan und behauptet, dass die Kultur von Japan grün ist.

d Was ist passiert? Erklären Sie, warum der „Experte" sagt, die japanische Kultur ist grün.

3 Eine ausländische Freundin bittet Sie darum, einen Brief zu korrigieren, da Sie besser Deutsch können.

- Fehler im Wort: Schreiben Sie die richtige Form an den Rand. (Beispiel 01)
- Fehler in der Satzstellung: Schreiben Sie das falsch platzierte Wort an den Rand, zusammen mit dem Wort, mit dem es vorkommen soll. (Beispiel 02)
- Bitte beachten Sie: Es gibt immer nur einen Fehler pro Zeile.

Berlin, den 23. Februar 20…	
Sehr geehrte Dame und Herren,	*Damen* ___ 01
gestern ich habe erfahren, dass ich mit meinem Mann für einige Zeit	*habe ich* ___ 02
nach Japan gehen können. Wir werden nach Tokio gehen und vier	___ 03
bis acht Monate dort bleiben. Ich habe schon eine bisschen Japanisch	___ 04
lernen und ich wende mich mit der Frage an Sie, ob Sie mir vielleicht	___ 05
ein gutes interkulturelles Training für Leute können anbieten,	___ 06
denen nach Japan gehen möchten.	___ 07
Ich möchte Sie fragen, ob Sie solchen Seminare anbieten und	___ 08
wenn das nächste Seminar stattfindet.	___ 09
Wie teuer sind die Seminare und wie viele Teilnehmer es gibt?	___ 10
Gibt es auch der Möglichkeit, Seminare in Japan zu besuchen?	___ 11
Ich wäre Sie sehr dankbar, wenn Sie mir schnell antworten und	___ 12
mir alle Unterlagen zuschicken könnten.	
Mit freundlichen Grüßen	
Alisha Nizany	

4 Sagen Sie das Gegenteil. Ersetzen Sie die unterstrichenen Wörter.

1. Gestern Morgen sind <u>alle</u> pünktlich ins Seminar gekommen. 2. Das habe ich <u>schon einmal</u> erlebt.
3. Herr Müller hat im Meeting gestern <u>etwas</u> Interessantes gesagt. 4. Louis hat während seines Auslandsaufenthaltes <u>viele</u> Abenteuer erlebt. 5. So ein Reisesouvenir kann man <u>überall</u> kaufen. 6. Ich habe <u>noch keine</u> Fotos gemacht. 7. Ich bin <u>immer noch</u> auf der Suche nach einem geeigneten Thema für meine Seminararbeit.

1. Gestern Morgen ist niemand …

5a Welches Wort passt?

1. Eine Aussage, die leicht falsch verstanden wird, ist *missverständlich*.
2. Jemand, der keine Geduld hat, ist _ungeduldig_.
3. Jemand, der keine Arbeit hat, ist _arbeitslos_.
4. Etwas, das mich nicht interessiert, finde ich _uninteressant_.
5. Jemand, der nicht vernünftig ist, ist _unvernünftig_.
6. Jemand, der andere Gewohnheiten nicht toleriert, ist _intolerant_.
7. Etwas, das nicht repariert werden kann, ist _unrepariert_ / _kaputt_ _irreparabel_.

b Schreiben Sie zu jedem Wort aus 5a einen Satz.

   1. Ich fand seine Aussagen sehr missverständlich.

6a Verneinen Sie die Sätze mit *nicht*.

1. Der Film hat mir gefallen.
2. Ich fand das Thema interessant.
3. Die Schauspieler haben die interkulturellen Missverständnisse sehr authentisch dargestellt.
4. Die Situationen waren realistisch und ich fand die Szenen spannend umgesetzt.
5. Die Musik war gut.
6. Ich glaube, den Film sehe ich mir noch einmal an.

   1. Der Film hat mir nicht gefallen.

b Beantworten Sie die Fragen. Verwenden Sie *nicht* in Ihrer Antwort.

1. Kannst du mich mit dem Auto abholen?
2. Ist die Wohnung weit weg vom Bahnhof?
3. Hat er sich über das Geschenk gefreut?
4. War die Reise sehr teuer?
5. Hast du schon lange auf mich gewartet?
6. Musst du heute Abend arbeiten?

   1. Nein, ich kann dich leider nicht mit dem Auto abholen.

c Verneinen Sie die unterstrichenen Satzteile. Achten Sie auf die Position von *nicht* und überlegen Sie eine sinnvolle Fortsetzung des Satzes mit *sondern*.

1. Ich komme <u>heute</u> mit.
2. <u>Ich</u> komme heute mit.
3. <u>Peter</u> hat sich zum Seminar angemeldet.
4. Peter <u>hat sich</u> zum Seminar <u>angemeldet</u>.
5. Peter hat sich <u>zum Seminar</u> angemeldet.

1. *Ich komme __nicht heute__ mit, sondern morgen.* _____
2. _____
3. _____
4. _____
5. _____

Zu Hause in Deutschland

🔑 **1 Lesen Sie den ersten Abschnitt aus dem Radiobeitrag im Lehrbuch und ergänzen Sie die Nomen.**

Einwohner	Staaten	Wurzeln	Städte	Staatsbürgerschaft	Pass

Deutschland ist ein Zuwanderungsland geworden und damit bunter. Von den insgesamt knapp 80,5 Millionen

Menschen in Deutschland haben allein gut sieben Millionen einen ausländischen (1) _____ –

so viele wie in keinem anderen der 28 EU-Staaten. Rechnet man noch die Menschen hinzu, die die deutsche

(2) _____ haben, aber nicht in Deutschland geboren sind oder deren Eltern

nach Deutschland eingewandert sind, dann haben rund 16 Millionen (3) _____ in

Deutschland einen Migrationshintergrund. Das heißt: Fast ein Fünftel der Einwohner in Deutschland hat

ausländische (4) _____. Am buntesten sind die großen (5) _____.

In Berlin z. B. kommen von den 3,4 Millionen Einwohnern ca. 900.000 ursprünglich nicht aus Berlin, sondern

aus 184 anderen (6) _____. In Frankfurt haben etwa 40 Prozent der Menschen

einen Migrationshintergrund.

🔑 **2a Eine Meinung ausdrücken. Wie heißen die Wörter richtig? Schreiben Sie.**

1. Ich bin der SANTICH _____, dass …

2. Ich stehe auf dem TASNUDNKPT _____, dass …

3. Meiner FUNGASSAUF _____ nach …

4. Meiner UGEIMNN _____ nach …

🔑 **b Mit welchen Redemitteln drücken Sie was aus?**
Ordnen Sie zu und unterstreichen Sie Formulierungen,
die unhöflich sind.

a eine Meinung ausdrücken
b einer anderen Meinung zustimmen
c eine andere Meinung ablehnen

1. [a] Ich bin davon überzeugt, …

2. ☐ Ich kann dieser Meinung nicht zustimmen, da …

3. ☐ Meines Erachtens …

4. ☐ Das halte ich für problematisch, weil …

5. ☐ Das kann ich nur bestätigen.

6. ☐ Das ist völliger Unsinn!

7. ☐ Ich bin der Ansicht, dass …

8. ☐ Das sehe ich genauso.

9. ☐ Das ist völlig an den Haaren herbeigezogen.

10. ☐ Da muss ich wirklich widersprechen.

11. ☐ Ich bin der gleichen Meinung wie …

12. ☐ Du hast / Sie haben völlig recht.

13. ☐ Das ist doch Quatsch.

14. ☐ Ich stehe auf dem Standpunkt, dass …

15. ☐ Da kann ich mich nur anschließen.

3 Welche Wörter passen wo? Ordnen Sie zu. Manchmal gibt es mehrere Möglichkeiten.

> teilnehmen   diskutieren   lösen   übernehmen   beschäftigen
> meistern   nutzen   empfinden   beantragen   unterstützen

1. sich mit einem Thema _____

2. eine Chance _____

3. Heimweh _____

4. ein Problem _____

5. eine Staatsangehörigkeit _____

6. Verantwortung _____

7. eine Herausforderung _____

8. jmd. bei der Arbeitsplatzsuche _____

9. über ein Thema _____

10. an einem Sprachkurs _____

4a Das folgende Zitat stammt von Karl Valentin, einem deutschen Komiker, der von 1882 bis 1948 in München lebte. Wie interpretieren Sie es?

b In welchen Situationen haben Sie sich fremd gefühlt oder fühlen Sie sich immer noch fremd? Warum?

> *Fremd ist der Fremde nur in der Fremde.*

Aussprache: Fremdwörter

a **Fremdwörter und deutsche Aussprache. Hören Sie die folgenden Wörter und sprechen Sie nach.**

TIPP Bei Fremdwörtern liegt der Wortakzent häufig auf der letzten Silbe. Auf der letzten Silbe liegt der Akzent z. B. bei Wörtern mit den Endungen -al, -ent, -ie, -ik, -ion, -ol, -op, -ukt.

1. Information	3. Skandal	5. Produkt	7. Sensation	9. Mikroskop
2. Musik	4. Symbol	6. Technologie	8. Experiment	10. Biologie

b **Hören Sie und sprechen Sie nach.**

TIPP Der Wortakzent kann bei Fremdwörtern auch auf der vorletzten Silbe liegen. Auf der vorletzten Silbe liegt der Akzent z. B. bei Wörtern mit den Endungen -el, -os, -(i)um, -us.

1. Ministerium	3. Forum	5. Eukalyptus	7. Chaos	9. Publikum
2. Pathos	4. Museum	6. Journalismus	8. Fokus	10. Vokabel

TIPP Fremdwörter sind oft an die deutsche Aussprache angepasst. Das gilt aber nicht immer, siehe zum Beispiel: *Restaurant, Computer* oder *Make-up.*

c Arbeiten Sie zu dritt. Jede/r schreibt vier Wörter auf Karten. Mischen Sie die Karten. Eine Person zieht eine Karte und spricht das Wort laut. Die anderen hören zu und kontrollieren. Dann zieht die nächste Person eine Karte und liest vor.

So schätze ich mich nach Kapitel 1 ein: Ich kann …	+	○	—
… Berichte über interkulturelle Missverständnisse verstehen. ▶M3, A1, A3	☐	☐	☐
… in einem Radiobeitrag zum Thema „Integration" komplexe Informationen verstehen. ▶M4, A2	☐	☐	☐
… die wichtigsten Informationen aus einem Radiobeitrag zum Thema „Auswandern" notieren. ▶AB M1, Ü7	☐	☐	☐
… die Meinung anderer verstehen. ▶M4, A3	☐	☐	☐
… in einem Blogeintrag über Auswanderung positive und negative Erfahrungen verstehen. ▶M1, A2b	☐	☐	☐
… in einem Text über die Vielsprachigkeit in der Schweiz detaillierte Informationen verstehen. ▶M2, A1, A2b	☐	☐	☐
… einen Text, der mit einem Gleichnis kulturelle Unterschiede erklärt, verstehen. ▶AB M3, Ü2	☐	☐	☐
… Informationen aus Erfahrungsberichten von Migranten verstehen. ▶M4, A6	☐	☐	☐
… über Erfahrungen im Ausland berichten. ▶M1, A3, M3, A1b	☐	☐	☐
… Vermutungen über den Alltag in der mehrsprachigen Schweiz äußern. ▶M2, A2a	☐	☐	☐
… ein Rollenspiel zu einem interkulturellen Missverständnis spielen und darüber sprechen. ▶M3, A2	☐	☐	☐
… in einer Diskussion meine Ansichten erklären, begründen und verteidigen. ▶M4, A4b	☐	☐	☐
… zusammen mit einem Partner / einer Partnerin ein Fest planen. ▶M4, A7	☐	☐	☐
… einen Forumsbeitrag zum Thema Fremdsprachen(lernen) in meinem Land schreiben. ▶M2, A2c	☐	☐	☐
… weitere Informationen zu einem Angebot einer Sprachenschule einholen. ▶AB M2, Ü1	☐	☐	☐
… einen Kommentar zu einem sozialen Projekt schreiben. ▶M4, A5	☐	☐	☐

Das habe ich zusätzlich zum Buch auf Deutsch gemacht (Projekte, Internet, Filme, Texte, …):

Datum: Aktivität:

_____   _____

_____   _____

_____   _____

▸ **Grammatik und Wortschatz weiterüben: interaktive Übungen unter www.aspekte.biz/online-uebungen2**

Wortschatz

Modul 1 Neue Heimat

abenteuerlich	adventurous
die Arbeitserlaubnis	work permit
aufgeben (gibt auf, gab auf, hat aufgegeben)	to quit
aufregend	exciting
ausdrücken	to express sth.
außerdem	besides
bereuen	to regret sth.
die Beziehung, -en	Relationship
sich einleben	to settle in
erfahren (erfährt, erfuhr, hat erfahren)	to experience
erledigen	to execute
kündigen	to resign
mittlerweile	meanwhile
riskieren	to risk sth.
sehnsüchtig	longingly
übersetzen	to translate
wagen	to risk
zufällig	by chance
zwischendurch	in between

Modul 2 Ein Land, viele Sprachen

die Amtssprache, -n	official language
anerkennen (erkennt an, erkannte an, hat anerkannt)	to acknowledge so. / sth. (as sth.)
die Elite, -n	elite
fälschlicherweise	misleadingly
das Gesetz, -e	law
veröffentlichen	to publish sth.
die Verwaltungssprache, -n	lang. of gov.
vielsprachig	multilingual
voraussetzen	to assume
der Wandel	change

Modul 3 Missverständliches

der/die Begleiter/in, -/-nen	companion
kulturell	cultural
das Missverständnis, -se	misunderstanding
die Öffentlichkeit	public/community
die Privatsphäre	privacy
die Selbstverständlichkeit, -en	implicit
die Spielregel, -n	Rules of the game
üblich sein	to be common practice
unbewusst	unconsious
unhöflich	unpolite
das Verhalten	behavior
wahrnehmen (nimmt wahr, nahm war, hat wahrgenommen)	to notice sth. / to discern

Modul 4 Zu Hause in Deutschland

der/die Einwohner/in, -/-nen	Resident	insgesamt	altogether
der/die Einheimische, -n	indigenous people	die Integration	int-egration
die Einrichtung, -en		leiten	to guide/lead
ehrenamtlich	honorary	leuchten	to blaze/shine
ermöglichen	to enable sth.	der Migrationshintergrund	Migration background
farbenfroh	colorful	scheitern	to collapse/fail
gelegentlich	occasional	das Selbstbewusstsein	self-assurance
die Gesellschaft, -en	society	unterstützen	to support
gründen	to establish sth.	verbergen (verbirgt, verbarg, hat verborgen)	to hide sth.
der/die Handwerker/in, -/-nen	blue collar worker	vollkommen	completely/altogether
die Herkunft	ancestry	sich wohlfühlen	to feel comfortable
die Hochschulreife	higher ed. entrance qualification	der/die Zugewandte, -n	immigrant
inmitten	in the midst of		

Wichtige Wortverbindungen

von Anfang an	from the top/beginning
ein Geschäft führen	to manage a shop
den (eigenen) Horizont erweitern	to expand one's horizons
infrage kommen (kommt, kam, ist gekommen)	to consider/question sth.
mit etw. konfrontiert werden	to confront so. w/ sth.
etw. liegt jmd. fern (lag, hat gelegen)	sth. is the last the so. wants to do
jmd. in den Schlaf singen (singt, sang, hat gesungen)	to sing so. to sleep
eine Sprache fließend beherrschen	to fluently dominate a language
eigene Vorstellungen von etw. haben	to have an idea of sth.
sich zerrissen fühlen	to feel destroyed

Wörter, die für mich wichtig sind:

_____ _____

_____ _____

_____ _____

_____ _____

Sprich mit mir!

Vor dem Start: Diese Übungen bereiten Sie auf das Kapitel vor.

1a Das Wortfeld *sprechen*. Ordnen Sie die Verben den Erklärungen zu. Es gibt mehrere Möglichkeiten. Das Wörterbuch hilft.

> schreien 9   schimpfen 7   flüstern 5   protestieren 3   erzählen 2
> erwidern 1   behaupten 8   stottern 6   widersprechen 10   erklären 4

- 1. auf eine Frage reagieren   *erwidern*
- 2. etwas genau beschreiben   ~~erzählen~~ *erklären*
- 3. eine gegenteilige Meinung laut aussprechen   *protestieren [gegen]*
- 4. das Gegenteil behaupten   *widersprechen*
- 5. etwas ganz leise sagen   *flüstern*
- 6. nicht flüssig sprechen   *stottern*
- 7. seinen Ärger mit Worten ausdrücken   *schimpfen*
- 8. etw. als wahr hinstellen, ohne es zu beweisen   *behaupten*
- 9. etw. sehr laut rufen   *schreien*   *um Hilfe rufen*
- 10. etw. berichten   ~~erklären~~ *erzählen*

b Ergänzen Sie **ein Verb mit ähnlicher Bedeutung.**

1. fragen: ✓ *sich* erkundigen
2. reden: sprechen
3. hinzufügen: ergänzen
4. erwidern: ✓ antworten
5. verneinen: ✓ ablehnen ✓

6. widersprechen: protestieren
7. bejahen: ✓ zustimmen ✓
8. erläutern: ✓ erklären
9. erzählen: ✓ berichten
10. kichern: lachen

c Ergänzen Sie **die Sätze mit einem passenden Verb aus 1b. Achten Sie dabei auch auf die Zeitform.**

50 Jahre verheiratet

„Kennengelernt habe ich meine Frau Anita (68) beim Tanzen", (1) _erzählt_ Jürgen Becker (71) aus Bremen. Auf die Frage, ob er sich noch an das erste Rendezvous erinnern kann, (2) ~~lehnte~~ ~~teil~~ *antwortet* ab er sofort mit „Ja". Denn Jürgen forderte Anita zum Tanzen auf, doch sie (3) _____ _____. Sie wollte nicht mit ihm tanzen. Anita ist da anderer Meinung und (4) ~~verneinen~~ *widerspricht* : „Das stimmt nicht ganz." Ihr gefiel Jürgen, doch die Musik war einfach schrecklich. Aber Jürgen ließ nicht locker. Er (5) _fragte_ Anita, ob sie Lust hätte, woanders hinzugehen. Anita (6) _stimmte_ Jürgens Vorschlag __zu__ und beide landeten in einer Pizzeria. „Ja, unser Glück begann wirklich in einer Pizzeria", (7) _erläutert_ Anita. Und Jürgen (8) _erwiderte_, dass Pizza nach wie vor ihr Lieblingsessen ist.

2 Lösen Sie das Rätsel.

(*ä, ö, ü* = ein Buchstabe)

1	B								G	E	S	P	R	Ä	C	H

2	S								G	E	S	P	R	Ä	C	H

3	V								G	E	S	P	R	Ä	C	H

4	S								G	E	S	P	R	Ä	C	H

5	M								G	E	S	P	R	Ä	C	H

1. ein Gespräch, in dem man Tipps und Ratschläge bekommt
2. ein Gespräch, das man mit sich allein führt
3. ein Gespräch, zu dem Stellenbewerber eingeladen werden
4. ein Gespräch, in dem unterschiedliche Meinungen zu einem Thema heftig diskutiert werden
5. ein Gespräch, das einmal im Jahr zwischen dem Vorgesetzten und jedem Mitarbeiter stattfindet

3 Das Verb *sprechen*. Welches Präfix passt? Lesen Sie die Dialoge und ordnen Sie zu.

an   aus   be   mit   wider   ver

○ Entschuldigung, darf ich Sie kurz

(1) __an__ sprechen? Wir machen eine

Umfrage zum Thema „Moderne Medien".

● Tut mir leid. Davon habe ich keine Ahnung,

da kann ich nicht (2) __mit__ sprechen.

○ Ich denke, Eva hat ein Problem mit mir. Ich

sollte mich mal mit ihr (3) __aus__ sprechen.

● Nein, das glaube ich nicht, da muss ich dir

(4) __wider__ sprechen. Eva geht es zurzeit nur

nicht gut.

○ Frau Meyer, kann ich mit Ihnen den Wochen-

plan (5) __be__ sprechen?

● Das geht jetzt leider nicht. Ich habe dem Chef

(6) __ver__ sprochen, zuerst die Rechnun-

gen zu schreiben.

4a Lesen Sie die Zungenbrecher. Lesen Sie zuerst langsam, versuchen Sie es dann schneller.

**Fischers Fritz fischt frische Fische,
frische Fische fischt Fischers Fritz.**

**Kleine Kinder können keine kleinen Kirsch-
kerne knacken. Kleine Kirschkerne können
kleine Kinder keine knacken.**

**Blaukraut bleibt Blaukraut,
Brautkleid bleibt Brautkleid.**

**Der Cottbusser Postkutscher putzt den
Cottbusser Postkutschkasten blank.**

b Stellen Sie im Kurs Zungenbrecher aus Ihrer Sprache vor.

Gesten sagen mehr als tausend Worte ...

1 Lesen Sie den folgenden Text und entscheiden Sie, welches Wort aus dem Kasten (a–o) in die
Lücken 1–10 passt. Sie können jedes Wort im Kasten nur einmal verwenden. Nicht alle Wörter
passen in den Text.

Der Österreicher Prof. Samy Molcho ist seit über 30 Jahren der führende Experte für eine Sprache, die (1) _____ Worte auskommt – die Körpersprache. In (2) _____ Buch „Körpersprache des Erfolgs" legt der weltberühmte Pantomime und Kultautor das Ergebnis seiner jahrzehntelangen Arbeit vor.

Darin beschreibt er, (3) _____ Erfolg ausmacht und wie sich Erfolg in der Körpersprache ausdrückt. Erfolg ist dabei für Samy Molcho nicht mit Wohlstand oder Geld gleichzusetzen. Er versteht unter Erfolg, sein (4) _____ Leben gut zu bewältigen – und eine Körpersprache des Erfolgs ist demnach die Körpersprache eines in sich ruhenden, souveränen Menschen.

Längst übt Samy Molcho, der als einer der berühmtesten Pantomimen der Welt mit Marcel Marceau in einem Atemzug genannt wird, seine Kunst nicht mehr auf der Bühne aus. Lange Zeit (5) _____ er als Professor am renommierten Max-Reinhardt-Seminar für Musik und darstellende Kunst in Wien und er schreibt heute noch Bücher und hält Vorträge.

In Politik- und Wirtschaftskreisen schätzt man ihn (6) _____ Trainer für „erfolgreiches Auftreten". Seit 1980 hält Molcho (7) _____ Thema „Körpersprache" Vorträge und Seminare – unter anderem für Mediziner, Politiker, Manager und Unternehmer.

Samy Molcho behauptet, 80 Prozent unserer (8) _____ und Entscheidungen würden durch nonverbale Kommunikation ausgelöst. Der Körper eines Menschen decke die Persönlichkeit eines Menschen auf. Samy Molcho erklärt in Seminaren, wie man Körpersprache (9) _____ kann und warum das so wichtig ist.

Er wirbt für ein besseres Verstehen der Körpersprache (10) _____ für eine ganzheitliche Kommunikation.

a) ALS	e) FÜR	i) REAKTIONEN	m) UNTERRICHTETE
b) EIGENES	f) IN	j) SEINEM	n) WAS
c) ENTSCHLÜSSELN	g) LERNTE	k) SELBST	o) ZUM
d) ERFAHRUNG	h) OHNE	l) SOWIE	

2 Was drücken Ihrer Meinung nach die Körperhaltungen auf den Fotos aus? Ordnen Sie zu.

1. _D_____ Überlegenheit, Dominanz

2. _____ Angst

3. _____ Vertrautheit

4. _____ Distanz

5. _____ Drohung, Aggression

3 Ergänzen Sie die Adjektive in der Grundform, im Komparativ oder im Superlativ. Achten Sie auf die richtige Endung.

Der Blickkontakt ist ein (1) _entscheidendes_ (entscheidend) Element der nonverbalen Kommuni-

kation. Er spielt bei der Kontaktaufnahme eine (2) _größere_   ~~größerere~~ (groß) Rolle als die Sprache

selbst. Wer im beruflichen Alltag (3) _guter/_   ~~bessere~~ (gut) Ergebnisse erreichen will, sollte den

Blickkontakt mit seinem Gesprächspartner auf keinen Fall meiden.

Der erste Eindruck ist der (4) _wichtigste_   ~~wichtigerste~~ (wichtig). Ein (5) _festerr_   ~~fester~~ (fest) Hände-

druck ist bei der Begrüßung zu einem Vorstellungsgespräch (6) _entscheiden_ ~~am entscheidendsten~~ (entscheidend), weil

erfahrene Personalchefs bereits aus dem Händedruck einiges über den Charakter des Bewerbers ableiten

können. Charakterzüge wie Unentschlossenheit, Zielstrebigkeit, Rücksichtslosigkeit und mangelnde Ein-

satzbereitschaft können trainierte Chefs viel (7) _leichter_   ~~leichter~~ (leicht) am Händedruck erkennen

als an der Präsentation des Kandidaten.

Mit seiner Mimik drückt ein Mensch (8) _mehr_   ~~vieler~~ (viel) aus, als er es mit Worten allein könnte.

Mimik und Gestik sind die (9) _grundlegend_   ~~grundlegender~~ (grundlegend) Bestandteile der nonverbalen Kommu-

nikation. Die Gesichtsmuskeln ziehen sich vor allem im Bereich der Augen und des Mundes zusammen.

Dies ist der (10) _beweglichste_   ~~beweglichsten~~ (beweglich) Teil des Gesichtes und informiert jeden Gesprächspartner

automatisch über die eigene Befindlichkeit.

4 Kreuzen Sie an: *als* oder *wie*?

1. Die Körpersprache spielt beim Verstehen anderer Menschen eine größere Rolle, ☐ wie ☒ als ich gedacht habe.
2. Die Gestik und Mimik des Gesprächspartners zu verstehen ist tatsächlich so wichtig, ☒ wie ☐ als von Experten behauptet wird.
3. Vor allem die Gestik hat in anderen Kulturen oft eine andere Bedeutung, ☐ wie ☒ als man annimmt.
4. Im Fremdsprachenunterricht sollte man die nonverbale Kommunikation stärker berücksichtigen, ☐ wie ☒ als man das bisher getan hat.
5. Auf diese Weise würde die Kommunikation noch besser klappen, ☐ wie ☒ als man vermutet.

5 Ergänzen Sie **Adjektive** in der richtigen Form und schreiben Sie die Sätze zu Ende.

1. Das Buch war genauso __besser__, wie __ich erwartete habe__.
2. Der Film ist __länger__, als __der zweite Teil dauert__.
3. Das Wetter in Deutschland ist genauso __warm__, wie __erwarten die Deutsch__
4. ~~Die~~ Das Leben hier ist viel __billiger__, als __in den USA kostet__.
5. Gesundes Essen ist viel __besser__, als ~~Chips~~ immere Flips zu essen
6. Bewegung ist genauso ~~fit~~ gesund, wie __Fernsehen sehen__.

6 Verbinden Sie die Sätze mit *je …, desto/umso …*

1. Der Test ist schwierig. Die Freude über deinen Erfolg wird groß sein.
2. Man liest viel. Der Wortschatz wird groß.
3. Man wiederholt Wörter oft. Man prägt sie sich fest ein.
4. Du sprichst deutlich. Du wirst gut verstanden.
5. Du übst viel. Du wirst sicher.

KOMPARATIVE + ER

1. *Je schwieriger der Test ist, umso größer wird die Freude über deinen Erfolg sein.*
mehr → 2. Je ~~vielere~~ man liest, umso größer wird der Wortschatz.
3. Je öfter man ~~wiederholt~~ Wörter, destso fester gepräigt
4. Je deutlicher du sprichst, umso besser wirst du verstande
5. Je ~~vielere~~ mehr übst, umso sicherer wirst du. ↓
Man ~~sich~~ sie sich ein

7 Schreiben Sie **Vergleichssätze** mit *je …, desto/umso …*

1. Kind: früh die fremde Sprache hören / leicht die Aussprache lernen
2. Kinder: jung sein / schnell lernen
3. man: viel lernen / groß das Allgemeinwissen werden
4. man: lange im Ausland sein / gut eine Sprache beherrschen

1. *Je früher ein Kind die fremde Sprache hört, desto leichter lernt es die Aussprache.*
2. ~~Je junger sind, so schneller~~
3. Je mehr man lernt, umso gßer wird das Allgemeinwissen
4. Je länger man im Ausland sind, desto ~~umso~~ besser ~~er~~ beherrscht man eines
2. Je junger ein Kind sind, umso scheller lernen das Kin

Sprachen kinderleicht?!

1a Das Sprachtalent – Interview mit Nikolas Stiegl, der mehrere Sprachen fließend spricht. Welche drei Fragen würden Sie als Moderator/in stellen? Notieren Sie.

1. _Mit wem üben Sie die viele Sprache_
2. _Welche Sprache sind die schwiergisten?_
3. _Wann haben Sie anfangen_

b Hören Sie den ersten Teil des Interviews und ergänzen Sie die Aussagen.

1. Nikolas Stiegl spricht ___8 +2 verstehen___ Sprachen.

2. Die Sprachen, mit denen er als Kind aufgewachsen ist, waren:

   Kroatisch, Spanisch, Französisch, Deutsch

3. Als Kind hat er die Sprache danach ausgewählt, _Mutter, Vater,_ gerade mit ihm gesprochen hat. _Großmutter, Freunden, Lehrer/in._

c Hören Sie den zweiten Teil, in dem Nikolas Stiegl über drei Techniken spricht, die er beim Lernen nutzt. Ergänzen Sie die Informationen in der Tabelle.

Spielerisch lernen	Lesen	Sprechen
- Sprache spielen ↳ spaß, spiel, sport	- comics in Fremd Sätze Sprache ↳ swedish gelernt	- 8 sprache ↳ 2 verstehen - Englisch im schule
- Emotion ↳ positiv/negativ	- spanende Geschichten	- sondern Immitation ↳ korrigieren sie ↳ haben sie keine Angst.
- ohne Regeln		

d Vergleichen und ergänzen Sie die Informationen aus 1c mit einem Partner / einer Partnerin. Welche Technik würden Sie gerne ausprobieren?

e Welche Wünsche und Anregungen hat Nikolas Stiegl für das Lernen in der Schule? Hören Sie und notieren Sie drei Wünsche. _selbst probieren oft und entdecken_

1. _Wenn man die Fremdsprache mehr sprechen kan_
2. _Fremdsprache im Unterricht_
3. _zu viel Stress und die Spaß kommt zu kurz_

zu viele verschiedenes Materialen

f Lesen Sie die **Aussagen 1–5**. Hören Sie dann den letzten Teil. Welche Aussagen sind richtig? Kreuzen Sie **an**.

□ 1. Russisch beherrscht Nikolas Stiegl auf einem sehr guten Niveau.
□ 2. Sprachen lernt man am besten in einer Gastfamilie.
☒ 3. Gerade am Anfang hat man nichts zu verlieren.
☒ 4. Nikolas Stiegl kann nicht gut kochen.
□ 5. Als Nächstes möchte Nikolas keine Sprache, sondern mal etwas Neues lernen.

2 Wie heißen die Zusammensetzungen? Bilden Sie Nomen.

| fach | kurs | genie | lehrer | mutter | niveau | fremd | berufs | witz |
| barriere | erwerb | alltags | schule | beherrschung | aus | gefühl |

…sprach…

das Sprachgenie, die Berufssprache; die Fremdsprache, die Sprachschule, die Sprachbarriere, der Sprachkurs, der/die Sprachlehrer/in, die Muttersprache, die Alltagssprach, das Sprachgefühl, das Sprachniveau, ~~die Witzsprache~~, die Aussprache, die Fachsprache; der Spracherwerb, die Sprachbeherrschung; der Sprachwitz

3a Was bedeuten die Redewendungen zum Thema „Sprache"? Ordnen Sie zu.

1. Wer hat die ganze Schokolade aufgegessen? *Raus mit der Sprache!* d
2. Ich soll noch mehr Überstunden machen! *Da fehlen mir die Worte.* c
3. *Langer Rede kurzer Sinn:* Ich finde, wir sollten das Haus kaufen. f
4. Gestern habe ich Henry getroffen und *wir haben über Gott und die Welt geredet.* a
5. *Sie können frei von der Leber weg sprechen.* Ihre Meinung interessiert mich. b →liver
6. Sonia hat endlich den Vertrag unterschrieben. *Aber ich musste mit Engelszungen auf sie einreden.* e

a über alles Mögliche sprechen
b Man kann offen sprechen.
c sprachlos sein
d jmd. soll antworten
e jmd. geduldig von etw. überzeugen
f Kurz gesagt: …

b Wählen Sie drei Redewendungen aus 3a und schreiben Sie eigene Sätze.

Idioms

1 Smalltalk über das Wetter. Ergänzen Sie in den Sätzen –
wo notwendig – ein *es*.

1. In der nächsten Woche bleibt kühl.
2. Am Wochenende wird aber wärmer.
3. Wie ist das Wetter bei euch?
4. Ist bei euch auch so regnerisch?
5. Bei uns ist das Wetter gerade nicht so schön.
6. Für die Jahreszeit ist zu warm.
7. Scheint bei euch die Sonne?
8. Im Norden regnet schon seit Wochen nicht mehr.

1. In der nächsten Woche bleibt <u>es</u> kühl.

2 Ergänzen Sie *es*, wo nötig.

A ○ Hallo, Herr Seibold! Schön, Sie zu sehen.
Wie geht (1) _es_ Ihnen?

● Danke gut, und (2) ____ Ihnen?

○ Danke, auch gut. Ähm, wie spät ist
(3) _es_?

● (4) _es_ ist gleich vier.

○ Oh, dann habe ich bald Feierabend.

● Sie haben (5) ____ gut.

B ○ Wir wollten doch mal zusammen ins Kino
gehen. Passt (1) _es_ morgen Abend bei
dir?

● Ja, da passt (2) _es_ gut. Um wie viel Uhr?

○ Um halb acht?

● Ja, halb acht ist (3) ____ prima!

C ○ Haben Sie (1) _es_ eilig oder können wir
noch über das Meeting sprechen? Ich
habe noch eine wichtige Frage.

● Worum handelt (2) _es_ sich denn? Ich
muss gleich los, aber ich bin in ca. einer
Stunde wieder da.

○ Gut, dann besprechen wir das (3) ~~es~~
später.

D ○ Entschuldigung, Frau Meyer, (1) _es_ gibt
ein Problem.

● Ein Problem? Oh je, ich wollte (2) ~~es~~
gerade gehen.

○ Ja, ich weiß, tut mir leid. Aber ich denke,
(3) _es_ geht schnell.

3a Ergänzen Sie die Sätze mit einem *dass*-Satz.

1. Es ärgert mich, _dass du ständig zu spät kommst._
2. Es langweilt mich, *dass ich Golf ~~an~~ mit meinem Vati anschauen muss.*
3. Es freut mich, *dass du gesund (jetzt) bist.*
4. Es wundert mich, *dass der ~~die~~ Bodensee 3 Ländern begrenzt*
5. Es beruhigt mich, *dass ~~ich fertig~~ mein Aufsatz fertig ist*
6. Es erschreckt mich, *dass du ~~nach~~ beim Hause so früh bist.*

b Beginnen Sie die Sätze aus 3a mit dem *dass*-Satz.

1. Dass du ständig zu spät kommst, ärgert mich.

1a Lesen Sie die drei Gedichte laut. Welches gefällt Ihnen am besten?

Warum sich Raben streiten

Weißt du, warum sich Raben streiten?
Um Würmer und Körner und Kleinigkeiten,
um Schneckenhäuser und Blätter und Blumen
und Kuchenkrümel und Käsekrumen,
und darum, wer recht hat und unrecht, und dann
auch darum, wer schöner singen kann.
Mitunter streiten sich Raben wie toll
darum, wer was tun und lassen soll,
und darum, wer erster ist, letzter und zweiter
und dritter und vierter und so weiter.
Raben streiten um jeden Mist.
Und wenn der Streit mal zu Ende ist,
weißt du, was Raben dann sagen?
Komm, wir wollen uns wieder vertragen!

Frantz Wittkamp

Streit

Streit
macht mich lahm
Streit
voller Gram
Streit
dann die Leere in mir
Streit
bin gar hässlich zu dir
Streit
lass mich nicht mehr provozieren
Streit
schließe endlich alle Türen
Streit
und lauf mit dem Hund
NA UND
morgen ist die Welt wieder bunt!

Heidemarie Rottermanner

Keine Zeit

Niemand
Nimmt sich Zeit
Für Liebe
Nur für Streit
Bleibt die Zeit
Die nicht ist
Statt zu sein
Wer Du bist

Fiolino

b Welche Aussagen enthalten die Gedichte? Notieren Sie zu jedem Gedicht einen Satz. Lesen Sie vor, die anderen ordnen Ihre Aussagen den Gedichten zu.

Die Menschen verschwenden ihre Zeit mit negativen Momenten.

c Schreiben Sie selbst ein kurzes Gedicht auf Deutsch zum Thema „Streit".

2a Lesen Sie den folgenden Text. Leider ist der rechte Rand unleserlich. Rekonstruieren Sie den Text, indem Sie jeweils das fehlende Wort an den Rand schreiben.

GI

Frauen streiten anders, Männer auch …		
„Wir verstehen uns einfach nicht.", ist ein Satz, den man oft hören kann,	*wenn*	01
ein Paar sich streitet. Und sie haben recht damit. Studien zeigen, dass	*bei*	02
Männern in den meisten Fällen die Sache, das Ziel und das Ergebnis	im	03
Vordergrund stehen. Männer achten nicht so sehr auf die Emotionen,	denn	04
sie glauben meist, dass sie den Konflikt ganz sachlich lösen können. Das sehen	Sie	05
aber oft falsch. In Konflikten geht es zwar oft um eine konkrete Sache,	aber	06
dahinter steckt häufig ein Beziehungsthema. Die Parteien erreichen aus	diesem	07
Grund oft kein gemeinsames Gespräch. Er sagt: „Jetzt bleib mal bei der Sache!",		
sie entgegnet: „Du verstehst mich doch gar nicht!"		
Frauen geht es eher um die Beziehungen zu ihren Gesprächspartnern.	Ihre	08
Gespräche zeigen, dass sie auf der Basis von Emotionen geführt	wurden.	09
Ihnen ist es sehr wichtig, über das Problem zu reden, um Unterstützung	zu	10
finden, sich mit dem anderen zu verstehen und Mitgefühl zu wecken.		
Sie denken nicht sofort daran, wie man gemeinsam das Problem lösen	kann.	11
Das ist der Grund, warum Frauen von Männern vor allem erwarten,	dass	12
sie ihnen einfach nur zuhören.		

b Vergleichen Sie mit einem Partner / einer Partnerin.

TIPP

Testaufgaben selber machen

Suchen oder schreiben Sie Texte mit ca. 200 Wörtern und erstellen Sie einen Text mit Lücken wie in Übung 2a. Für jede Lücke sollte nur eine richtige Lösung möglich sein.

Tauschen Sie die Testaufgaben im Kurs und besprechen Sie gemeinsam die Lösungen.

Mit diesem Verfahren können Sie im Kurs gemeinsam viel Trainingsmaterial erstellen.

c Stimmen Sie den Aussagen im Text zu? Nennen Sie Beispiele für und gegen die Aussagen und diskutieren Sie im Kurs.

3a Welche Wörter passen zu einem konstruktiven, welche zu einem destruktiven Streitgespräch? Ordnen Sie zu.

| zuhören beleidigen akzeptieren tolerieren abblocken einsehen nachgeben schreien diskutieren brüllen toben verstehen vorschlagen ignorieren |

konstruktiv	destruktiv
akzeptieren zuhören diskutieren einsehen verstehen Nachgeben tolerieren	schreien toben ignorieren abblocken beleidigen vorschlagen brüllen

b Wählen Sie <u>zwei Verben</u> aus jeder Kategorie und schreiben Sie Beispielsätze.

Aussprache: mit Nachdruck sprechen

 1a Hören Sie den Dialog. Welche Stellen werden besonders betont? Markieren Sie.

○ Hallo, mein Schatz. Wie war dein Tag?
● Hallo. Ja … war ganz gut. Und bei euch?
○ Du musst gleich noch mit unserem Vermieter sprechen.
● Was gibt es denn zu essen?
○ Hörst du mir zu? Du musst mit ihm sprechen.
● Was ist denn los?
○ Der benimmt sich unmöglich.
● Wie?
○ Unmöglich! Der meckert nur rum!
● Ist ja gut …
○ Es gibt jetzt richtig Ärger wegen unserer Grillparty.
● Aha …
○ Ja, wegen der Party! Sprich mit ihm.
● Ja, gleich …

b Hören Sie noch einmal und sprechen Sie mit.

 c Etwas mit Nachdruck sagen. Hören Sie die Aussagen A–D. Welche Mittel nutzen die Sprecher, um Information zu betonen? Ordnen Sie zu. Manchmal werden mehrere Mittel genutzt.

1. Sie sprechen lauter.
2. Sie wiederholen den Inhalt.
3. Sie betonen das Satzende.
4. Sie gehen mit der Satzmelodie nach unten.
5. Sie sprechen langsamer.

A Zu deinem Friseur? Da gehe ich nie wieder hin! Nie wieder! _2,_____

B Ist das Essen nicht in Ordnung? – Nein, das Essen ist kalt. _____

C Du siehst heute aber toll aus! Fantastisch! _____

D Für die Firma ist es entscheidend, den Auftrag zu bekommen. _____

2 Wählen Sie einen Dialoganfang, schreiben und spielen Sie kurze Gespräche wie in 1a.

○ Was machen wir denn am Wochenende?
● Ach, ich möchte mal wieder in einen Club und tanzen!
○ …

▷ Was machst du für ein Gesicht? Schmeckt es dir nicht?
▶ Hast du das mit Butter gemacht? Du weißt doch, …

Selbsteinschätzung

So schätze ich mich nach Kapitel 2 ein: Ich kann …	+	○	−
… wichtige Informationen in einem Radiobeitrag zum Thema „Körpersprache" verstehen. ▶M1, A2b, c	☐	☐	☐
… wesentliche Informationen aus einem Interview mit einem Sprachgenie herausarbeiten. ▶AB M2, Ü1	☐	☐	☐
… Smalltalk-Gespräche und eine Expertenmeinung zu den Gesprächen verstehen. ▶M3, A2	☐	☐	☐
… in Radiointerviews zum Thema „Kritik" die Einstellungen einzelner Personen verstehen. ▶M4, A2a, b	☐	☐	☐
… in Dialogen verstehen, ob es sich um ein Gespräch, in dem Kritik geübt wird, handelt oder um einen Streit. ▶M4, A4a	☐	☐	☐
… die Argumente in einem Artikel zum frühen Fremdsprachenlernen verstehen und herausarbeiten. ▶M2, A2a, b	☐	☐	☐
… Gedichte zum Thema „Streit" verstehen, bewerten und die wichtigsten Aussagen nennen. ▶AB M4, Ü1a, b	☐	☐	☐
… in einem Artikel zum Thema „Richtig streiten" detaillierte Inhalte verstehen. ▶M4, A3	☐	☐	☐
… in alltäglichen Situationen Smalltalk-Gespräche führen. ▶M3, A5	☐	☐	☐
… eigene Gedanken und Gefühle in einem Rollenspiel beschreiben. ▶M4, A6	☐	☐	☐
… auf Beiträge in einem Blog reagieren und dabei über eigene Erfahrungen berichten. ▶M2, A3b	☐	☐	☐
… zu einem Kommentar oder einem Dialog Notizen machen. ▶M3, A2b	☐	☐	☐
… eine zusammenhängende Geschichte schreiben. ▶M4, A5b	☐	☐	☐

Das habe ich zusätzlich zum Buch auf Deutsch gemacht (Projekte, Internet, Filme, Lesetexte, …):

Datum: Aktivität:

_____   _____

_____   _____

_____   _____

_____   _____

▶ **Grammatik und Wortschatz weiterüben: interaktive Übungen unter www.aspekte.biz/online-uebungen2**

Wortschatz

Modul 1 Gesten sagen mehr als tausend Worte …

angeboren sein		instinktiv	instinctive
der Artgenosse, -n		das Körpersignal, -e	body language / body signal
sich ausdrücken		die Körpersprache	
das Ausdrucksmittel, -	means of expression	die Mimik	mimic
die Botschaft, -en	message	die Nachahmung	imitation
der Code, -s	computer code	täuschen	to cheat
deuten	to interpret sth.	der Tonfall	inflection accent
die Gebärdensprache	sign language	verraten (verrät, verriet, hat verraten)	to reveal / betray
genetisch	genetic		
die Geste, -n	gesture	zwischenmenschlich	interpersonal
der Gesichtsausdruck, -"e	facial expression		

Modul 2 Sprachen kinderleicht?!

aufwachsen (wächst auf, wuchs auf, ist aufgewachsen)	to grow up	die Mehrsprachigkeit	multilingualism
		monolingual	monolingual
		die Phase, -n	
beherrschen	to master / control	die Sprachentwicklung	language development
die Behörde, -n	administration	die Sprachenpolitik	language policy
bilingual	bilingual	die Startchance, -n	
erwerben (erwirbt, erwarb, hat erworben)	to acquire	überfordern	to ask too much
		unterfordern	to ask too little
kommunizieren mit	to communicate w/	das Vorbild, -er	prototype
die Kompetenz, -en	to be competent		

Modul 3 Smalltalk

der Anspruch, -"e	speech	locker	
die Basis	foundation	naheliegend	obvious
belanglos	inconsequential	das Netzwerk, -e	network
genießen (genießt, genoss, hat genossen)	to enjoy / savor sth.	nichtssagend	meaningless / vacant
		oberflächlich	superficial
das Geschäftsleben	business life	die Plauderei, -en	cozy chat
der Gesprächsstoff	topics of conversation	der Smalltalk, -s	small talk
die Leidenschaft, -en	passion	verkrampft	tense / cramped

Modul 4   Wenn zwei sich streiten, …

anregend	*stimulating / inspiring*	die Konfliktlösung, -en	*conflict solution*
ausnutzen	*to exploit*	konstruktiv	*constructive*
berücksichtigen	*to respect*	der Verlauf, -"e	*process*
destruktiv	*destructive*	der Respekt	*respect*
die Erziehungsfrage, -n		der Spielraum, -"e	*tolerance*
die Gestaltung		die Unstimmigkeit, -en	*disagreement*
harmonisch	*harmony*	verletzen	*to offend*
der Kompromiss, -e	*compromise*	der Vorwurf, -"e	*accusation*

Wichtige Wortverbindungen

die Augen verdrehen _____

etw. (nicht) auf die lange Bank schieben _____
   (schiebt, schob, hat geschoben)

auf den ersten Blick _____

mein Gegenüber _____

Kritik austeilen _____

Kritik einstecken _____

Kritik üben an _____

sich lustig machen über _____

auf Nummer sicher gehen (geht, ging, ist gegangen) _____

Rücksicht nehmen auf (nimmt, nahm, _____
   hat genommen)

jmd. in die Schranken weisen (weist, wies, _____
   hat gewiesen)

um Verzeihung bitten für (bittet, bat, hat gebeten) _____

Wörter, die für mich wichtig sind:

_____ _____ _____ _____

_____ _____ _____ _____

_____ _____ _____ _____

_____ _____ _____ _____

Arbeit ist das halbe Leben?

Vor dem Start: Diese Übungen bereiten Sie auf das Kapitel vor.

1a Welche Tätigkeiten passen zu welchem Beruf? Ordnen Sie zu. Manchmal gibt es mehrere Möglichkeiten.

1. Patienten beraten *B*   2. Anrufe entgegennehmen *A*   3. Protokolle schreiben *B*

4. ein Kleid entwerfen *C*   5. Medikamente verschreiben *B*   6. eine Kollektion planen *C*

7. Termine vereinbaren *A*   8. Diagnosen stellen *B*   9. sich mit Trends beschäftigen *C*

10. Messen besuchen *C*   11. E-Mails beantworten *A*   12. eine Überweisung ausstellen *B*

13. eine Skizze anfertigen *C*   14. Verträge aufsetzen *A*   15. Verletzungen untersuchen *B*

16. Stoffe aussuchen *C*

A

B

C

b Wählen Sie einen Beruf, den Sie interessant finden, und notieren Sie möglichst viele Tätigkeiten dazu. Vergleichen Sie dann mit einem Partner / einer Partnerin.

2 Ergänzen Sie die passenden Wörter.

~~Herausforderung~~ ~~Nebenjob~~ ~~Teilzeitstelle~~ Abteilung ~~Karriere~~ ~~Lebenslauf~~ ~~Vorstellungsgespräch~~

1. Mein Studium habe ich teilweise durch einen *die* Teilzeitstelle _____ finanziert.

2. Bis zur Geburt meines Sohnes habe ich Vollzeit gearbeitet. Jetzt geht Benni in den Kindergarten und ich suche eine *den* Nebenjob _____.

3. Ich habe schon ziemlich viele Bewerbungen verschickt. Deshalb freue ich mich, dass ich endlich zu einem *das* Vorstellungsgespräch eingeladen wurde.

4. Zu einer Bewerbung gehört neben dem Bewerbungsschreiben und den Zeugniskopien natürlich auch ein *[der]* Lebenslauf _____.

5. Ich suche immer nach einer neuen *[die]* Herausforderung. Zu viel Routine, das ist mir zu langweilig. *[further development]*

6. Ich hoffe, ich finde eine Firma, wo ich mich trotz Teilzeit weiterentwickeln kann. In vielen Firmen kann man nur Karriere _____ machen, wenn man Vollzeit arbeitet.

7. Mein Mann arbeitet seit drei Jahren im Marketing. Aber er arbeitet schon seit fast sieben Jahren in der gleichen Firma, vorher war er in einer anderen Abteilung _____.

3 Je zwei Wörter haben eine ähnliche Bedeutung. Finden Sie die Paare.

a die Experten *k*   b die Herstellung *h*   c das Gehalt *f*   d der Vorgesetzte *i*
e das Unternehmen *j*   f das Einkommen *c*   g die Ausbildung *l*   h die Produktion *b*
i der Chef *d*   j die Firma *e*   k die Fachleute *a*   l die Lehre *g*

4a Im Suchrätsel sind acht Nomen zum Thema „Beruf" versteckt. Markieren Sie sie.

B	E	R	U	F	S	E	R	F	A	H	R	U	N	G	I	M	V	S
K	T	U	Z	L	E	B	E	N	S	U	N	T	E	R	H	A	L	T
A	U	V	S	A	B	G	R	U	T	I	N	A	D	I	N	O	B	E
R	F	G	E	H	A	L	T	S	E	R	H	Ö	H	U	N	G	K	L
R	N	T	Q	L	M	A	W	B	U	E	A	N	E	G	O	B	L	L
I	L	N	V	W	O	L	K	D	E	A	K	B	R	Q	I	E	V	E
E	T	C	E	B	T	Q	V	E	R	T	R	A	G	M	K	R	P	J
R	O	V	U	N	K	B	E	K	N	L	C	H	I	N	H	U	Ö	R
E	U	H	M	K	O	L	L	F	N	E	T	H	O	F	B	F	Ä	B

b Welches Nomen aus 4a gehört zu welchem Verb? Ergänzen Sie.

Berufserfahrung

1. einen _Stelle_ Herausforderung ausüben
2. sich um eine _Stelle_ bewerben
3. einen _Vertrag_ unterschreiben
4. Berufserfahrung _Steuern_ sammeln
5. _Karriere_ machen
6. den _Lebensunterhalt_ verdienen
7. um eine _Gehaltserhöhung_ bitten
8. _Beruf Steuern_ bezahlen

c Wählen Sie vier Ausdrücke aus 4b und bilden Sie Beispielsätze.

Ich arbeite viel, um den Lebensunterhalt für meine Familie zu verdienen.

5 Kombinieren Sie und notieren Sie die Nomen mit Artikel. Kontrollieren Sie anschließend mit dem Wörterbuch.

-GEBER -KLIMA -VERKEHR -LOSIGKEIT -PLATZ -TÄTIGKEIT -ERFAHRUNG

-ERLAUBNIS -GEHEIMNIS **ARBEIT(S)- BERUF(S)-** -KOLLEGE -SCHULE

-NEHMER -WOCHE -ZEIT -WAHL -VERTRAG -AUSBILDUNG -TEMPO

eA zeit   s A   losigkeit   B
der Arbeitgeber   R A   nehmer
s Arbeitsklima   e A   woche
R A platz   R A   kollege
R A geber   e A   erlaubnis

Mein Weg zum Job

1 Welches Wort passt? Kreuzen Sie an.

1. Nach dem Studium ist es wichtig, dass man
   Berufserfahrung ☐ macht ☒ sammelt.

2. Es ist immer ein finanzielles Risiko, sich
   ☒ selbstständig ☐ selbstbewusst zu machen.

3. Viele Leute möchten lieber bei einer Firma
   ☒ voll ☐ fest angestellt sein.

4. Die meisten Auszubildenden sind froh, wenn sie
   nach der Ausbildung vom Betrieb ☐ übernommen ☒ übergeben werden.

5. In Online-Netzwerken kann man auch berufliche Kontakte ☒ knüpfen ☐ bilden.

6. Wenn Firmen verkauft werden, werden oft viele Leute ☒ entlassen ☐ verlassen.

7. Es ist frustrierend, wenn man viele Bewerbungen schreibt und nur ☐ Zusagen ☒ Absagen bekommt.

2a Zweiteilige Konnektoren – Verbindung von Sätzen. Sehen Sie die Beispiele an und schreiben Sie zu jedem Konnektor je einen Satz in beiden Varianten der Wortstellung.

1. entweder – oder

Entweder	sucht	er im Internet eine neue Stelle		**oder**	er	geht	zur Agentur für Arbeit
Er	sucht	**entweder** im Internet eine neue Stelle		**oder**	er	geht	zur Agentur für Arbeit.
I	II	III		0	I	II	

Max – nach dem Abitur Medizin studieren – eine Ausbildung machen

Entweder studiert Max …

2. einerseits – andererseits

Einerseits	möchte	er mehr Geld verdienen,		**andererseits**	mag	er seinen Job.
Er	möchte	**einerseits** mehr Geld verdienen,		**andererseits**	mag	er seinen Job.
I	II	III		I		II

Helena – mit Menschen arbeiten möchten – auch an Technik interessiert sein

b Die folgenden Konnektoren stehen meistens nicht am Satzanfang, sondern in der Satzmitte. Formulieren Sie für jeden Konnektor einen Satz.

1. weder – noch

Er	war	**weder** in der Firma	**noch**	antwortete	er am Handy.
I	II	III		I	II

Daniel – Überstunden machen – am Wochenende arbeiten

2. zwar – aber

Er	nimmt	**zwar** an den Meetings teil,	**aber**	er	sagt	nie etwas.
I	II	III		0	I	II

Tim – Karriere machen wollen – auch Zeit für seine Familie haben wollen

3. nicht nur – sondern auch

Er	wechselte	**nicht nur** zu einer neuen Firma,	**sondern**	(er)	zog	**auch** in eine andere Stadt.
I	II	III	0	I	II	

Linda – studieren an der Uni – arbeiten jeden Tag

4. sowohl – als auch

Er	hat	**sowohl** Medizin studiert	**als auch**	einen Abschluss in Jura gemacht.
I	II	III		

Mika – Bewerbungen im Inland verschickt haben – im Ausland gesucht haben

c Sehen Sie sich die Wortstellung bei *je..., desto* an und bilden Sie den Satz.

Je	länger	er arbeitslos ist,	**desto**	frustrierter	wird	er.
I	II	III	0	I	II	III

Tina – viele Bewerbungen schreiben – schnell eine Stelle finden

3 Ergänzen Sie die fehlenden Konnektoren.

sowohl … als auch	weder … noch	je … desto	nicht nur … sondern auch
entweder … oder	zwar … aber	einerseits … andererseits	

1. __Je_____ besser man qualifiziert ist, __desto_____ leichter findet man eine Stelle.

2. Melina hat _____ eine Ausbildung als Reisekauffrau gemacht,

_____ jetzt arbeitet sie als Texterin in einer Werbeagentur.

3. _____ würde Udo gern freiberuflich arbeiten, _____ hat er

Angst vor der damit verbundenen Unsicherheit.

4. Florian ist seit sechs Monaten arbeitslos. Bisher hat er _____ über eine Zeitarbeits-

agentur eine Stelle gefunden _____ war er über das Internet erfolgreich.

5. Die Praxis hat _____ eine Auszubildende gesucht _____

eine Stelle für eine Ärztin ausgeschrieben.

6. In einem Bewerbungsgespräch sollte man _____ über sich selbst sprechen,

_____ Interesse am Unternehmen zeigen.

7. _____ bekomme ich endlich eine Gehaltserhöhung _____ ich

suche mir eine neue Stelle.

4 Ergänzen Sie die Sätze.

1. Martha findet ihre Arbeit zwar langweilig, aber …
2. Je mehr Bewerber es auf eine Stelle gibt, desto …
3. Bei einem Praktikum im Ausland sammelt man nicht nur Berufserfahrung, sondern …
4. Tom ist gerade arbeitslos. Deshalb kann er jetzt weder …
5. Der Bewerber für diese Stelle sollte sowohl gern im Team arbeiten als auch …
6. Einerseits macht das Unternehmen im Moment große Gewinne, andererseits …
7. Arbeitssuchende informieren sich entweder über die Agentur für Arbeit über Stellen oder …

1 Im Internet lesen Sie folgende Meldung. Schreiben Sie als Reaktion auf diese Meldung an die Online-Redaktion.

GI/
TELC

○ ○ ○

Hilfe bei Stress

In einer Studie gaben 52 Prozent der Arbeitnehmer an, gestresst zu sein. Die Gründe dafür sind häufig Zeitdruck, Konkurrenz unter den Kollegen und die Angst, die Arbeit zu verlieren. Gleichzeitig werden wir auch im Büro mit E-Mails und Informationen überschüttet. Wer gestresst ist, sollte besonders darauf achten, dass seine Gesundheit nicht leidet. Während der Arbeit kann es helfen, immer wieder Entspannungsübungen zu machen. Da genügen oft schon fünf Minuten. Wichtig ist ebenfalls, dass man nach Feierabend abschalten kann. Das gelingt den meisten am besten, wenn sie Sport machen oder etwas Schönes unternehmen.

Sagen Sie,
- ob man Stress heutzutage einfach als normal akzeptieren muss.
- welche Erfahrungen Sie mit Stress in der Arbeit oder in der Schule/Uni gemacht haben.
- wie Sie die vorgeschlagenen Mittel gegen Stress finden.
- was man noch gegen Stress tun könnte.

Vergessen Sie nicht Anrede und Gruß. Die Adresse der Redaktion brauchen Sie nicht anzugeben.
Bei der Beurteilung wird u. a. darauf geachtet,
- ob Sie alle vier Inhaltspunkte berücksichtigt haben,
- wie korrekt Sie schreiben,
- wie gut Sätze und Abschnitte miteinander verknüpft sind.

Schreiben Sie mindestens 180 Wörter.

2 Welche Sätze gehören zusammen?

1. Bei uns in der Agentur ist es ganz normal, länger als bis 17 Uhr zu arbeiten.
2. Das Schlimmste für mich ist Routine und die immer gleichen Aufgaben.
3. Ich habe schon immer gern mit Kollegen zusammen an Projekten gearbeitet.
4. Bei meiner neuen Stelle bin ich der Vorgesetzte von zehn Mitarbeitern.
5. Oft bleibt nicht genügend Zeit, um alle Aufgaben gut überlegt bewältigen zu können.
6. In meinem alten Unternehmen gab es keine Aufstiegschancen für mich.
7. Unser Chef erwartet unglaublich viel Einsatz und ständig neue Ideen.
8. Seit zwei Monaten arbeite ich nur noch Teilzeit.

a Manchmal ist es schwer, unter diesem ständigen Leistungsdruck zu arbeiten.
b Ich bin froh, dass ich jetzt mehr Freizeit habe.
c Deshalb bin ich froh, dass in meiner jetzigen Firma Teamarbeit großgeschrieben wird.
d Überstunden werden als selbstverständlich angesehen.
e Dieser Zeitdruck macht die Arbeit dann hektisch.
f So viel Verantwortung zu tragen, finde ich ziemlich stressig.
g Ich brauche einfach die Abwechslung.
h Deshalb habe ich mich bei einer anderen Firma beworben. Hier kann ich Karriere machen.

14
P
GI

1 Hören Sie die folgende Nachricht und korrigieren Sie während des Hörens falsche Informationen oder ergänzen Sie fehlende Informationen. Sie hören den Text einmal.

Donnerstag, 14.06.

Uhrzeit	Ort	TOP/Aktivität	Ansprechpartner
10:30–11:30	Tagungsraum „Gartenblick"	Begrüßung und Vorstellung	Herr Peter Berghammer Mobil: 0176-84 33 17 09 1 *0179*
11:30–12:30		Präsentation: Ergebnisse des letzten Geschäftsjahres	
12:30–14:00	Restaurant „Zur Post", Turmgasse 7 2 *gegenüber der Firma*	Mittagspause	
14:00–19:00 3 *18:00*	Tagungsraum „Gartenblick"	• Einschreibung in Gruppen • Fortsetzung vom Vormittag	
19:30	Treffpunkt: Haupteingang des Firmengebäudes *auf dem* 4 *Firmenparkplatz*	Abfahrt Abendessen	Frau Monika Schneevoigt Mobil: 0179-65 28 44 38
20:30	Restaurant „Rossini"	gemeinsames Abendessen	Restaurant „Rossini" Rathausplatz 11 Tel. 08821-87 74 88 0

Freitag, 15.06.

Uhrzeit	Ort	TOP/Aktivität	Ansprechpartner
09:00	Parkplatz vor dem Hotel	**Gruppe A** Abfahrt zum Hochseilpark Wir lernen unsere Grenzen kennen und finden in der Gruppe Lösungen, um Hindernisse zu überwinden.	Herr Thomas Kaeser Mobil: 0179-34 77 92 51
09:00	Parkplatz hinter dem Hotel	**Gruppe B** Abfahrt zum Filmstudio Wir drehen gemeinsam einen Film und bringen unsere jeweiligen Kompetenzen und Kreativität ein.	*Hilda Koeker* 5 ~~Frau Kaiser~~ Mobil: 0171-88 02 387
19:00	Hotel „Grüner Hof"	gemeinsames Abendessen	

2 um … zu, ohne … zu, anstatt … zu: Ergänzen Sie den passenden Konnektor.

1. Die Besprechung findet nächsten Dienstag in Zürich statt. Bitte schicken Sie eine E-Mail an das Reisebüro, ___um___ den Flug ___zu___ bestätigen.

2. Könnten Sie bitte zuerst den Tagungsraum vorbereiten, _anstatt_ Mails _zu_ beantworten? [der Chef hat gesagt dass]

verschieben

3. Der Chef hat den Termin einfach verschoben, ___ohne___ uns ___zu___ fragen.

4. ___Um___ Kosten ___zu___ sparen, möchte ich Sie bitten, nicht jede E-Mail auszudrucken.

5. ___Anstatt___ den ganzen Tag über die viele Arbeit ___zu___ jammern, sollte er lieber seine Aufgaben erledigen.

6. Sie hat sich sofort angemeldet, ___ohne___ lange ___zu___ zögern. → to hesitate

3 Formulieren Sie die Sätze um: Verwenden Sie die vorgegebenen Konnektoren.

1. Er ist nach Hause gegangen, aber er hat den Computer nicht ausgeschaltet. (ohne … zu)
2. Wir haben ein Team-Seminar gemacht, damit wir besser zusammenarbeiten. (um … zu)
3. Unser Chef sollte bessere Computer anschaffen und das Geld nicht für so ein Seminar ausgeben. (anstatt … zu)
4. Ich rufe an, weil ich mich für das Seminar anmelden möchte. (um … zu)
5. Ich habe lange mit meinem Kollegen gesprochen, trotzdem konnte ich ihn nicht überzeugen. (ohne … dass)
6. Wir sollten nicht alle das Gleiche machen, sondern erst mal die Aufgaben verteilen. (anstatt … dass)

1. Er ist nach Hause gegangen, ohne …

4 Ergänzen Sie die Sätze frei oder mithilfe der Ausdrücke im Kasten.

1. Viele Firmen bieten Fortbildungen an, um … zu …
   in die Mitarbeiter zu investieren.

2. Andere Firmen sparen sehr an den Fortbildungskosten, anstatt … zu …
   Mitarbeiter zu motivieren

3. Computerschulungen werden oft durchgeführt, damit …
   Computerprogramme effektiver genutzt werden

4. Bei Stress in der Arbeit ist es wichtig weiterzuarbeiten, ohne … zu …
   Konflikte zu entstehen.

5. Bei Konflikten im Job ist es oft besser, ein offenes Gespräch zu führen, anstatt dass … man
   Probleme für sich behält.

6. Wenn mehrere Leute in einer Gruppe eine Aufgabe übernehmen, ist es manchmal schwer zusammenzuarbeiten, ohne dass
   dass Konflikte entstehen.

hektisch werden ✓
in die Mitarbeiter investieren ✓
Konflikte entstehen ✓
Computerprogramme effektiver genutzt werden ✓
Mitarbeiter motivieren ✓
Probleme für sich behalten ✓

1 Was passt zusammen? Ordnen Sie zu.

1. _d_ Da ich mich beruflich   a als Bürokaufmann weiß ich, dass …
2. _c_ In meiner jetzigen   b über eine Einladung zu einem Vorstellungsgespräch.
3. _a_ Durch meine Tätigkeit   c Tätigkeit als Bürokaufmann bin ich …
4. _e_ Von einem beruflichen Wechsel   d verändern möchte, …
5. _b_ Ich freue mich   e zu Ihrer Firma erhoffe ich mir, …

2 Ergänzen Sie das Bewerbungsschreiben.

> beigefügten Unterlagen 11   benötige 8   beschäftigt   bewerbe mich   Bewerbung als   Vorstellungsgespräch
> auf Ihr Stellenangebot 3   mich beruflich zu verändern   praktische Erfahrungen sammeln 6
> Sehr geehrte   genannten Voraussetzungen 7   bereiten mir viel Freude   zu erteilen

TIPP | **Eine Bewerbung schreiben**
Lassen Sie Ihre Bewerbungsunterlagen immer von jemandem Korrektur lesen. Ein Fehler im Anschreiben ist oft schon einer zu viel und man wird erst gar nicht zu einem Gespräch eingeladen.

(1) _Bewerbung als_ **Teamassistent**
(2) _Sehr geehrte_ Damen und Herren,
auf Ihrer Homepage bin ich (3) _auf Ihre Stellenangebot_ aufmerksam
geworden, mit dem Sie zum 1. Dezember einen Teamassistenten suchen. Da ich bereits Erfahrung in
verschiedenen Bereichen gesammelt habe, bin ich überzeugt, die (4) _genannten_
Voraussetzungen zu erfüllen und (5) _bewerbe mich_
hiermit um diese Stelle. Seit drei Jahren bin ich bei der Firma Adelsperger als Teamassistent
(6) _beschäftigt_ .
Mein Wunsch, (7) _mich beruflich zu verändern_ , hängt
auch damit zusammen, dass ich seit dem Umzug der Firma jeden Tag fast drei Stunden für die Fahrt
zwischen Wohnung und Arbeitsplatz (8) _benötige_ .
Mein Vorgesetzter, Herr Maurer, ist über meinen angestrebten Arbeitsplatzwechsel informiert
und gerne bereit, Auskünfte über mich (9) _zu erteilen_ .
Das Organisieren des Büroalltags und die Teamarbeit mit den Kollegen
(10) _bereiten mir viel Freude_ und ich bin hoch
motiviert, meine Kompetenzen in Ihre Firma einzubringen. Dabei finde ich besonders interessant,
dass auch die Veranstaltungsorganisation Aufgabe der Teamassistenz ist. Wie Sie aus den
(11) _beigefügten Unterlagen_ ersehen können, habe ich darin bereits
(12) _praktische Erfahrungen sammeln_ können.
Über eine Einladung zu einem (13) _Vorstellungsgespräch_ freue ich
mich sehr.
Mit freundlichen Grüßen
Lorenz Wagner

Werben Sie für sich!

3 Der Arbeits- und Ausbildungsmarkt in Deutschland ist breit gefächert und das Aus- und Fortbildungsangebot ebenso wie das Stellenangebot ist recht vielfältig. In Job- und Bildungsportalen findet man zahlreiche Anzeigen. Welche der acht Anzeigen (A–H) ist für wen interessant? Es gibt jeweils nur eine richtige Lösung. Es ist möglich, dass es nicht für jede Person eine passende Anzeige gibt. Notieren Sie in diesem Fall „negativ".

1. Michael K. der gelernter Architekt ist, aber lieber alte Möbel restauriert? ___D.___
2. Kerstin H., die als Eventmanagerin für große Veranstaltungen gearbeitet hat, und nach einer Arbeitspause jetzt wieder arbeiten möchte? _____
3. Ingo W. Maschinenbaustudent, der Praxiserfahrung sammeln möchte? ___E.___
4. Knut N., der mit seiner Arbeit nicht mehr zufrieden ist, aber noch nicht weiß, was er am liebsten machen will? ___F.___
5. Claudia L., die künstlerisch begabt ist und gerne mit Kindern arbeiten möchte? ___C.___

A ⌐ **Da Vinci gesucht** ⌐

Sie sind künstlerisch begabt und lieben es, kreativ zu sein?

Dann melden Sie sich. Wir, der Creativ-Clan, fertigen Auftragsbilder für städtische und private Einrichtungen – vom Kindergarten bis zum Besprechungsraum. Unser Firmenkonzept sieht vor, dass wir unsere Kunden zunächst vor Ort besuchen und dann verschiedene Konzepte ausarbeiten. Unsere Arbeiten können die verschiedensten Formate haben und bestehen aus unterschiedlichsten Materialien – Sie können Ihre Fantasie bei der Kundenberatung und der Realisierung der Ideen also voll entfalten.

B **Architektonische Kniffelarbeiten**

„Wohnraum GmbH" hat sich zum Ziel gesetzt, das Unmögliche möglich zu machen. Wir suchen und finden Lösungen, um Wohnraum zu vergrößern. Wir meinen, auch eine Drei-Zimmer-Wohnung im zweiten Stock kann wachsen: Anbauten auf Stelzen, Umbauten von Balkonen oder, oder, oder. Wenn Sie über ein abgeschlossenes Studium und mindestens drei Jahre Berufserfahrung verfügen und keine Angst haben, unkonventionelle Vorschläge zu erarbeiten, dann sind Sie bei uns richtig.

C **Gruselige Piratengesichter**

Suche für zwei bis drei Tage die Woche Unterstützung. Mit meinem Unternehmen richte ich Kinderfeste aus und betreue Freizeitprogramme für einzelne Kinder oder ganze Gruppen. Wenn Sie Lust haben, mit den Kleinen Abenteuer im Wald oder im Tierpark zu erleben, geschickt im Schminken von gruseligen Masken oder zauberhaften Feengesichtern sind und sich etwas dazuverdienen möchten, rufen Sie an.

D **Weg mit dem alten Plunder?**

Bricht es Ihnen auch das Herz, wenn Sie sehen, wie gute alte Einrichtungsgegenstände einfach so auf dem Sperrmüll landen, nur weil sie nicht mehr topaktuell sind? **Unterstützen Sie uns bei der Renovierung und Restaurierung antiker und anderer Möbel – z. B. aus den 70er-Jahren.** Wir sind ein kleines Team von engagierten Handwerkern und suchen fachlich kompetente Unterstützung.

E **Mach mit!**

Machen Sie ein Praktikum während der Semesterferien oder gerne auch für ein Semester. Sie arbeiten aktiv an Projekten mit, z. B. bei der Entwicklung und Konstruktion von Bauteilen, sind bei der Inbetriebnahme der Anlagen dabei und unterstützen bei der Planung von Maschinen. *Ein Eintritt Ihrerseits ist ab sofort für mindestens 3 Monate, idealerweise für 6 Monate möglich.*

F Bereit für ⟶ Größeres?

Sie haben es satt, jeden Tag das Gleiche zu machen und sich in Ihrem Beruf zu langweilen? Wagen Sie einen Neuanfang! Kommen Sie zu „Neustart" und finden Sie mit unserer Hilfe Ihre wahren Talente und Interessen. Wagen Sie mit unserer Unterstützung den beruflichen Neuanfang — und einem Leben mit einem Beruf, der Ihnen Spaß macht und zu Ihnen passt, steht nichts mehr im Wege!

G ☑ Praxis angesagt!

Studenten aller Fachrichtungen sind aufgerufen, Beitragsvorschläge für den Praxistag im September zu liefern. Wir bitten alle, die Erfahrungen in Betrieben gesammelt haben, uns zu schildern, was sie studieren, in welchen Betrieb sie „reingeschnuppert" haben, wie sie einen Praktikumsplatz gefunden haben und welche Tipps sie geben können. Alle schriftlichen Beiträge werden in einer kleinen Broschüre gesammelt und am Veranstaltungstag verteilt.

H ⊗ Fit für die Messe?

Messen bieten Unternehmen interessante Möglichkeiten, neue Kunden zu gewinnen. Viele Unternehmen scheuen keine Ausgaben für beeindruckende Messestände, Werbemittel und Veranstaltungen. Bei all dem Aufwand wird jedoch eines oft vergessen: die richtige Qualifizierung der Messemitarbeiter. Die ersten Sekunden am Stand entscheiden, ob sich ein Kunde für die Produkte der Firma interessiert. „Die Messeprofis" bieten qualifizierte Schulungsprogramme, um Ihre Mitarbeiter fit für die Messe zu machen – damit Ihre Messe ein Erfolg wird.

4 Lesen Sie die Auszüge aus einem Arbeitsvertrag und kreuzen Sie an, ob die Aussagen auf der nächsten Seite richtig oder falsch sind.

§ 2 Probezeit
Das Arbeitsverhältnis wird auf unbestimmte Zeit geschlossen. Die ersten sechs Monate gelten als Probezeit. Während der Probezeit kann das Arbeitsverhältnis beiderseits mit einer Frist von zwei Wochen gekündigt werden.

§ 4 Arbeitsvergütung
Der/Die Arbeitnehmer/in erhält eine mtl. Bruttovergütung von … Euro.
Ein Rechtsanspruch auf eine Gewinnbeteiligung in Form einer jährlichen Prämie besteht nicht. Wenn eine solche gewährt wird, so handelt es sich um eine freiwillige Leistung, auf die auch bei mehrfacher Gewährung kein Rechtsanspruch besteht. Voraussetzung für die Gewährung einer Prämie ist stets, dass das Arbeitsverhältnis am Auszahlungstag weder beendet noch gekündigt ist.

§ 6 Urlaub
Der Urlaubsanspruch beträgt 30 Arbeitstage im Kalenderjahr.
Der Urlaub ist grundsätzlich innerhalb eines Kalenderjahres zu nehmen und zu gewähren, in Ausnahmefällen spätestens bis zum 31. März des folgenden Jahres.
Bei der Wahl des Urlaubstermins sind die Belange des Betriebes vorrangig, soweit möglich sollen dabei aber die Wünsche des/der Arbeitnehmers/in berücksichtigt werden.

§ 7 Krankheit
Ist der/die Arbeitnehmer/in infolge unverschuldeter Krankheit arbeitsunfähig, so besteht Anspruch auf Fortzahlung der Arbeitsvergütung bis zur Dauer von sechs Wochen nach den gesetzlichen Bestimmungen. Die Arbeitsverhinderung ist dem Arbeitgeber unverzüglich mitzuteilen. Außerdem ist vor Ablauf des 3. Kalendertags nach Beginn der Erkrankung eine ärztliche Bescheinigung über die Arbeitsunfähigkeit und deren voraussichtliche Dauer vorzulegen.

> **§ 11 Kündigung**
> Nach Ablauf der Probezeit beträgt die Kündigungsfrist vier Wochen zum Ende eines Kalendermonats. Jede gesetzliche Verlängerung der Kündigungsfrist zugunsten des/der Arbeitnehmers/in gilt in gleicher Weise auch zugunsten des Arbeitgebers. Die Kündigung bedarf der Schriftform. Vor Antritt des Arbeitsverhältnisses ist die Kündigung ausgeschlossen.
> Das Arbeitsverhältnis endet, ohne dass es einer Kündigung bedarf, mit Ablauf des Kalendermonats, in dem der/die Arbeitnehmer/in eine Vollrente wegen Alters beziehen kann.

	richtig	falsch
1. Man kann das Arbeitsverhältnis in den ersten sechs Monaten innerhalb von zwei Wochen kündigen.	☒	☐
2. Man erhält jährlich eine garantierte Prämie.	☐	☒
3. Wenn man seinen jährlichen Urlaub nicht spätestens bis zum 31.3. des nächsten Jahres genommen hat, verfällt er.	☒	☐
4. Man kann den Zeitpunkt seines Urlaubs frei wählen.	☐	☒
5. Wenn man krank ist, muss man den Arbeitgeber innerhalb von drei Tagen informieren.	☐	☒
6. Eine Kündigung ist ungültig, wenn sie nur mündlich erfolgt.	☒	☐

Aussprache: Konsonantenhäufung

1a Lesen und sprechen Sie die Wörter leise. In welchem Wort finden Sie die meisten Konsonanten, die zusammenstehen?

anspruchsvoll – Finanzkrise – hauptsächlich – Vorgesetzte – Kündigungsfrist – glücklich
vernünftig – Rechtsanspruch – Geschäftsleitung – Eintrittstermin – übersichtlich – umfangreich

b Hören Sie und sprechen Sie nach.

15

anspruch – anspruchs – anspruchsvoll   Finanz – Finanzkri – Finanzkrise   haupt – …

c Hören Sie und sprechen Sie jetzt die Wörter einmal komplett.

16

d Was hilft Ihnen bei der Aussprache, wenn vier oder mehr Konsonanten zusammenstehen? Kreuzen Sie an.

☐ 1. Wenn ich weiß, wo bei Komposita ein Wort zu Ende ist und ein neues beginnt.
☐ 2. Wenn ich die einzelnen Silben kenne.

☐ 3. Wenn die Konsonanten *t*, *s* und *f* zusammenstehen.
☐ 4. Wenn ich das Wort schnell spreche.
☐ 5. Wenn ich die Betonung kenne.

2a Hören und sprechen Sie einen Zungenbrecher. Sprechen Sie am Anfang langsam, mit Betonung und Wortpausen. Wer kann den Zungenbrecher im normalen Tempo am häufigsten ohne Fehler wiederholen?

17

Zwanzig Zwerge zeigen Handstand,
zehn im Wandschrank, zehn am Sandstrand.

b Suchen Sie jetzt aus Kapitel 1 bis 3 zehn Wörter mit vielen Konsonanten. Üben Sie die Wörter zu zweit. Korrigieren Sie sich gegenseitig.

So schätze ich mich nach Kapitel 3 ein: Ich kann …	+	○	—
… eine Umfrage zum Thema „Stellensuche" verstehen. ▶M1, A1b, c	☐	☐	☐
… detaillierte Anweisungen aus einer längeren Nachricht auf dem Anrufbeantworter notieren. ▶AB M3, Ü1	☐	☐	☐
… eine Selbstdarstellung in einem Bewerbungsgespräch analysieren. ▶M4, A5	☐	☐	☐
… Informationen aus einem Artikel über Zufriedenheit im Beruf verstehen. ▶M2, A2	☐	☐	☐
… einen Lebenslauf kritisch lesen und diesem Kommentare einer Bewerbungstrainerin zuordnen. ▶M4, A1	☐	☐	☐
… eine Stellenanzeige und ein Bewerbungsschreiben verstehen und erkennen, worauf die Bewerberin in ihrem Schreiben eingegangen ist. ▶M4, A2, 3	☐	☐	☐
… passende Anzeigen für verschiedene Personen finden. ▶AB M4, Ü3	☐	☐	☐
… wichtige Passagen eines Arbeitsvertrags verstehen. ▶AB M4, Ü4	☐	☐	☐
… über Möglichkeiten sprechen, eine neue Arbeitsstelle zu finden. ▶M1, A1a	☐	☐	☐
… über motivierende und demotivierende Faktoren bei der Arbeit sprechen. ▶M2, A1a	☐	☐	☐
… über Erwartungen an den Beruf diskutieren. ▶M2, A3	☐	☐	☐
… mich in einem Vorstellungsgespräch selbst darstellen. ▶M4, A6	☐	☐	☐
… in einer privaten E-Mail meine Meinung zu einem Teambildungsevent äußern und Vorschläge für Aktivitäten zur Teambildung machen. ▶M3, A5	☐	☑	☐
… einen Lebenslauf schreiben. ▶M4, A1c	☐	☐	☐
… ein Bewerbungsschreiben verfassen. ▶M4, A4	☐	☐	☐
… meine Meinung zu einer Meldung aus dem Internet äußern. ▶AB M2, Ü1	☐	☐	☐

Das habe ich zusätzlich zum Buch auf Deutsch gemacht (Projekte, Internet, Filme, Lesetexte, …):

Datum: Aktivität:

_____   _____

_____   _____

_____   _____

_____   _____

_____   _____

Grammatik und Wortschatz weiterüben: interaktive Übungen unter www.aspekte.biz/online-uebungen2

Wortschatz

Modul 1 — Mein Weg zum Job

die Absage, -n — *letter of refusal*
abwechslungsreich — *diversified*
anstrengend — *stressful*
berechtigt — *eligible*
die Berufserfahrung — *work experience*
die Bewerbung, -en — *application*
sich durchkämpfen — *to struggle thru sth*
entlassen (entlässt, entließ, hat entlassen) — *to dismiss so.*
geeignet — *able/adequate*
genügend — *sufficient*
die Herausforderung, -en — *challenge*
klappen — *to work*

der Lebenslauf, -"e — *resume*
das Praktikum, Praktika — *internship*
die Stellenanzeige, -n — *employment ad*
übernehmen (übernimmt, übernahm, hat übernommen) — *to take over sth. / to absorb [sth.]*
die Tätigkeit, -en — *task/occupation*
der Verlag, -e — *publisher*
vermitteln — *to communicate/convey*
der Vertrag, -"e — *treaty*
vielfältig — *multifaceted*
zahlreich — *numerous*

Modul 2 — Glücklich im Job?

angemessen — *reasonable/fair*
das Ansehen — *prestige/reputation*
anspruchsvoll — *ambitious*
bewältigen — *to tackle/manage sth*
die Finanzkrise, -n — *financial crisis*
die Flexibilität — *flexibility*
hauptsächlich — *mainly/primarily*
die Last — *burden/weight*
die Leistung, -en — *achievement/effort*

lukrativ — *lucrativ*
mangeln an — *to fail*
der Misserfolg, -e — *disappointment*
die Studie, -n — *study*
der Verlust, -e — *loss/waste*
verlässlich — *reliable/dependable*
vernünftig — *reasonable/seasonable*
der/die Vorgesetzte, -n — *boss/superior*

Modul 3 — Teamgeist

ablenken von — *to distract/detract sth.*
die Geschäftsleitung, -en — *com. management*
der Hammer, - — *gavel*
nahegelegen — *nearby/proximate*
die Säge, -n — *saw*
die Teambildung — *team development*

das Teamevent, -s — *team event*
umrunden — *to circle sth.*
voraussichtlich — *estimated/likely*
zwingen zu (zwingt, zwang, hat gezwungen) — *to coerce*

Modul 4   Werben Sie für sich!

der Abschluss, -"e	*degree*	die Stellenausschrei-	*job advertisement*
die Anforderung, -en	*requirement*	bung, -en	
die Betreuung	*supervision*	teamfähig	*team-minded*
einheitlich	*standard/consistent*	übersichtlich	*clearly arranged*
der Eintrittstermin, -e	*scheduled mtg.*	umfangreich	*extensive/comprehensive*
die Kenntnis, -se	*knowledge*	die Weiterbildung, -en	*further education*
einbringen in (bringt ein,	*to yield sth.*	zielorientiert	*goal-oriented*
brachte ein, hat einge-			
bracht)			

Wichtige Wortverbindungen

Anforderungen erfüllen   _____

jmd. fest anstellen   _____

sich an die Arbeit machen   _____

eine Aufgabe übernehmen (übernimmt,   _____

     übernahm, hat übernommen)

Druck ausüben   _____

Fehler eingestehen (gesteht … ein, gestand … ein,   _____

     hat eingestanden)

in Gefahr sein   _____

sich im Job aufreiben (reibt sich auf, rieb sich auf,   _____

     hat sich aufgerieben)

Konflikte lösen   _____

Kontakte knüpfen   _____

Sinn und Zweck von etw.   _____

im Zusammenhang mit etw. stehen (steht, stand,   _____

     hat gestanden)

zwei linke Hände haben   _____

Wörter, die für mich wichtig sind:

_____   _____   _____   _____

_____   _____   _____   _____

_____   _____   _____   _____

_____   _____   _____   _____

Zusammen leben

Vor dem Start: Diese Übungen bereiten Sie auf das Kapitel vor.

1 Die Wörter gehören zu verschiedenen Aspekten, die das Zusammenleben einer Gesellschaft prägen und bestimmen. Ordnen Sie sie den Kategorien in der Tabelle zu. Es gibt mehrere Möglichkeiten.

Verein   Bildung   Universität   Familie   Freizeit   Karriere   Regierung   Arbeitslose   Behörde   Ernährung   Ausbildungsplatz   Präsident/in   Studium   Abschluss   Wahlen   Arbeitsplatz   Verkehr   Medien   Minister/in   Nachbarschaft   Partei   Kanzler/in   Konsum   Krankenhaus

Alltag *die Familie* e Bildung e Nachbarschaft r Verkehr e Medien s Krankenhaus e Freizeit r Konsum e Behörde e Partei e Ernährung		
Ausbildung/Beruf e Karriere r Abschluss ~~e Ernährung~~ e/r Arbeitslose s Studium e Freizeit r Arbeitsplatz e Universität e Bildung e Behörde r Verein r Ausbildungsplatz		
Politik e Regierung e Partei e Wahlen r/e Präsident/in r/e Minister/in e Behörde r/e Kanzler/in r Arbeitsplatz r Ausbildungsplatz		

2 Welche Wörter haben eine ähnliche Bedeutung? Nutzen Sie die Wörter aus 1.

1. der berufliche Aufstieg *die Karriere*
   e Ernährung
2. Essen und Trinken ~~r Konsum~~
   e Universität
3. die Hochschule ~~r Ausbildungsplatz~~
4. die Stelle ~~e Bildung~~
   r Arbeitsplatz

5. das Amt e Behörde
6. die Klinik s Krankenhaus
7. der Club r Verein
8. das Examen s Studium
   r Abschluss

3 Verben zum Thema „Gesellschaft". Lesen Sie die Phrasen und vervollständigen Sie die Verben.

bau – den – dern – en – ga – gen – gie – gie – cken – pa – ren – ren – set – tra – zen

1. sich in einem Verein oder einer Initiative en**gagieren**
2. einen Verein grün**den**
3. ein Land re**gieren**
4. eine Firma auf**bauen**
5. gemeinsam eine Sache an**packen**
6. junge Menschen mit einem Stipendium för**dern**
7. sich für einen guten Zweck ein**setzen**
8. etwas zu einem gemeinsamen Projekt bei**tragen**

130

4   Wie heißen die Adjektive zu den Nomen? Manchmal sind mehrere Lösungen möglich.

1. der Egoismus   3. die Ignoranz   5. die Freiheit   7. die Höflichkeit   9. die Gerechtigkeit

2. die Rücksicht   4. die Gewalt   6. die Toleranz   8. die Aggression   10. das Ideal

5   Wie heißen die Gegensätze? Ergänzen Sie die Nomen mit Artikel.

Das sollte es geben:	Das sollte es nicht geben:
e Gerechtigkeit	die Ungerechtigkeit
die Gesundheit *gesund*	e Krankheit *krank*
e Reichen *r Reichtung* *(Reich)*	die Armut
der Frieden *freidlich*	r Krieg *kriegerisch*
das Vertrauen *vertrauensvoll* *(vertrauenswürdig)*	s Misstrauen *misstrauisch*
r Umweltschutz	die Umweltzerstörung

6   Lesen Sie den Text und ergänzen Sie die Lücken.

Megatrends – Was unsere Gesellschaft antreibt

Unter Megatrends versteht die Zukunftsforschung solche Entwicklungen, die mindestens 30 Jahre wirken und die in der Lage sind, eine ganze Gesellschaft neu zu gestalten.

Heute unter*scheiden* (1) Forscher elf Megatrends. Dazu gehören zum Beis*piel* (2): Globalisierung, Mobilität, Gesundheit oder die Konnektivität, also wie sich Menschen digital vernetzen. Die Globalisierung hat neue For*men* (3) der Produktion und des Transports von Wa*ren* (4) mit sich gebracht. Die wirtschaftliche

Entwi*cklung* (5) hat sich dadurch weltweit sta*tt* (6) verändert. Mobil sind heute fast alle Mens*chen* (7), was die techn*ische* (8) Entwicklung möglich macht. Noch vor 50 Jah*ren* (9) wäre es undenkbar gewesen, sich selbst und wichtige Informa*tionen* (10) so schnell wie heute von A nach B zu transpo*rtation* (11). Die meisten Menschen ach*ten* (12) heute auch mehr auf ihre Gesundheit. Gesund Produ*kte* (13) verkaufen sich sehr gut und sind ein wich*tigster* (14) Faktor für den Kon*sum* (15). Konnektivität ist ebenfalls ein starker Trend. Die Zukunftsforschung beoba*chten* (16) dabei die Verbi*ndung* (17) in sozialen Netzwerken genauer. Hier tauschen nicht nur Menschen, sondern auch Maschinen weltweit Informationen aus. Diese und weitere Megatrends haben enormen Einfluss auf unsere Gesellschaft.

Sport gegen Gewalt

1a Textzusammenfassung. Lesen Sie noch einmal den Text von Aufgabe 1b im Lehrbuch und ergänzen Sie die fehlenden Informationen.

Fahim Yusufzai arbeitete viele Jahre lang in einem

(1) _Einkaufszentrum_ in

Hamburg als Sicherheitsleiter. Bei dieser

Tätigkeit hat er immer wieder

(2) _Jugendliche_

erwischt, die [Diebstähle begingen], Graffiti sprüh-

ten oder randalierten. Es nützte sehr wenig, die

(3) _Polizei_ zu

rufen, denn genau dieselben Jugendlichen

[machten am nächsten Tag wieder Ärger] im Ein-

Ursache vs. Wirkung
cause vs. [to eliminate sth.]

kaufszentrum. Fahim Yusufzai verstand, dass er

auf diese Weise die Ursachen für das (4) _Verhalten_ *[cause]* der Jugendlichen nicht

beseitigen konnte. Deshalb fasste er den Plan, ein Taekwondo-Training anzubieten. So gründete der

gebürtige Afghane den (5) _Verein_ „Sport gegen Gewalt" und stellte

die Jugendlichen vor die Wahl, sie zur Polizei zu bringen oder mit ihm zusammen zu trainieren.

Auswirkung consequence

Auf diese Weise lernen die Jugendlichen, [sich an (6) _Regeln_ zu halten]

und (7) _Stress-situationen_ ohne Waffe zu bewältigen] Nach dem Training können

die Jugendlichen auch (8) _Hilfe_ bei den Hausaufgaben erhalten.

Außerdem ist Fahim Yusufzai immer für seine Kids da. Bei Problemen können sie mit ihm

(9) _jederzeit / immer_ sprechen. Die Erfolge seiner Arbeit sind verblüffend, denn die

Zahl der (10) _Sachbeschädigungen und Diebstähle_ ist stark zurückgegangen.

Die Jugendlichen kümmern sich nun stattdessen um ihre berufliche Zukunft.

b Wobei hilft der Verein „Sport gegen Gewalt" den Jugendlichen? Markieren Sie, welches Verb passt.

1. Stress-Situationen ☐ bekommen ☒ bewältigen ☐ schaffen
2. Verantwortung für das eigene Handeln ☐ geben ☐ machen ☒ übernehmen
3. Selbstbeherrschung ☒ lernen ☐ studieren ☐ auffrischen
4. sich an Regeln ☐ bleiben ☒ halten ☐ greifen
5. sich die Langeweile sinnvoll ☐ verbringen ☐ erledigen ☒ vertreiben
6. andere Meinungen ☒ respektieren ☐ zustimmen ☐ widersprechen
7. Gewalt ☐ erledigen ☐ machen ☒ vermeiden
8. Zukunftspläne ☒ entwickeln ☐ stellen ☐ träumen
9. die Schule ☐ aufhören ☐ enden ☒ abschließen
10. sich Problemen ☒ stellen ☐ verabschieden ☐ interessieren

2 Ergänzen Sie die Relativpronomen in der korrekten Form.

1. Immer wieder ist von Jugendlichen zu hören, _die_ [NOM.] auf die schiefe Bahn geraten.
2. Oft ist es der Gruppenzwang, durch _den_ [AKK.] ~~dem~~ Jugendliche zu Straftätern werden.
3. Sie wollen andere Gruppenmitglieder, _deren_ [GEN.] ~~die~~ Freundschaft ihnen wichtig ist, beeindrucken.
4. Eine gute Möglichkeit ist sportliche Betätigung, bei _der_ [DAT.] Jugendliche zeigen können, welche Kräfte in ihnen stecken.
5. Mannschaftssport, _dessen_ [GEN.] ~~das~~ Beliebtheit in den letzten Jahren gestiegen ist, eignet sich besonders dazu.
6. Das Erlernen eines Kampfsports, _dessen_ [GEN.] ~~die~~ erzieherische Funktion man nicht unterschätzen sollte, stößt oft auf Kritik.
7. Viele Jugendliche, _denen_ [DAT.] ~~die~~ durch dieses Projekt geholfen wurde, sind heute sehr dankbar dafür.

3 Bilden Sie Relativsätze mit *wer*.

1. Sport treiben – sich fit fühlen
2. sich fit fühlen – leistungsfähig sein
3. leistungsfähig sein – Erfolg im Beruf haben
4. Erfolg im Beruf haben – viel Geld verdienen
5. viel Geld verdienen – ...

1. Wer Sport treibt, (der) fühlt sich fit.

4 Formen Sie die Sätze um. Schreiben Sie Relativsätze mit *wer* in der korrekten Form.

1. Jemand treibt regelmäßig Sport. Ihm gelingt es, seine Kondition zu steigern.
2. Jemandem gefällt es, andere Menschen zu trainieren. Er könnte in einem Sportverein aktiv werden.
3. Jemand sucht soziale Kontakte. Ihm hilft die Mitgliedschaft in einem Verein.
4. Jemand ist körperlich nicht fit. Ihn schickt der Arzt zum Sport.
5. Jemanden interessiert Yoga. Er kann sich zu einem Kurs anmelden.

1. Wer regelmäßig Sport treibt, dem gelingt es, seine Kondition zu steigern.

5 Ergänzen Sie in den Sätzen die richtige Form von *wer* und *der*.

1. _Wer_ täglich Sport treibt, _der_ wird von Krankheiten verschont.
2. _Wer_ ~~Wem~~ sich oft müde fühlt, _dem_ ist Sport zu empfehlen. → DAT.
3. _Wem_ ~~Wer~~ langweilig ist, ~~dem~~ _der_ sollte sich sportlich betätigen.
4. _Wen_ ~~Wem~~ Ballsport interessiert, _der_ hat viele Möglichkeiten, aktiv zu werden.
5. Für _wen_ Ausdauersport zu anstrengend ist, _der_ sollte sich eine andere Sportart suchen.

Armut

1a Ordnen Sie die Nomen mit Artikel in die Tabelle.

Wohlstand — Geldnot — Mangel — Besitz — Überfluss — Elend — Eigentum — Vermögen — Notlage — Bedürftigkeit — Ersparnisse — Knappheit — finanzielle Sorgen — Schulden — Reichtum

reich	arm	
der Reichtum, ̈er R Wohlstand, ̈e e Ersparnisse R Besitz, er R Überfluss S Eigentum	S Vermögen R Mangel, ̈ e Geldnot, ̈e e Notlage, en e Bedürftigkeit e ~~Kap~~ Knappheit S Elend	e finanzielle So... e Schulden

b Welches Wort passt? Markieren Sie.

1. unter Geldnot / Wohlstand / Eigentum leiden
2. über Überfluss / Eigentum / finanzielle Sorgen verfügen
3. Bedürftigkeit / Elend / Ersparnisse haben
4. Knappheit / Mangel / Schulden haben

2 Im folgenden Suchrätsel sind waagrecht und senkrecht sieben Adjektive versteckt. Welche?

M	I	T	T	E	L	L	O	S	U	J	H	X	Q	E	B
J	M	S	T	O	L	N	W	E	A	X	H	E	R	M	E
Q	G	E	R	T	I	L	E	R	N	O	E	Y	E	M	T
Z	A	H	L	U	N	G	S	K	R	Ä	F	T	I	G	T
M	F	B	E	D	Ü	R	F	T	I	G	I	C	C	O	E
W	T	V	U	R	B	Ö	W	E	P	D	H	R	H	P	L
A	I	U	H	G	V	E	R	M	Ö	G	E	N	D	A	A
E	C	H	Q	E	I	P	K	L	N	B	E	P	W	U	R
O	S	W	O	H	L	H	A	B	E	N	D	B	F	E	M

3 Was drücken die folgenden Wendungen aus? Sind sie positiv oder negativ? Geben Sie eine kurze Erklärung. Das Wörterbuch hilft.

von der Hand in den Mund leben   Geld wie Heu haben   aus guten Verhältnissen kommen

es zu etwas bringen   vor dem Nichts stehen   ein gutes Auskommen haben

sich einschränken müssen   bessere Tage gesehen haben   pleite sein   den Gürtel enger schnallen müssen

„Von der Hand in den Mund leben" bedeutet, dass man gerade das Nötigste hat, um zu leben, und dass man deswegen kein Geld sparen kann.

TELC

4 Lesen Sie den folgenden Text und entscheiden Sie, welches Wort aus dem Kasten (a–o) in die Lücken 1–10 passt. Sie können jedes Wort im Kasten nur einmal verwenden. Nicht alle Wörter passen in den Text.

Hier kauft reich und arm

Seit einigen Jahren verkauft die evangelisch-lutherische Kirche in Hamburg-Dulsberg ihre Spenden (1) _direkt_ vor der Kirchentür: Haushaltswaren wie Teller, Tassen oder Geschirr, Kleinmöbel, Schallplat- records ten, Spielzeug oder auch Kleidung für sie, ihn und die Kinder. Das alles kann man zu (2) _günstigen_ Preisen in der „Stöberstube" kaufen. Stöbern, also nach ~~rummage~~ etwas Interessantem suchen, kann man hier immer von Montag bis Mittwoch. Von 08:30 Uhr bis 12:30 Uhr stehen die Mitarbeiter des Geschäfts am Eingang der Kirche und (3) _verkaufen_ ihre Waren. Der Eingangsbereich der Kirche ist dann voll mit Kleiderständern, Möbeln und Haushaltsartikeln in Kisten. (4) _Das_ lockt Kunden an – bei Wind und Wetter. Besonders viele ältere Menschen gehören (5) _zu_ └ to attract den Stammkunden. Doch nicht nur Senioren aus dem Stadtteil kommen, gucken und kaufen in der „Stöberstube". Die Kundschaft ist (6) _Gemischt_. Hierher kommen arme und reiche Leute. Die einen suchen das Schnäppchen, die anderen vielleicht ein Sammlerstück. (7) _Damit_ immer genug Ware vor Ort ist, sammelt das Team der „Stöberstube" Spenden; egal, ob Teller, Besteck oder Handtücher. (8) _Alles_, was in der Küche gebraucht wird, bleibt nicht lange in den Regalen. Auch Herrenbekleidung ist immer wenig da. Vielleicht liegt es daran, dass Männer weniger einkaufen und ihre Kleidung länger tragen. (9) _Wer_ etwas spenden möchte, kann sich telefonisch mit den Mitarbeitern der „Stöberstube" in Verbindung setzen. Größere Sachen werden gern auch zu Hause abgeholt. Am 4. Oktober wird die „Stöberstube" zehn Jahre alt. Zu diesem Jubiläum hat sich das Team etwas Besonderes (10) _ausgedacht_: Vom 7. bis 16. Oktober bezahlt man bei jedem Kauf entweder den halben Preis oder man bekommt noch etwas kostenlos in die Tüte.

~~a) ALLES~~ 1, 4 8   ~~e) DAS~~ 4 4 CAVERNOUS ~~i) EINGEFALLEN~~ 5   ~~m) VERKAUFEN~~ 3

b) AN   f) DENN   ~~j) GEMISCHT~~ 6   ~~n) WER~~ 4 9

~~c) AUSGEDACHT~~ 10   g) DIESEN   ~~k) GÜNSTIGEN~~   ~~o) ZU~~ 5

~~d) DAMIT~~ 7   ~~h) DIREKT~~ 1   l) TEURES

vented

Im Netz

1a Ordnen Sie die Bedeutungen den Nomen-Verb-Verbindungen zu.

1. _g_ sich beziehen auf
2. _e_ etw. beantragen
3. _a_ diskutiert werden
4. _f_ jmd. beeindrucken
5. _b_ jmd. kritisieren
6. _c_ angewendet werden
7. _d_ etw. ausdrücken

a zur Diskussion stehen
b Kritik üben an
c zur Anwendung kommen
d etw. zum Ausdruck bringen
e einen Antrag stellen auf
f Eindruck machen auf
g Bezug nehmen auf

b Meine Meinung zum Thema „Onlinesucht". Ergänzen Sie Nomen-Verb-Verbindungen aus 1a.

1. Ich _Nehme Bezug_ auf Ihre Radiosendung vom 01. Oktober.
2. Das Engagement der interviewten Ärzte _Macht_ großen _Eindruck_ auf mich.
3. An manchen Fakten Ihrer Sendung möchte ich jedoch _Kritik üben_ .
4. Einige der genannten Therapien _kommen_ in vielen Arztpraxen nicht _zur Anwendung_ , weil sie zu teuer sind.
5. Außerdem müssen Betroffene bei den Krankenkassen einen _Antrag_ auf eine entsprechende Behandlung _stellen_ und oft lange auf eine Therapie warten.
6. Dieses Vorgehen _steht_ zurzeit in der Gesundheitspolitik _zur Diskussion_ .
7. Zum Schluss möchte ich _zum Ausdruck bringen_ dass ich es gut finde, das Problem „Internetsucht" zu thematisieren.

2 Was bedeuten die Sätze? Markieren Sie.

schlussel

1. Ich möchte zum Thema „Internet – Wann ist man süchtig?" Stellung nehmen.
   a Ich möchte ein kurzes Referat zu diesem Thema halten.
   (b) Ich möchte meine Meinung zu diesem Thema darlegen.

2. Ich bin durchaus in der Lage, Anteil am Schicksal der Betroffenen zu nehmen.
   (a) Ich kann mit den Betroffenen mitfühlen.
   b Ich kann einen Teil der Betroffenen nicht verstehen.

3. Ich bin zu der Auffassung gelangt, dass Onlinesucht jeden treffen kann.
   a Ich bezweifle, dass Onlinesucht jeden treffen kann.
   (b) Ich habe erkannt, dass Onlinesucht jeden treffen kann.

4. Ich ziehe in Betracht, mich mehr gegen Onlinesucht zu engagieren.
   (a) Ich überlege, ob ich mich gegen Onlinesucht mehr engagieren soll.
   b Ich habe mich entschlossen, mich mehr gegen Onlinesucht zu engagieren.

3 Ersetzen Sie die Nomen-Verb-Verbindungen durch Verben.

| ~~ändern~~ | ~~beeindrucken~~ | ~~sich erfüllen~~ | ~~beauftragen~~ | erlauben |

1. Der Chef erteilte den Mitarbeitern die Erlaubnis, in den Pausen im Internet zu surfen.
2. Damit ist ein großer Wunsch der Mitarbeiter in Erfüllung gegangen. *sich erfüllen*
3. Diese Entscheidung hat auf alle Eindruck gemacht. *beeindrucken*
4. Der Chef hat dem Informatiker den Auftrag gegeben, die Internetverbindung für alle einzurichten. *beauftragen*
5. Jeder Mitarbeiter muss eine Änderung am Passwort vornehmen. *ändern*

1. Der Chef erlaubte den Mitarbeitern, in den Pausen im Internet zu surfen.

4 Ersetzen Sie die unterstrichenen Verben durch Nomen-Verb-Verbindungen.

| ~~außer Zweifel stehen~~ | ~~Anerkennung finden~~ | ~~den Entschluss fassen~~ | ~~Kritik üben an~~ | ~~sich Mühe geben~~ |

1. Die Tatsache, dass Internetkonsum süchtig machen kann, wird nicht bezweifelt.
2. Die Ergebnisse vieler Studien zur Internetsucht sind anerkannt worden. *Anerkennung find...*
3. Viele Experten kritisieren die Eltern, weil sie den Internetkonsum ihrer Kinder zu wenig kontrollieren. *Kritik üben an*
4. Die meisten Eltern bemühen sich, ihre Kinder zu einem vernünftigen Umgang mit dem Internet zu erziehen. *sich Mühe geben*
5. Deshalb entschließen sich viele, den Internetkonsum ihrer Kinder zu begrenzen. *den Entschluss fassen*

1. Die Tatsache, dass Internetkonsum süchtig machen kann, steht außer Zweifel.

5 Lesen Sie die Forumsbeiträge. Schreiben Sie Ihre Meinung dazu.

Forum ▸ *Hilfe bei Onlinesucht?*

fisch1992 17.02. | 15:30 Uhr
Ein Freund von mir ist wahrscheinlich onlinesüchtig. Ich mache mir große Sorgen, weil er so oft am Computer sitzt. Wenn ich ihn frage, ob wir mal was zusammen unternehmen, sagt er, dass er keine Zeit hat. Dabei ist er ständig online. Am Tag bestimmt drei Stunden. Was kann ich machen?

Kommentare

modru04 17.02. | 16:15 Uhr
Jeden Tag drei Stunden? Das finde ich nicht viel. Drei Stunden sind im Internet sehr schnell vorbei. Ich glaube nicht, dass dein Freund onlinesüchtig ist. Allerdings kann daraus natürlich eine Sucht werden. Ich denke, du solltest ihn mal darauf ansprechen.

bootXL 17.02. | 20:45 Uhr
Ich finde drei Stunden schon sehr viel, wenn das wirklich jeden Tag der Fall ist und er seine Freunde nicht mehr trifft. Ich kann dir nur empfehlen, ihn zu überzeugen, mal zum Arzt zu gehen. Die meisten gesetzlichen Krankenkassen bezahlen eine Therapie.

Der kleine Unterschied

1 Was hat sich bei der Rollenverteilung von Frauen und Männern in den letzten 10, 20, 50 Jahren geändert? Formulieren Sie vier Aussagen und vergleichen Sie im Kurs.

> Kindererziehung   Beruf/Karriere   Politik
> Aufgaben im Haushalt   Gleichberechtigung

Vor fünfzig Jahren haben sich vor allem die Frauen um die Erziehung der Kinder gekümmert. Heute ...

2a Männer in Frauenberufen – Frauen in Männerberufen. Hören Sie den Anfang eines Radiofeatures und bearbeiten Sie 1–4.

18

1. In den letzten Jahren hat sich die Rollenverteilung in den Berufen ...
   - [a] geändert.
   - [b] wenig geändert.
   - [c] nicht geändert.

2. In diesen Bereichen sind Frauen und Männer folgendermaßen vertreten:
   - [a] Lehrer: _____ % Männer
   - [b] Ingenieure: _____ % Frauen
   - [c] Pflege: _____ % Frauen _____ % Männer

3. Ein Gleichgewicht von Männern und Frauen im Beruf kann durch ... gefördert werden.
   - [a] ein hohes Bildungsniveau
   - [b] ein hohes Gehalt
   - [c] gute Karrierechancen

4. Gründe einen Beruf zu wählen, der nicht der typischen Rolle entspricht, sind oft ...
   - [a] Geld und Sicherheit.
   - [b] Karriere und Anerkennung.
   - [c] Talent und Spaß an der Arbeit.

b Hören Sie nun drei Personen, die in typischen Berufen des anderen Geschlechts arbeiten. Was sagen die Personen zu den folgenden Aspekten? Notieren Sie.

19–21

	Patrick Benecke	Luis Meister	Jule Großberndt
Beruf			
Weg zum Job			
Reaktionen			

c Vergleichen Sie Ihre Notizen aus 2b zu zweit. Schreiben Sie dann einen kurzen Kommentar zum Thema „Männer in Frauenberufen – Frauen in Männerberufen".

Für die Gesellschaft ist es wichtig, dass ...
Bei der Berufswahl sollten sich junge Menschen vor allem daran orientieren, was ...

3 Eine Äußerung verstärken: Lesen Sie die Redemittel. Wie werden Äußerungen bewertet? Sortieren Sie nach positiv (p), negativ (n), skeptisch (s).

Es ist fraglich, ob … +/−   Ich bezweifle, dass … +/−   … ist ein problematischer Punkt. −

… ist noch unklar. +/−   Ich sehe einen Vorteil darin, dass … +   Einige Zweifel gibt es noch bei … +/−

Wir haben endlich erreicht, dass … +   Von … kann keine Rede sein. −   Es bleibt abzuwarten, ob … +/−

… ist ein Gewinn. +   … ist ein entscheidender Nachteil. −   Ich schätze es, wenn … +

4a Lesen Sie die Überschrift und sehen Sie das Bild an. Welche Themen werden im Text angesprochen? Vermuten Sie zu zweit.

Sind Frauen besser als Männer?

Seit mehreren Jahrzehnten beschäftigen sich wissenschaftliche Studien mit der Entwicklung der Gleichstellung der Frau gegenüber dem Mann. Und heute stehen wir vor den Ergebnissen: Frauen und
5 Mädchen haben positive Tendenzen in ihrer Entwicklung zu melden. Für mich ein erfreulicher Trend für die Gesellschaft.

Mädchen haben durchschnittlich bessere Schulleistungen und machen auch häufiger als Jungen das Abitur.
10 Frauen leben gesünder und werden älter. Frauen werden seltener kriminell als Männer. Neben immer mehr Frauen in gut qualifizierten Berufs-
15 gruppen entdecken Frauen in Deutschland auch echte Männerdomänen wie den Fußball für sich und sind – erfolgreich. Sind Frauen deshalb nun bes-
20 ser als Männer? Ich habe meine Zweifel, wenn es um eine klare Antwort geht. Frauen gehen an ihre Lebensplanung strategischer heran als Männer. Sie streben Ausbildung, Familie und Beruf an und bleiben in ihren Lebenswegen flexibel. Auf der an-
25 deren Seite überfordern sie sich dadurch oft.

Männer weichen dagegen heute wie früher seltener von ihren Stereotypen ab. Hier hat sich kaum etwas verändert. Ein entscheidender Nachteil, wie ich denke. Sie halten meist noch an alten Rollen fest und reagieren
30 auf neue Herausforderungen auch mal mit Frust, wenn sie keine passende Lösung finden. Es lässt sich also feststellen, dass es weiter deutliche Unterschiede zwischen Männern und Frauen gibt.

Wollte die Gesellschaft nicht eine Gleichstellung er-
35 reichen? Was ist passiert?

Dass Mädchen in den letzten Jahrzehnten gefördert wurden, bezweifelt niemand. Sie wurden vielfach motiviert, die Augen offen zu halten, sich auszuprobieren und ihre Chancen zu
40 ergreifen. So konnten sie sich neue Gebiete erobern. Die Förderung des männlichen Nachwuchses ist dagegen kaum der Rede wert. Erst in den letzten Jahren werden
45 Jungs dabei unterstützt, neue Talente und Stärken bei sich zu entdecken. Neben dem Girl´s Day, der Mädchen mit Männerberufen bekannt machen soll, machen sich jetzt auch die Jungs
50 beim Boy´s Day über typische Frauenberufe schlau.

Und das ist es, was eine moderne Gesellschaft sicher braucht: Schlaue Kinder und kluge Menschen, die sich ihrer Talente bewusst sind und ihr Wissen gerne teilen. „Nicht besser, sondern gemeinsam" sollte das Ziel für
55 Bildung, Familie und die Gesellschaft sein. Diese Form der Gleichstellung ist aber noch viel zu selten zu beobachten.
Sabina Bretthauer

b Lesen Sie den Artikel. Welche Vermutungen waren richtig? Welche Themen hatten Sie nicht erwartet?

TIPP

Texte bearbeiten Schritt für Schritt:

1. Vermutungen sammeln: Sehen Sie die Überschrift(en) und die Bilder/Grafiken zu einem Text an. Was könnte das Thema sein? Was fällt Ihnen zum Thema ein?
2. Markieren Sie in jedem Abschnitt Aussagen oder Meinungen, die für die Fragen oder Aufgaben wichtig sind.
3. Beantworten und bewerten Sie Fragen mithilfe der markierten Aussagen oder Meinungen.

c Stellen Sie fest, wie die Autorin des Artikels „Sind Frauen besser als Männer?" folgende Fragen
beurteilt: (a) positiv, (b) negativ bzw. skeptisch.

Wie beurteilt die Autorin …

1. … die Ergebnisse der Studien zur Entwicklung der Frauen?   a   b
2. … die Ansicht, dass Frauen besser sind als Männer?   a   b
3. … die Verhaltensweisen bei Männern heute?   a   b
4. … die Frage, ob Mädchen ausreichende Unterstützung bekommen haben?   a   b
5. … ob die Gleichstellung in der Gesellschaft schon erreicht wurde?   a   b

Aussprache: stimmhaftes und stimmloses s und z

1a Hören Sie zu und kreuzen Sie an. Welches s ist weich (stimmhaft), welches scharf (stimmlos)?

	weich	scharf			weich	scharf			weich	scharf
1. Sonne	☐	☐		7. lassen	☐	☐		13. Bus	☐	☐
2. singen	☐	☐		8. Lust	☐	☐		14. Wiese	☐	☐
3. Kissen	☐	☐		9. Kuss	☐	☐		15. schließen	☐	☐
4. Nase	☐	☐		10. Reise	☐	☐		16. Hose	☐	☐
5. Geheimnis	☐	☐		11. Post	☐	☐		17. Schluss	☐	☐
6. heißen	☐	☐		12. Mäuse	☐	☐		18. heiser	☐	☐

b Hören Sie noch einmal und sprechen Sie mit.

c Wann ist der Laut s scharf (stimmlos)? Markieren Sie.

☐ 1. am Wortanfang   ☐ 3. bei ss oder ß   ☐ 5. nach *äu* und *eu*

☐ 2. vor *t* und *p*   ☐ 4. am Wortende   ☐ 6. nach langem Vokal

d Lesen Sie laut.

Die Biene sitzt in der Sonne. Sie summt und singt,
segelt über die Wiese, sucht sich eine Rose und sagt:
„So, so, so … so sollte doch jeder Tag ein Sonntag sein."

TIPP Stimmhaftes *s*: Man spricht es weich wie in *Nase*.
Wenn man es spricht, fühlt man eine Vibration im Hals.

Der Hamster liest ein Buch und sagt: „Ts, ts, ts … hast du das
gewusst? Wir Hamster müssen stets nachts unterwegs sein.
Nur tagsüber können wir rasten und fressen. Ich weiß nicht,
ob das richtig ist."

2a z und s. Hören Sie zu und sprechen Sie nach.

1. Zehen – sehen   3. zwei – sei   5. zocken – Socken   **TIPP** Auf Deutsch wird *z*
2. Zack – Sack   4. Zauber – sauber   6. Zahl – Saal   wie *ts* gesprochen.

b Sprechen Sie noch einmal und werden Sie immer schneller. Wer spricht auch schnell noch deutlich?

3 Mehrere s-Laute in einem Wort. Hören und sprechen Sie die Wörter.

1. Rosenstrauß   3. zuckersüß   5. Zweisamkeit
2. Silvester   4. Außenseiter   6. Ostersonntag

So schätze ich mich nach Kapitel 4 ein: Ich kann …	+	◯	−
… in einer Straßenumfrage Informationen zum Internetverhalten verstehen. ▶M3, A1b	☐	☐	☐
… in einer Radiosendung wesentliche Inhalte aus einem Interview zum Thema „Onlinesucht" herausarbeiten. ▶M3, A1c	☐	☐	☐
… einem Kabarett-Stück zum Thema „Zusammenleben" folgen und viele Details verstehen. ▶M4, A5b	☐	☐	☐
… aus einem Radiofeature zu Frauen- und Männerberufen wichtige Informationen angeben und Notizen zu Aussagen zum Thema „Berufswahl" erstellen. ▶AB M4, Ü2a, b	☐	☐	☐
… in einem Text über ein Projekt gegen Jugendkriminalität Informationen, Argumente oder Meinungen verstehen. ▶M1, A1	☐	☐	☐
… in längeren und komplexeren Texten zum Thema „Armut" wichtige Einzelinformationen finden. ▶M1, A2	☐	☐	☐
… Informationen aus Grafiken und einem Text zum Thema „Was Männer und Frauen wollen" vergleichen, zusammenfassen und Tendenzen beschreiben. ▶M4, A2	☐	☐	☐
… Aussagen in einem Text zur Gleichstellung von Männern und Frauen verstehen und die Meinung der Autorin bewerten. ▶AB M4, Ü4	☐	☐	☐
… Inhalte aus einem Text zum Thema „Was Männer und Frauen wollen" zusammenfassen, darüber diskutieren und dabei eigene Erfahrungen und Meinungen einbringen und begründen. ▶M4, A3	☐	☐	☐
… Gedanken und Gefühle in einem Gespräch über störende Dinge beschreiben. ▶M4, A6b	☐	☐	☐
… eine kurze Erklärung dazu schreiben, wann ein Mensch arm ist. ▶M2, A1b	☐	☐	☐
… in einem Forum Tipps zum Thema „Onlinesucht" geben. ▶AB M3, Ü5	☐	☐	☐
… Gedanken und Gefühle in einem Kurs-Forum zum Thema „Wünsche an Männer/Frauen in zehn Jahren" beschreiben. ▶M4, A4a	☐	☐	☐

Das habe ich zusätzlich zum Buch auf Deutsch gemacht (Projekte, Internet, Filme, Lesetexte, …):

Datum: Aktivität:

_____   _____

_____   _____

_____   _____

_____   _____

_____   _____

▸ **Grammatik und Wortschatz weiterüben: interaktive Übungen unter www.aspekte.biz/online-uebungen2**

Wortschatz

Modul 1 Sport gegen Gewalt

beibringen (bringt bei,
brachte bei, hat beige-
bracht) _____

die Disziplin _____

erwischen bei _____

das Führungszeugnis _____

kriminell _____

nützen _____

die Sachbeschädigung, -en _____

die Selbstbeherrschung _____

stehlen (stiehlt, stahl,
hat gestohlen) _____

der Verein, -e _____

Modul 2 Armut

akut _____

die Angst, -"e _____

die Armut _____

die Ausgrenzung, -en _____

ausreichen _____

bedürftig _____

der Bildungsabschluss, -"e _____

die Dürreperiode, -n _____

einwerfen (wirft ein, warf
ein, hat eingeworfen) _____

die Ernte, -n _____

die Fördermaßnahme, -n _____

die Grundlage, -n _____

der Hausrat _____

der Hunger _____

die Korruption _____

das Kriterium, Kriterien _____

langfristig _____

die Leistungsbereitschaft _____

die Nachhilfe _____

die Notlage, -n _____

die Spende, -n _____

spenden _____

die Spendenbereitschaft _____

überlassen (überlässt, über-
ließ, hat überlassen) _____

die Zuneigung _____

Modul 3 Im Netz

dominieren _____

einschätzen _____

die Eingrenzung, -en _____

der Entzug, -"e _____

exzessiv _____

die Fundgrube, -n _____

der Internetnutzer, - _____

das Merkmal, -e _____

das Netz _____

skypen mit _____

staunen über _____

die Sucht, -"e _____

die Suchtkrankheit, -en _____

süchtig _____

Modul 4   Der kleine Unterschied

die Einstellung, -en   _____   der Nachwuchs   _____

die Erwerbsarbeit   _____   die Pflege   _____

die Frauensache   _____   der Unterhalt   _____

gefährden   _____   die Vereinbarkeit   _____

hinauszögern   _____   der Wert, -e   _____

kinderfeindlich   _____   der Wertewandel   _____

der Kinderwunsch   _____   zeitintensiv   _____

Wichtige Wortverbindungen

ein Dach über dem Kopf haben   _____

eine Familie gründen   _____

sich die Langeweile vertreiben (vertreibt,   _____
vertrieb, hat vertrieben)

sich an die Regeln halten (hält, hielt,   _____
hat gehalten)

Stress-Situationen bewältigen   _____

sein Wissen an jmd. weitergeben (gibt weiter,   _____
gab weiter, hat weitergegeben)

sich die Zukunft verbauen   _____

Wörter, die für mich wichtig sind:

_____   _____   _____   _____

_____   _____   _____   _____

_____   _____   _____   _____

_____   _____   _____   _____

Wer Wissen schafft, macht Wissenschaf

Diese Übungen bereiten Sie auf das Kapitel vor.

1 Begriffe rund ums Thema „Wissenschaft". Ergänzen Sie das Rätsel mithilfe der Definitionen.

(ä, ö, ü = ae, oe, ue)

```
                        10
        e  1  H  Y  P  O  T  H  E  S  E
     e  2  F  O  R  S  C  H  U  N  G
           s  3  L  A  B  O  R
        e  4  T  H  E  O  R  I  E
           e  5  U  N  I  V  E  R  S  I  T  A  E  T
     e  6  M  E  T  H  O  D  E
        e  7  F  O  R  M  E  N
           s  8  S  E  M  I  N  A  R
  s  9  E  X  P  E  R  I  M  E  N  T
```

waagrecht:
1. eine wissenschaftliche Annahme
2. das, was Wissenschaftler betreiben
3. Ort, an dem Versuche durchgeführt werden
4. das Gegenteil von Praxis
5. Institution, an der man studieren kann und wo auch geforscht wird

6. ein wissenschaftliches Verfahren
7. $E = mc^2$ ist eine …
8. eine geistes- oder sozialwissenschaftliche Lehrveranstaltung
9. ein wissenschaftlicher Versuch

senkrecht: 10. ein besonderes Verhalten, Ereignis etc., das Wissenschaftler untersuchen

2 In der Wissenschaft … Ergänzen Sie die Verben in der richtigen Form. Manchmal gibt es mehrere Möglichkeiten.

| berechnen | erforschen | erkennen | entwickeln | entdecken | präsentieren | analysieren | beobachten |

1. Heute **erforschen** die Menschen das Weltall, um mehr Informationen über andere Planeten zu erhalten.
2. Der Mathematiker **berechnet** das Gewicht einer Kugel mithilfe einer Formel.
3. Tiere in freier Natur zu **beobachten**, ist für Forscher nicht immer leicht.
4. Vor 100 Jahren konnte die Medizin Krankheiten noch gar nicht **erkennen**, die ein Mediziner heute sofort feststellen kann.
5. Die Laborantin **analysiert** die Zusammensetzung eines Minerals.
6. Am Nachmittag **präsentiert** die Forschungsgruppe ihre sensationellen Entdeckungen der Presse.
7. Heute wurde eine unbekannte Pflanze im Regenwald des Amazonas **entdecken**.
8. Die Wissenschaft hat noch kein Mittel **entwickeln**, das alle Krankheiten heilt.

3 Ordnen Sie die Verben zu. Manchmal gibt es mehrere Möglichkeiten.

1. Wissenschaft __betreiben__
2. ein Experiment __durchführen__ [machen] ← *Nicht technisches, ohne Labor*
3. eine Entdeckung __machen__
4. eine Methode __anwenden__
5. eine Theorie __aufstellen__ anwenden
6. den Nobelpreis __erhalten__
7. eine Hypothese __formulieren__

anwenden ← *to apply / use*
aufstellen
formulieren
betreiben ← *practice* erhalten ← *to recieve*
durchführen ← *conduct*
machen

4a Wortschatz strukturieren. Was passt am besten in welche Gruppe? Ordnen Sie die Begriffe zu.

der/die Assistent/in   der Hörsaal   die Studie   das Labor   der/die Doktorand/in   die Beobachtung
die Pipette   der Versuch   der/die Student/in   die Untersuchung   die Bibliothek   die Arbeitsgruppe
das Mikroskop   der/die Professor/in   die Erhebung   das Reagenzglas   die Umfrage

attempt   *inquiry   investigation*   *survey*

Wo? Räume

s Labor   e Bibliothek
                 r Hörsaal

Wie? Verfahren → *method procedure technique*

r Versuch
e Erhebung
e Untersuchung
e Umfrage
e Studie
e Beobachtung

Wissenschaft

Womit? Instrumente, Geräte

e Pipette
s Mikroskop
s Reagenzglas

Wer? Menschen

r/e Professor/in   r/e Assistent/in
r/e Student/in   r/e Doktorand/in
                     e Arbeitsgruppe

b Erstellen Sie eine Mindmap zu einer Wissenschaft (Biologie, Medizin, Geschichte, Ingenieurwissenschaft, Informatik …). Sammeln Sie zu drei Oberbegriffen (bekannte Wissenschaftler, Themen, Methoden, Erfindungen/Produkte, …) Wörter.

TIPP **Themenfelder lernen und behalten**

Komplexen Wortschatz zu einem Thema kann man sich leichter merken, wenn man den Wortschatz strukturiert und portioniert, z. B. in Teilbereiche, Ober- und Unterbegriffe.

Wissenschaft für Kinder

1 Die KinderUni. Hören Sie den Radiobeitrag. Welche Aussagen sind richtig? Kreuzen Sie an.

25

☐ 1. Im Studienbuch werden die besuchten Veranstaltungen vermerkt.

☐ 2. Die Professoren sprechen über einfache Themen.

☐ 3. Auch Eltern können an den Vorlesungen teilnehmen.

☐ 4. Die erste KinderUni wurde in Tübingen gegründet.

☐ 5. Die Kinder müssen älter als sechs Jahre sein.

☐ 6. Die Veranstaltungen der *KinderUni München* finden immer an der Technischen Universität statt.

☐ 7. Die europäischen KinderUnis arbeiten eng zusammen.

2 Wie heißt das jeweilige Verb oder Nomen? Ergänzen Sie.

1. durchführen   *die Durchführung*   7. sich begeistern   *Begeisterun. e Inspiration*

2. *anleiten*   die Anleitung   8. *experimentieren* das Experiment

3. motivieren   *e Motivation*   9. verstehen   *s Verständnis*

konzipieren 4. ~~entwerfen~~ *e Konzentration* die Konzeption   10. *abbauen*   der Abbau

5. konzentrieren ~~e Aufmerksamkeit~~   11. erwerben   *r Erwerb*

6. *gründen*   die Gründung   12. *erklären*   die Erklärung

3a Das NatLab. Bilden Sie Passivsätze im Präsens.

1. im Natlab / Kinder / spielerisch / an die Wissenschaft / heranführen

   Im NatLab werden Kinder spielerisch an die Wissenschaft herangeführt.

2. die Experimentierkurse / von Schulklassen / regelmäßig / besuchen

   Die Experimentierkurse werden von Schulklassen regelmäß besucht.

3. die Experimente / von Pädagogen / genau und sorgfältig / anleiten

   Die Experimente werden von Pädagogen genau und sorgfältig angeleitet.

4. das Interesse an Naturwissenschaft / mit diesen Aktionen / wecken

   Das Interesse an Naturwissenschaft werden mit diesen Aktionen geweckt.

b Anworten Sie mit Passivsätzen im Präsens oder Perfekt.

1. Wann hat die Uni Berlin das Natlab eröffnet? (2002)

   Das NatLab ist 2002 eröffnet worden.

2. Wer hat das Konzept erarbeitet? (Wissenschaftler und Pädagogen)

   Das Konzept hat Wissenschaftler und Pädagogen erarbeitet worden.

3. Wer hat die Experimente entwickelt? (Fachwissenschaftler der Uni)

   Die Experimente ~~hat~~ sind von Fachwissenschaftler der Uni entwickelt worden.

4. Für wen bietet die Uni Vorlesungen an der KinderUni an? (Für Kinder ab 8 Jahren)

   Die Uni Vorlesungen ~~hat~~ wird für Kinder ab 8 Jahren an der KinderUni an. ~~werden~~

Für Kinder ab 8 ~~Jahren~~ werden ~~bieten~~ Vorlesungen an der Kinder-Uni angeboten.

c   Ein Experiment. Was wurde alles gemacht? Schreiben Sie Sätze im Passiv Präteritum.

1. das Experiment – vorbereiten – von den Studenten

Das Experiment wurde von den Studenten vorbereitet.

2. die Temperatur der Flüssigkeit – messen

Die Temperatur der Flüssigkeit wurde messen.

3. die Zahlen – notieren – in einer Tabelle

Die Zahlen wurden in einer Tabelle notierten.

4. die Daten vergleichen

Die Daten wurden verglichen.

5. das Ergebnis – analysieren – im Seminar

Das Ergebnis wurde im Seminar analysierten.

6. der Bericht über das Experiment – im Internet – veröffentlichen

Der Bericht über das Experiment wurde im Internet veröffentlichten.

4   Ihr Partner / Ihre Partnerin hat noch Probleme mit dem Passiv und bittet Sie, seine Sätze zu korrigieren.

1. Der Kongress sollte eigentlich abgesagt ~~wird~~. *werden*

2. Er ~~wird~~ aber letzte Woche in Leipzig durchgeführt. *wurde*

3. Die Thesen vieler Wissenschaftler sind dort bestätigt ~~ge~~worden.

4. Viele Fragen ~~haben~~ trotzdem nicht beantwortet worden. *sind*

5. Die Forschungsgruppen aus dem Ausland ~~wurde~~ von Fachleuten betreut. *wurden*

5   Formen Sie die Passivsätze mit den angegebenen Passiversatzformen um.

1. Das Experiment kann auch von Kindern durchgeführt werden. (*sich lassen* + Infinitiv)

Das Experiment lässt sich von Kindern durchführen.

2. Das Ergebnis des Experiments kann einfach erklärt werden. (*sein* + *zu* + Infinitiv)

Das Ergebnis des Experiments ist einfach zu erklären.

3. Die Erklärung kann leicht nachvollzogen werden. (*sein* + Adjektiv mit Endung -*bar*)

Die Erklärung ist leicht nachvoll~~ziehbar~~ ziehbar.

4. Alle Fragen können beantwortet werden. (*sich lassen* + Infinitiv)

Alle Fragen lassen sich beantworten.

5. Der Versuch kann jederzeit wiederholt werden. (*sein* + Adjektiv mit Endung -*bar*)

Der Versuch ist jederzeit wiederholbar.

6a Adjektive mit *-bar* und *-lich*. Formen Sie die Sätze in Passivsätze mit *können* um.

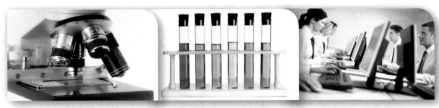

1. Fehler sind manchmal nicht vermeidbar.

   Fehler können manchmal nicht vermieden werden.

2. Manche Thesen sind nicht so leicht verständlich.

   Manche Thesen können nicht so leicht verstanden werden.

3. Das Mikroskop ist nicht reparierbar.

   Das Mikroskop kann ~~können~~ nicht repariert werden.

4. Reagenzgläser sind leicht zerbrechlich.

   Reagenzgläser können leicht zerbrochen werden.

5. Viele Fragen sind noch nicht beantwortbar.

   Viele Fragen können noch nicht beantwortet werden.

6. Das Verhalten der Testpersonen ist unerklärlich.

   Das Verhalten der Testpersonen ~~können~~ kann nicht erklärt werden.

b Adjektive mit *-bar*. Formen Sie die Sätze um.

1. Die Ergebnisse können gut verglichen werden.

   Die Ergebnisse sind gut ~~vergleichbar~~ vergleichbar

2. Viele Pläne können nicht realisiert werden.

   Viele Pläne sind unrealisier~~lich~~bar

3. Die Uni kann mit öffentlichen Verkehrsmitteln gut erreicht werden.

   Die Uni ist mit öffentlichen Verkehrsmitteln gut erreich~~lich~~bar

4. Handschriftliche Notizen können oft nicht gelesen werden.

   Handschriftliche Notizen sind oft ~~unleslich~~ nicht lesbar.

c Adjektive mit *-bar*. Erstellen Sie eine Liste mit den Adjektiven aus dem Lehrbuch- und Arbeitsbuchmodul. Ergänzen Sie weitere.

7 Passivsatzformen *sein + zu + Infinitiv* und *sich lassen*. Wählen Sie jeweils eine passende Form und formulieren Sie Sätze.

1. ~~viele Probleme – lösen~~
2. die Regeln – befolgen
3. viele Projekte im Bildungsbereich – nicht bezahlen
4. manche Ziele – nicht erreichen
5. das Computerprogramm – nicht starten
6. manche Aufgabenstellungen – schwer verstehen

wegen ihrer Formulierung
~~durch Gespräche~~
auch nach mehreren Versuchen
trotz großem Engagement
trotz finanzkräftiger Sponsoren
von allen Studenten

1. Viele Probleme lassen sich durch Gespräche lösen.

1 Lesen Sie die Aussagen und ordnen Sie die kursiven Ausdrücke den Bedeutungen a–e zu.

1. Jetzt sag schon, was los ist. Du musst *kein Blatt vor den Mund nehmen*.
2. In der Firma läuft es nicht so gut. Ich glaube, der Chef *hält mit vielem hinter dem Berg*.
3. Das ist doch gar nicht wahr! Da bist du ihm aber schön *auf den Leim gegangen*.
4. Ich bin so enttäuscht von ihm. Er hat mich jahrelang *hinters Licht geführt*.
5. Pass gut auf! Glaub ihm nicht alles. Er will dir *einen Bären aufbinden*.

a ____ jmd. verschweigt Informationen

b ____ offen sagen, was man denkt

c ____ jmd. bewusst täuschen

d ____ jmd. wird eine Lügengeschichte erzählt

e ____ jmd. hat eine Lüge geglaubt

2a Vermuten Sie. Was könnte passieren, wenn Sie eine Woche lang immer ehrlich wären?

b Lesen Sie den Artikel auf dieser und der folgenden Seite und vergleichen Sie mit Ihren Vermutungen.

Wie fühlt es sich an, richtig ehrlich zu sein?

Eine Woche lang nicht lügen, nur die Wahrheit sagen, auch wenn's unbequem oder verletzend ist. Autorin Anna Zeitlinger wagte den Selbstversuch.

1. _____

Es ist 9.13 Uhr. Ich bin erst eine Stunde wach und
5 habe es schon dreimal getan. Mit meinem Freund Stefan. Dem Mann von nebenan und dem Bäcker meines Vertrauens. Ich habe gelogen. Die nächsten Lügen sind schon im Anmarsch. Verkleidet im Deckmantel aus Höflichkeiten, Ausreden und Bequemlichkeiten.
10 Ich bin bisher ganz gut damit durchgekommen – mal abgesehen von dem schalen Beigeschmack, den jede Lüge, auch wenn sie noch so klein ist, bei mir hinterlässt.

Damit ist jetzt Schluss! Ich werde die Probe aufs
15 Exempel machen und die Wahrheit sagen. Eine ganze lange Woche. Und um ehrlich zu sein, habe ich kein gutes Gefühl dabei.

2. _____

Bleibt die Frage: Warum tue ich mir dieses Experiment überhaupt an? Vielleicht weil ich mit 33 Jahren
20 immer mehr zu mir selbst und meinen Bedürfnissen stehen möchte und mein „wahres" Gesicht nicht hinter Notlügen verstecken will – außerdem erwarte ich auch von anderen Menschen, gerade von Freunden, dass sie ehrlich zu mir sind.

3. _____

25 Die erste Herausforderung begegnet mir in Form eines weißen Turnschuhs. Auf dem U-Bahn-Sitz gegenüber von mir. Ein Typ hat's sich mit seinem Sneaker bequem gemacht. Mich macht das ärgerlich. Schließlich wollen andere Leute auch einen sauberen Platz.
30 Sie finden mich spießig? Ich mich auch irgendwie. Trotzdem sage ich meine Meinung: „Könnten Sie bitte Ihre Füße auf den Boden stellen? Ich finde das nicht passend …" Nicht passend? Habe ich das jetzt wirklich gesagt? Ich möchte sofort im Erdboden versinken. Stille.
35 „Alles klar." Der Turnschuh verschwindet vom Sitz. Eins zu null für die Ehrlichkeit. Endlich habe ich mich nicht selbst belogen, sondern mich zu meiner Spießigkeit bekannt. Mein Selbstbewusstsein wächst gen Himmel.

4. _____

Weiter geht's mit meinem Selbstversuch bei einer Shop-
40 pingtour mit meiner Freundin. Als sie strahlend mit ihrem Traumtop vor mir steht, sage ich ihr – natürlich so schonend wie möglich –, dass sie nicht die richtige Figur dafür habe und es nicht zu ihr passe. Kaum habe ich das ausgesprochen, fühle ich mich schuldig. Das
45 Funkeln in den Augen meiner Freundin ist erloschen, die Shoppingtour beendet. Ich gestehe: So ehrlich zu sein ist in diesem Fall für mich weder hilfreich noch angebracht gewesen.

5. _____

Bei einem Telefonat mit meinem besten Freund kommt
50 meine neue Ehrlichkeit besser davon. Ich bin völlig erledigt, er möchte mir sein Herz ausschütten. Früher
habe ich Ausreden erfunden oder gutmütig zugehört.
Heute bleibe ich bei der Wahrheit – und siehe da, er
zeigt zu meinem Erstaunen volles Verständnis.

55   Ich erlebe eine Mischung aus Erleichterung, Stolz
und Glück. Die Freundschaft habe ich dadurch weder
missachtet noch verloren. Manchmal ist die Wahrheit
auch ein Zeichen von Respekt: gegenüber Freunden
und vor allem gegenüber sich selbst.

6. _____

60 Zum Wochenende sind wir zu einer der langweiligen
Partys unseres Nachbarn eingeladen. Stefan und ich
möchten aber lieber den Abend für uns haben. Früher

hätte ich mich aus Anstand hingeschleppt. Jetzt spiele
ich die Absage in Gedanken durch. Es kostet mich
65 Überwindung den Klingelknopf zu drücken, um dann
zu erklären, dass wir nicht kommen. Das mit der Langeweile verschweige ich – Ehrlichkeit bedeutet ja nicht
Unverschämtheit. Seine Reaktion: „Kein Problem!"

7. _____

Ich entspanne mich in meiner Woche der Wahrheit
70 und bemerke, wie viel Zeit ich plötzlich für mich
habe – nur weil ich nicht mehr lüge, um anderen zu
gefallen. Was Stefan betrifft, hatten wir erst heute ein
Gespräch. Stefan: „Trinkst du noch immer dein Wahr-
heitselixier?" Ich: „Ja." Stefan: „Und, habe ich abge-
75 nommen?" Ich: „Ja, ein bisschen." Ich denke: „Nein.
Aber ehrlich gesagt, ich liebe dich so oder so. Und
manchmal haben Lügen eben auch dicke Bäuche."

c **Notieren Sie die Überschriften bei den passenden Abschnitten.**

A Wenn Ehrlichkeit verletzt
B Mit Lügen in den Tag
C Ehrlichkeit macht selbstbewusst
D Wie man ehrlich und höflich absagt

E Ehrlichkeit statt Ausreden
F Gründe für das Experiment
G Ein ehrliches Fazit?

d **Welche positiven und welche negativen Erfahrungen macht die Autorin? Notieren Sie sie in der Tabelle und nennen Sie Beispiele.**

positiv	negativ
- hat sich nicht selbst belogen / gibt zu, dass sie bestimmte Dinge stören (U-Bahn)	

3 **Gar nicht wahr! Welche Verben passen in die Lücken? Arbeiten Sie mit dem Wörterbuch.**

jmd. betrügen   jmd./sich etw. vormachen   jmd. belügen
etw. erfinden   ~~schummeln~~   etw. verdrehen

1. Ein Spieleabend mit Sabina? Nein, danke.

   Die ___*schummelt*___ immer.

2. Karin hat gesagt, dass du gestern gar nicht bei ihr warst.

   Warum hast du mich _____?

3. Jochen liebt Maria und nicht dich. Da darfst du dir nichts _____.

4. Wann warst du denn in Amerika? Die Geschichte hast du doch _____!

5. Wie bitte? So stimmt das doch gar nicht. Du hast die Tatsachen total _____.

6. Das ist doch gar keine echte Rolex-Uhr. Wollen Sie mich _____?

1 Mensch – Umwelt – Natur. Bilden Sie Wortpaare.

A

~~die Brücke~~   die Gegenwart

              überleben

die Luft

        verbrennen   verschwinden

    die Vision   zerstören

B

    der Boden   aussterben

                    schützen

    die Erinnerung

                        überfluten

        ~~der Tunnel~~

    die Zukunft   zurückkehren

die Brücke – der Tunnel

2a Interview zum Thema „Kein Mensch auf der Welt". Lesen Sie das Interview und unterstreichen Sie die korrekte Form von *ein…* bzw. *kein…*

○ Hallo, wir sind von Radio Essen. Dürfen wir mit Ihnen ein kurzes Interview machen?

● Okay.

○ Stellen Sie sich vor, ab morgen gibt es die Welt nur noch ohne Menschen. Es gibt weit und breit   *NOM*

   (1) keins/keinen mehr. Was passiert dann?   *AKK.*

● Ach, dazu gibt es doch schon viele Theorien.

○ Aha, dann nennen Sie doch bitte mal (2) einen/eine.

● Manche sagen, dass die Natur ohne uns besser funktioniert. Im Fernsehen hat mal (3) einer/keins   *NOM → Mensch*

   gesagt, dass uns (4) keiner/keinen vermissen würde.   *NOM*

○ Und was würde besser sein?

● Die Tiere könnten in Ruhe leben, (5) keine/keins müsste für unser Essen sterben. Die Pflanzen   *NOM Tier*

   könnten wieder überall wachsen. Dazu gibt es bestimmt Studien.

○ Ja, in (6) eine/einer davon wird auch gesagt, dass die Städte in wenigen Jahren verschwinden.   *DAT studie*

● Okay, aber (7) kein/keine so große wie New York.   *die Stadt NOM*

○ Wahrscheinlich. Und sonst?

● Keine Ahnung. (8) Eins/Eine ist mir noch nicht klar. Was passiert mit unserem Müll?   *die [Das]*

○ Das ist sicher (9) eine/einer der interessantesten Fragen.   *Fragen NOM*

● Ich glaube aber, dass das kaum (10) einen/einer interessiert. Es kümmert doch (11) keinen/keiner,   *NOM*

   was nach uns passiert.

b *ein…* oder *kein…*? Arbeiten Sie zu dritt. Jede/r schreibt fünf Nomen auf Karten. A zieht eine Karte von B und stellt B und C eine Frage. B und C antworten wie im Beispiel.

B

das Auto

> A Kaufst du dir bald ein neues Auto?

> B Ja, ich hab' schon eins gesehen, das mir gefällt.

> C Nein, ich kaufe keins. Ich habe kein Geld. Und du?

3 Sagen Sie es allgemeiner mit *irgend*… Formen Sie die Sätze um und verwenden Sie Indefinitpronomen.

1. <u>In Zukunft</u> wird die Natur sehr große Schäden aufweisen.
irgendwer 2. <u>Jemand von uns</u> muss neue Ideen für den Umweltschutz entwickeln.
irgendwas 3. Wir müssen <u>Aktionen</u> zum Schutz der Natur organisieren.
irgendwann 4. Eine zerstörte Natur wird dem Menschen <u>bald</u> große Probleme machen. *wird*
irgendwer 5. <u>Einige Personen</u> werden statt an die Umwelt immer an den Profit denken.
irgendwas 6. Jeder kann <u>verschiedene Dinge</u> verbessern und wir können damit <u>überall</u> beginnen. *irgendwo*

1. Irgendwann wird die Natur sehr große Schäden aufweisen.

 4 Ein Flughafen mitten im Naturschutzgebiet? Weiß irgendwer irgendwas darüber? Ergänzen Sie die Indefinitpronomen.

> ~~einem~~ ~~einen~~ ~~einen~~ ~~einer~~ ~~irgendwas~~
> ~~irgendwem~~ ~~irgendwen~~ ~~irgendwer~~ ~~irgendwo~~
> ~~jemand~~   ~~jemandem~~   ~~jemanden~~

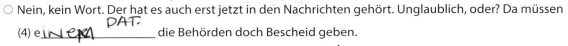

○ Hast du das mit dem neuen Flughafen gehört?

● Ja, gestern in den Nachrichten. Da will doch wieder

　(1) _irgendwer_ viel Geld verdienen.

○ Ich kenne (2) e*inen* AKK , der da wohnt.

● Und dem hat keiner (3) i*rgendwas* gesagt?

○ Nein, kein Wort. Der hat es auch erst jetzt in den Nachrichten gehört. Unglaublich, oder? Da müssen

　(4) e*inem* DAT. die Behörden doch Bescheid geben.

● Richtig. Da müsste man sich beschweren. (5) J*emand* muss dafür doch verantwortlich sein

　und die Leute ordentlich informieren.

○ Ja, man muss (6) i*rgendwen* finden, der etwas Genaues sagen kann.

● Aber (7) jem*andem* DAT. wie uns geben die ja keine Informationen!

○ Dann muss eben von (8) i*rgendwem* eine Bürgerinitiative gegründet werden.

● Gute Idee. Die können doch nicht (9) i*rgendwo*/*irgendwas* bauen. Es gibt doch Gesetze.

○ Genau. Da sind wir alle betroffen. Denen muss (10) e*iner* mal die Meinung sagen.

● Und? Kennst du (11) e*inen* , der das machen will? Du vielleicht?

○ Wieso ich? Da müssen wir (12) j*emanden* finden, der Zeit dafür hat.

 5 Antworten Sie mit dem „Gegenteil".

1. Hast du schon <u>etwas</u> von Alan Weisman gelesen?
2. Gibt es nichts, was wir im Alltag für die Umwelt tun können?
3. Hast du schon jemanden für unsere Aktion angesprochen?
4. Kennst du niemanden, der ein Experte ist?
5. Ist jemand in der Umweltinitiative, den wir kennen?
6. Die Aktionen laufen so langsam. Ich glaube, wir haben nie Erfolg.
7. Ich habe schon überall Plakate mit neuen Umweltaktionen gesehen.

> *1. Nein, ich habe noch <u>nichts</u>*
> *von ihm gelesen.*

> *2. Doch, wir …*

1a Lesen Sie die Redemittel und formulieren Sie Überschriften zu jeder Kategorie.

1 _____	2 _____	3 _____
In diesem Text geht es um … Der Artikel handelt von … Die Hauptaussage / wichtigste Aussage des Textes ist …	Dazu fällt mir folgendes Beispiel ein: … Ein Beispiel hierfür ist: … Als Beispiel kann man Folgendes nennen: … Ich musste da an … denken.	Ich bin der Ansicht, dass … Ich bin anderer Meinung. Ich verstehe das völlig/gut/überhaupt nicht … Ich kann dem (nicht) zustimmen. Ich halte diese Meinung/Aussage/Vorstellung/… für richtig/falsch/verkehrt/einleuchtend.

b Arbeiten Sie zu zweit. Jeder wählt einen Text und notiert die Hauptaussage.

> **Gesund bleiben**
> Für die Gesundheit ist guter Schlaf das Wichtigste. Wer zu viel Stress hat und abends nicht abschalten kann, sollte Sport machen oder etwas Schönes mit Freunden unternehmen. Wenn man zu wenig schläft, dann spielt es auch keine Rolle, wie gesund man sonst lebt. Gesunder Schlaf ist die Basis.

> **Lernen und Schlaf**
> Ausgeruht funktioniert unser Gehirn am besten. Wer zu wenig schläft, kann sich nichts merken. Informationen, die man kurz vor dem Schlafen lernt, kann man besonders gut behalten. Und oft kann man Aufgaben, die man abends nicht bewältigen konnte, am Morgen ohne Probleme lösen.

 c Präsentieren Sie Ihrem Gesprächspartner / Ihrer Gesprächspartnerin Thema und Inhalt Ihres Textes. Nehmen Sie kurz persönlich Stellung.

- Welche Aussage enthält der Text?
- Welche Beispiele fallen Ihnen dazu ein?
- Welche Meinung haben Sie dazu?

Sprechen Sie circa drei Minuten.

 2a Welcher Satz passt in welchen Dialog?

> Man soll keine schlafenden Hunde wecken   Lass uns noch mal darüber schlafen
 Das ist echt ein verschlafenes Nest

1. ○ In diesem Ort ist ja überhaupt nichts los. Hier gibt es ja noch nicht mal ein schönes Café.

   ◉ Das stimmt. _____.

2. ○ Wie machen wir das denn jetzt? Wir sollten uns wirklich mal entscheiden.

   ◉ _____. Morgen sehen wir schon klarer.

3. ○ Sprechen wir jetzt mit Herrn Müller über das Problem oder nicht?

   ◉ Nee, lieber nicht. _____.

b Welche Sprichwörter oder Ausdrücke zum Thema „Schlaf" gibt es in Ihrer Sprache? Sprechen Sie im Kurs.

3 Lesen Sie den Artikel und ergänzen Sie den Leserbrief.

Familiendenken in Unternehmen

Die Bundesregierung appelliert an die deutsche Wirtschaft, mehr für familienfreundliche Arbeitsbedingungen zu tun. Familienfreundlichkeit zahle sich aus – für die Wirtschaftlichkeit einer Firma ebenso wie für die
5 Zufriedenheit und Motivation der Mitarbeiter. So sind besonders flexible Arbeitszeitmodelle wichtig und die Möglichkeit, auch von zu Hause aus arbeiten zu können. Unternehmen, die eine firmeninterne Kinderbetreuung anbieten, schneiden in Umfragen unter Arbeit-
10 nehmern besonders gut ab.

Heidelberg, den 19.04.20…

Ihr Artikel „Familiendenken in Unternehmen"

Sehr geehrte Damen und Herren,

mit großem Interesse habe ich Ihren Artikel „Familiendenken in Unternehmen" gelesen, denn ich …

Ich vertrete den Standpunkt, dass Familie und Beruf …

Deshalb sollte man …

Abschließend möchte ich noch sagen, …

Mit freundlichen Grüßen
…

Aussprache: Fremdwörter ändern sich

26

1a Hören Sie zu und markieren Sie den Wortakzent. Wo liegt der Akzent?

1. die Musik   2. das Labor   3. die Ökonomie   4. die Biologie   5. das Training   6. die Region

27

b Hören Sie nun die verwandten Wörter und markieren Sie auch hier den Wortakzent. Wie ändert er sich?

1. musikalisch   2. der Laborant   3. der Ökonom   4. biologisch   5. trainieren   6. regional

28

c Hören Sie noch einmal alle Wörter und sprechen Sie nach.

TIPP Bei fremden Wörtern kann der Wortakzent bei Nomen, Verben und Adjektiven unterschiedlich sein. Für die Aussprache lernt man die Wörter aus einer Wortfamilie am besten zusammen.

> *die Ökologie*
> *der Ökologe / die Ökologin*
> *ökologisch*

So schätze ich mich nach Kapitel 5 ein: Ich kann …	+	○	−
… ausführliche Erläuterungen zum Thema „Lügen" in einem Radiofeature verstehen. ▶M2, A2	☐	☐	☐
… in einem Interview zum Thema „Mittagsschlaf" detailliert dargestellte Sachverhalte verstehen. ▶M4, A3	☐	☐	☐
… in einem Radiobeitrag Meinungen und Informationen über die KinderUni verstehen. ▶AB M1, Ü1	☐	☐	☐
… Informationen in einem Text zum Thema „Kinder und Wissenschaft" verstehen. ▶M1, A2a, b	☐	☐	☐
… die wichtigsten Aussagen zu einem Experiment zum Thema „Die Wahrheit sagen" in einem Artikel verstehen. ▶AB M2, Ü2	☐	☐	☐
… in einem Artikel zum Thema „Die Erde ohne Menschen" detaillierte Informationen verstehen. ▶M3, A2a	☐	☐	☐
… einen Artikel zum Thema „Schlafen" verstehen. ▶M4, A2	☐	☐	☐
… Vermutungen darüber anstellen, wie die Zukunft der Erde ohne Menschen aussehen würde. ▶M3, A1a	☐	☐	☐
… Vorschläge zu einem besseren Umgang mit der Umwelt machen. ▶M3, A4	☐	☐	☐
… über Schlafgewohnheiten berichten. ▶M4, A1a	☐	☐	☐
… in einem Rollenspiel über bessere Arbeitsbedingungen diskutieren und dabei Vorschläge machen und Argumente vorbringen. ▶M4, A6a, b	☐	☐	☐
… zu einem kurzen Text Stellung nehmen und passende Beispiele nennen. ▶AB M4, Ü1a–c	☐	☐	☐
… einen Leserbrief schreiben und dabei meine Meinung äußern. ▶M4, A5, AB M4, Ü3	☐	☐	☐
… über ein (erfundenes) Erlebnis schreiben. ▶M3, A4	☐	☐	☐

Das habe ich zusätzlich zum Buch auf Deutsch gemacht (Projekte, Internet, Filme, Lesetexte, …):

Datum: Aktivität:

_____   _____

_____   _____

_____   _____

_____   _____

_____   _____

_____   _____

Grammatik und Wortschatz weiterüben: interaktive Übungen unter www.aspekte.biz/online-uebungen2

Wortschatz

Modul 1 Wissenschaft für Kinder

abbauen		das Labor, -e	laboratory
die Anleitung, -en	instruction	das Molekül, -e	Molecule
außergewöhnlich	extraordinary	die Naturwissenschaft, -en	science
der Bedarf	demand	das Phänomen, -e	phenomenon
durchführen	to execute/perform	die Scheu	awe/dread
das Experiment, -e	experiment	schrumpfen	to shrink/diminish
die Forschung, -en	Research	überlebenswichtig	essential for survival
heranführen an	to lead so. to sth.	das Umfeld	environment
konzipieren	to draft/design	verschärfen	to tighten sth.

Modul 2 Wer einmal lügt, …

abstrakt		der/die Proband/in, -en/-nen	
bewerten		regulieren	
ertragen (erträgt, ertrug, hat ertragen)		schwindeln	
glaubwürdig		übertreiben (übertreibt, übertrieb, hat übertrieben)	
ignorieren			
intellektuell			
das Kompliment, -e		die Untersuchung, -en	
die Lüge, -n		wünschenswert	

Modul 3 Ist da jemand?

aufhalten (hält auf, hielt auf, hat aufgehalten)		der Kunststoff, -e	
auskommen mit/ohne (kommt aus, kam aus, ist ausgekommen)		leiden an (leidet, litt, hat gelitten)	
		der/die Ökologe/Ökologin, -n/-nen	
aussterben (stirbt aus, starb aus, ist ausgestorben)		die Prognose, -n	
		radioaktiv	
		die Stromleitung, -en	
sich erholen		vermissen	
die Industrialisierung		die Vision, -en	
intakt		der Zerfall	

Modul 4   **Gute Nacht!**

ausreichend	_____	die Lebenskunst	_____
ausschlafen (schläft aus,	_____	das Nickerchen, -	_____
schlief aus, hat aus-		der Schlafmangel	_____
geschlafen)		verarbeiten	_____
dauerhaft	_____	verpennen (ugs.)	_____
dösen	_____	verschlafen (verschläft, ver-	_____
das Fazit, -s	_____	schlief, hat verschlafen)	
geheimnisvoll	_____	die Verschwendung	_____
heimlich	_____	sich trösten	_____
die Leistungsfähigkeit	_____	sich wälzen	_____

Wichtige Wortverbindungen

wie ausgewechselt sein

Begeisterung wecken

etw. im Griff haben

im Lauf der Zeit

jmd. an den Lippen hängen (hängt, hing,

hat gehangen)

Spuren hinterlassen (hinterlässt, hinterließ,

hat hinterlassen)

eine Tendenz zeigen

sich einen Vorteil verschaffen

etw./jmd. aus dem Weg gehen (geht, ging,

ist gegangen)

die Weichen stellen für

Wörter, die für mich wichtig sind:

_____   _____   _____   _____

_____   _____   _____   _____

_____   _____   _____   _____

Redemittel

Meinungen ausdrücken
B1+K1M2/B1+K1M4/B2K1M2/B2ABK1M4

Ich bin der Meinung/Ansicht/Auffassung, dass …
Meiner Meinung nach …
Ich stehe auf dem Standpunkt, dass …
Meines Erachtens …

Ich denke/meine/glaube/finde, dass …
Ich finde erstaunlich/überraschend, dass …
Ich bin (davon) überzeugt, dass …
Ich bin da geteilter Meinung. Auf der einen Seite …,
   auf der anderen Seite …

Zustimmung ausdrücken
B1+K1M4/B1+K3M2/B1+K5M4/B1+K8M2/
B1+K9M2/B2K1M4/B2K2M2

Der Meinung/Ansicht bin ich auch.
Das stimmt. / Das ist richtig. / Ja, genau.
Das ist eine gute Idee.
Es ist mit Sicherheit so, dass …
Ja, das sehe ich auch so / genauso …
Ich finde, … hat damit recht, dass …
Da kann ich mich nur anschließen.
Das kann ich nur bestätigen.

Ich bin ganz deiner/Ihrer Meinung.
Da hast du / haben Sie völlig recht.
Ja, das kann ich mir (gut) vorstellen.
Ich stimme dir/Ihnen/… zu, denn/da …
Ich finde es auch (nicht) richtig, dass …
Ich bin der gleichen Meinung wie …
Sie haben recht damit, dass …

Widerspruch/Ablehnung ausdrücken
B1+K1M4/B1+K2M4/B1+K3M2/
B1+K5M4/B1+K8M2/B1+K9M2/B2K1M4

Das stimmt meiner Meinung nach nicht.
Ich sehe das anders.
Ich finde aber, dass …
Das finde ich nicht so gut.
Es ist ganz sicher nicht so, dass …
Das kann ich mir überhaupt nicht vorstellen, weil …
Der Meinung bin ich auch, aber …
Ich sehe das etwas anders, denn …
Das halte ich für problematisch …

Das ist nicht richtig.
… finde ich gut, aber …
Es kann nicht sein, dass …
… halte ich für übertrieben.
Ich denke, diese Einstellung ist falsch, denn …
Das ist sicher richtig, allerdings …
Ich kann dieser Meinung nicht zustimmen, da …
Da muss ich wirklich widersprechen.

Äußerungen bewerten
B2ABK4M4

positiv/negativ
Ich halte diese Meinung für richtig/falsch, weil …
Meiner Meinung nach …
Ich bin anderer Meinung, denn …
Es stört (mich), wenn …
Ich kann dem Text (nicht) zustimmen, weil …
Ich sehe einen Vorteil/Nachteil darin, dass …
Von … kann keine Rede sein.
… ist ein/kein Gewinn.
Ich schätze es (nicht), wenn …
Wir haben endlich erreicht, dass …
… ist ein entscheidender Vorteil/Nachteil.

skeptisch
Es ist fraglich, ob …
… ist noch unklar.
Ich bezweifle, dass …
… ist ein problematischer Punkt.
Einige Zweifel gibt es noch bei …
Es bleibt abzuwarten, ob …

über eigene Erwartungen sprechen
B2K3M2

Ich nehme an, …
Ich könnte mir vorstellen, dass …

Eventuell/Wahrscheinlich …
Ich verspreche mir von …, dass …

(starke) Zweifel ausdrücken
B1+K1M4/B1+K2M4/B1+K9M2

Also, ich weiß nicht …
Ob das wirklich so ist?
Ich glaube/denke kaum, dass …
Ich sehe das völlig anders, da …
Versteh mich nicht falsch, aber …

Ich habe da so meine Zweifel, denn …
Stimmt das wirklich?
Ich bezweifle, dass …
Sag mal, wäre es nicht besser …?
Ja, aber ich bin mir noch nicht sicher …

Wichtigkeit ausdrücken
B1+K1M2/B1+K1M4/B1+K6M3/B2K3M2

Bei … ist … am wichtigsten.
Für mich ist es wichtig, dass …
Entscheidend für …, ist …

… bedeutet viel/wenig für mich.
Am wichtigsten ist für mich, dass …
Ein wichtiger Punkt ist …

Argumente/Gegenargumente nennen
B1+K5M2/B2K2M2

Ich bin der Ansicht/Meinung, dass …
Ein großer/wichtiger Vorteil von … ist, dass …
Ein weiterer Aspekt ist …
Es ist (auch) anzunehmen, dass …
Gerade bei … ist wichtig, dass …
Viel wichtiger als … finde ich …
Es ist logisch, dass …
Untersuchungen/Studien zeigen, dass …
Sicher sollten …
An erster Stelle steht für mich, dass …

Es stimmt zwar, dass …, aber …
Ich sehe ein Problem bei …
Das Gegenteil ist der Fall: …
Im Prinzip ist das richtig, trotzdem …
Dagegen spricht, dass …

Argumente verbinden
B1+K5M2/B1+K7M2

Zunächst einmal denke ich, dass …
Außerdem/Weiterhin ist für mich wichtig, dass …
Nicht zu vergessen ist …

Ein weiterer Vorteil/Nachteil ist, dass man … ist/hat.
Ich glaube darüber hinaus, dass man so besser …
Schließlich möchte ich noch darauf hinweisen, dass …

Vor- und Nachteile nennen
B2K1M2

Ein großer/wichtiger/entscheidender Vorteil/
    Nachteil ist, dass …
Ich bin davon überzeugt, dass … gut/schlecht ist.
Ich finde es praktisch, dass …

Einerseits ist es positiv, dass …, andererseits kann es
    auch problematisch sein, wenn …
Aus meiner Sicht ist es sehr nützlich/hilfreich, dass …

Vermutungen ausdrücken
B1+K5M1/B1+K6M1/B1+K6M4/B1+K8M3

Ich kann/könnte mir gut vorstellen, dass …
Es kann/könnte (gut) sein, dass …
Er/Sie wird … sein.
Im Alltag wird er/sie …
Es ist denkbar/möglich/vorstellbar, dass …

Vielleicht/Wahrscheinlich/Vermutlich ist/macht …
Ich vermute/glaube / nehme an, dass …
Er/Sie sieht aus wie …
Er/Sie wird vermutlich/wahrscheinlich …

Vorschläge machen
B1+K2M4/B1+K4M4/B1+K5M4/B1+K8M3/
B2K1M4/B2K5M4

Ich würde vorschlagen, dass …
Wir könnten doch … / Man könnte doch …
Dann kannst du ja jetzt …
Ich könnte …
Ich finde, man sollte …
Wir sollten auch …
Könnten Sie sich vorstellen, dass …?
Ich würde … gut finden, weil …

Hast du (nicht) Lust …?
Was hältst du / halten Sie von … / von folgendem
    Vorschlag: … / davon, wenn …?
Wenn du möchtest, kann ich …
Wie wäre es, wenn wir …?
Ich hätte da eine Idee: …
Ich könnte mir vorstellen, dass …
Aus diesem Grund würde ich vorschlagen, dass …

Redemittel

Gegenvorschläge machen

B1+K4M4/B1+K5M4/B2K1M4

Meinst du nicht, wir sollten lieber …?
Lass uns doch lieber …
Ich hätte einen anderen Vorschlag: …

Es wäre bestimmt viel besser, wenn wir …
Ich würde es besser finden, wenn …
Keine schlechte Idee, aber wie wär's, wenn wir …?

Vorschläge annehmen

B2K1M4/B2K5M4

Warum eigentlich nicht?
Das klingt gut / hört sich gut an.
Gut, dann sind wir uns ja einig.
Ich kann diesem Vorschlag nur zustimmen.

Ich denke, das könnte man umsetzen.
Meinetwegen können wir das so machen.
Ja, das könnte man so machen.
Das ist eine hervorragende Idee.

Vorschläge ablehnen

B2K5M4

Das halte ich für keine gute Idee.
Wie soll das funktionieren?
Das lässt sich nicht realisieren.

Dieser Vorschlag ist nicht durchführbar.
Das kann man so nicht machen.

sich einigen

B2K5M4

Wir könnten uns vielleicht auf Folgendes einigen: …
Dann können wir also festhalten, dass …
Schön, dann einigen wir uns also auf …

Wie wäre es mit einem Kompromiss: …?
Wären Sie damit einverstanden, wenn …?
Gut, dann machen wir es so.

Gefühle und Wünsche ausdrücken

B2K2M4

Ich würde mir wünschen, dass …
Ich würde mich freuen, wenn …
Ich fühle mich / Mir geht es …, wenn …
Ich glaube/denke, dass …
Ich finde es traurig, wenn …

Verlange ich zu viel, wenn …?
Für mich ist es schön/gut/leicht/…, wenn …
Ich bin echt davon enttäuscht, dass …
… macht mich sauer/wütend/…
Für mich ist wichtig, dass …

Verärgerung ausdrücken / Kritik üben

B2K4M4

Du könntest wenigstens mal …
Für mich wäre es leichter, wenn …
Ich verstehe nicht, wieso …
Kannst du mir mal sagen, warum …?

Es ist mir ein Rätsel, warum …
Ich habe keine Lust mehr, …
Ständig muss ich / machst du …

auf Kritik reagieren

B2K4M4

Tut mir leid, das ist mir gar nicht aufgefallen.
Ich kann dich schon verstehen, aber …
Was ist denn los? Ich habe/bin doch nur …
Deine Vorwürfe nerven total. Ich finde …

Du hast ja recht, aber …
Ich verstehe, was du meinst, aber …
Immer bist du am Meckern, dabei …

Probleme beschreiben

B1+K5M4

Für viele ist es problematisch, wenn …
… macht vielen (große) Schwierigkeiten.
Ich habe große Probleme damit, dass …

Es ist immer schwierig, …
… ist ein großes Problem.

Beschwerden ausdrücken und darauf reagieren   B1+K8M3/B1+K9M3

sich beschweren

Könnte ich bitte Ihren Chef sprechen?
Darauf hätten Sie hinweisen müssen.
Wenn Sie … hätten, hätte ich jetzt kein Problem.
Es kann doch nicht sein, dass …
Ich finde es nicht in Ordnung, dass …
Ich habe da ein Problem: …
Es kann doch nicht in Ihrem Sinn sein, dass …
Ich muss Ihnen leider sagen, dass …
… lässt zu wünschen übrig.
Es stört mich sehr, dass …
Ich möchte mich darüber beschweren, dass …

auf Beschwerden reagieren

Ich würde Sie bitten, sich an … zu wenden.
Wir könnten Ihnen … geben.
Könnten Sie bitte zu uns kommen?
Wir würden Ihnen eine Gutschrift geben.
Würden Sie mir das bitte alles schriftlich geben?
Entschuldigung, wir überprüfen das.
Ich kann Ihnen … anbieten.
Einen Moment bitte, ich regele das.
Oh, das tut mir sehr leid.
Wir kümmern uns sofort darum.

über Erfahrungen berichten   B1+K3M4/B1+K5M4/B2K2M2/B2K3M2

Ich habe ähnliche Erfahrungen gemacht, als …
Mir ging es ganz ähnlich, als …
Wir haben oft bemerkt, dass …
Wir haben gute/schlechte Erfahrungen mit … gemacht.
In meiner Kindheit habe ich …
Ich habe die Erfahrung gemacht, dass …

Es gibt viele Leute, die …
Bei mir war das damals so: …
Uns ging es mit/bei … so, dass …
Meine Erfahrungen haben mir gezeigt, dass …
Im Umgang mit … habe ich erlebt, dass …
Ich habe festgestellt, dass …

über interkulturelle Missverständnisse berichten   B2K1M3

In … gilt es als sehr unhöflich, wenn …
Wir konnten nicht verstehen, warum/dass …
Wir hatten kein Verständnis dafür, dass …
Von einem Freund aus … weiß ich, dass man dort
　leicht missverstanden wird, wenn man …

Ich habe gelesen, dass man in … nicht …
Als wir einmal Besuch von Freunden aus … hatten, …
Niemand wollte …
Als ich einmal in … war, ist mir etwas sehr Lustiges/
　Peinliches passiert: …

etwas vergleichen   B1+K3M4/B1+K6M3/B2K1M2

Im Gegensatz zu … mache ich immer …
Während …, mache ich …
In meinem Land ist die Situation ähnlich / ganz
　anders / nicht zu vergleichen, denn …

Bei uns ist … am wichtigsten.
Bei uns ist das ähnlich. Wir …
Bei mir ist das ganz anders: …
Während in …, ist die Situation in …

etwas beschreiben/vorstellen   B1+K3M1/B1+K8M1

Aussehen/Art beschreiben

Das macht man aus/mit …
Es ist/besteht aus …
Es ist ungefähr so groß/breit/lang wie …
Es ist rund/eckig/flach/oval/hohl/gebogen/…
Es ist schwer/leicht/dick/dünn/…
Es ist aus Holz/Metall/Plastik/Leder/…
Es ist … mm/cm/m lang/hoch/breit.
Es ist billig/preiswert/teuer/…
Es schmeckt/riecht nach …

Funktion beschreiben

Ich habe es gekauft, damit …
Besonders praktisch ist es, um …
Es eignet sich sehr gut zum …
Ich finde es sehr nützlich, weil …
Ich brauche/benutze es, um …
Dafür/Dazu verwende ich …
Dafür braucht man …
Das isst man an/zu …

Redemittel

sich zu einem Event äußern
B2K3M3

ein Event beschreiben
Bei dem Event sollen alle …
Man baut gemeinsam …, um …

Gefallen/Missfallen ausdrücken
Ich finde das Event …
Besonders gefällt mir daran …
Nicht so gut finde ich, dass …

Vorschläge für andere Events machen
Ich würde lieber …, als …
Anstatt gemeinsam … zu machen, sollte/könnte
    man …
Um ein gut funktionierendes Team zu bilden, müssen
    meiner Meinung nach vor allem …
Bei … lernt man … auch mal ganz anders kennen. Das
    finde ich …

eine Diskussion führen
B1+K10M2

um das Wort bitten / das Wort ergreifen
Dürfte ich dazu auch etwas sagen?
Ich möchte dazu etwas ergänzen.
Ich verstehe das schon, aber …
Glauben/Meinen Sie wirklich, dass …?
Da muss/möchte ich kurz einhaken: …
Entschuldigen Sie, wenn ich Sie unterbreche, …

sich nicht unterbrechen lassen
Lassen Sie mich bitte ausreden.
Ich möchte nur noch eines sagen: …
Einen Moment bitte, ich möchte nur noch …
Augenblick noch, ich bin gleich fertig.
Lassen Sie mich noch den Gedanken/Satz zu Ende
    bringen.

eine Grafik beschreiben
B1+K2M1

Einleitung
Die Grafik zeigt, …
Die Grafik informiert über …
Thema der Grafik ist …
Die Grafik stammt von … / aus dem Jahr …
In der Grafik wird/werden … verglichen/
    unterschieden.
Die Angaben werden in Prozent gemacht.

Hauptpunkte beschreiben
Es ist festzustellen, dass …
An erster/letzter Stelle steht/stehen …
Die meisten/wenigsten … / Am meisten/wenigsten …
Auffällig/Interessant/Bemerkenswert/… ist, dass …
Im Gegensatz/Unterschied zu …
Über die Hälfte der …
… Prozent finden/sagen/meinen …
Am wichtigsten/unwichtigsten …
Im Vergleich zu … / Verglichen mit …
Die Zahl der … ist wesentlich/erheblich höher/
    niedriger als die Zahl der …

eine E-Mail einleiten/beenden
B1+K2M4

einleiten
Danke für deine E-Mail.
Schön, von dir zu hören …
Ich habe mich sehr über deine E-Mail gefreut.

beenden
Ich freue mich auf eine Nachricht von dir.
Mach's gut und bis bald!
Mach dir noch eine schöne Woche und alles Gute.

eine Bewerbung schreiben
B2K3M4

Einleitung
in Ihrer oben genannten Anzeige …
da ich mich beruflich verändern möchte, …
vielen Dank für das informative und freundliche
    Telefonat.

bisherige Berufserfahrung/Erfolge
Nach erfolgreichem Abschluss meines …
In meiner jetzigen Tätigkeit als … bin ich …
Im Praktikum bei der Firma … habe ich gelernt,
    wie/dass …
Durch meine Tätigkeit als … weiß ich, dass …

Erwartungen an die Stelle
Von einem beruflichen Wechsel zu Ihrer Firma erhoffe
    ich mir, …
Mit dem Eintritt in Ihr Unternehmen verbinde ich die
    Erwartung, …

Eintrittstermin
Mit der Tätigkeit als … kann ich zum … beginnen.

Schlusssatz
Ich freue mich darauf, Sie in einem persönlichen
    Gespräch kennenzulernen.

einen Leserbrief schreiben B2K5M4

eine Reaktion einleiten
Mit großem Interesse habe ich Ihren Artikel „…"
    gelesen.
Ihr Artikel „…" spricht ein interessantes/wichtiges
    Thema an.

Meinung äußern und Argumente abwägen
Ich vertrete die Meinung / die Ansicht / den
    Standpunkt, dass …
Meiner Meinung nach …
Man sollte bedenken, dass …
Ein wichtiges Argument für/gegen … ist die
    Tatsache, dass …
Zwar …, aber … / Einerseits …, andererseits …
Dafür/Dagegen spricht …

Beispiele und eigene Erfahrungen anführen
Ich kann dazu folgendes Beispiel nennen: …
Man sieht das deutlich an folgendem Beispiel: …
An folgendem Beispiel kann man besonders gut sehen,
    dass/wie …
Meine eigenen Erfahrungen haben mir gezeigt, dass …
Aus meiner Erfahrung kann ich nur bestätigen, …

zusammenfassen
Insgesamt kann man feststellen, …
Zusammenfassend lässt sich sagen, …
Abschließend möchte ich nochmals betonen, …

ein Referat / einen Vortrag halten B1+K10M4

Einleitung
Das Thema meines Referats/Vortrags lautet/ist …
Ich spreche heute über das Thema …
Ich möchte euch/Ihnen heute folgendes Thema
    präsentieren: …
In meinem Vortrag geht es um …

Übergänge
Nun spreche ich über …
Ich komme jetzt zum zweiten/nächsten Teil/Beispiel.
Soweit der erste Teil. Nun möchte ich mich dem
    zweiten Teil zuwenden.

wichtige Punkte hervorheben
Das ist besonders wichtig/interessant, weil …
Ich möchte betonen, dass …
Man darf nicht vergessen, dass …

auf Folien/Abbildungen verweisen
Ich habe einige Folien zum Thema vorbereitet.
Auf dieser / der nächsten Folie sehen Sie …
Wie Sie auf der Folie sehr gut erkennen können, ist/
    sind …

Strukturierung
Mein Referat/Vortrag besteht aus drei/vier/… Teilen: …
Ich möchte einen kurzen Überblick über … geben.
Zuerst spreche ich über …, dann komme ich im zweiten
    Teil zu … und zuletzt befasse ich mich mit …
Zuerst möchte ich über … sprechen und dann etwas
    zum Thema … sagen. Im dritten Teil geht es dann
    um … und zum Schluss möchte ich noch auf …
    eingehen.

Interesse wecken
Wussten Sie eigentlich, dass …?
Ist Ihnen schon mal aufgefallen, dass …?
Finden Sie nicht auch, dass …?

Dank und Schluss
Ich komme jetzt zum Schluss.
Zusammenfassend möchte ich sagen, …
Abschließend möchte ich noch erwähnen, …
Lassen Sie mich zum Schluss noch sagen, dass …
Zum Abschluss möchte ich also die Frage stellen, ob …
Gibt es noch Fragen?
Vielen Dank für Ihre Aufmerksamkeit.

eine besondere Person präsentieren B1+K1M3

Herkunft/Biografisches
Ich möchte gern … vorstellen.
Er/Sie kommt aus … und wurde … geboren.
Er/Sie lebte in …
Von Beruf war er/sie …
Seine/Ihre Eltern waren …
Er/Sie kam aus einer … Familie.

Leistungen
Er/Sie wurde bekannt, weil …
Er/Sie entdeckte/erforschte/untersuchte …
Er/Sie experimentierte/arbeitete mit …
Er/Sie schrieb/formulierte/erklärte …
Er/Sie kämpfte für/gegen …
Er/Sie engagierte sich für … / setzte sich für … ein.
Er/Sie rettete/organisierte/gründete …

Redemittel

über einen Film schreiben B1+K4M4

Der Film heißt …
Der Film „…" ist eine moderne Komödie / ein Spielfilm / …
In dem Film geht es um … / Er handelt von … / Im Mittelpunkt steht …
Der Film spielt in … / Schauplatz des Films ist …
Die Hauptpersonen im Film sind … / Der Hauptdarsteller ist …
Die Regisseurin ist … / Den Regisseur kennt man bereits von den Filmen „…" und „…"
Besonders die Schauspieler sind überzeugend/hervorragend/…
Man sieht deutlich, dass … / … stört nicht, denn …

einen Text zusammenfassen und darüber diskutieren B2K4M4/B2ABK5M4

Zusammenfassung einleiten / Aussagen wiedergeben

In dem/diesem Text geht es um …
Der Text/Artikel handelt von …
Das Thema des Textes ist …
Der Text behandelt die Themen … / die Frage, …
Die Hauptaussage / wichtigste Aussage ist: …
Im Text wird behauptet, dass …

interessante Inhalte nennen

Ich finde besonders auffällig/bemerkenswert, dass …
Am besten gefällt mir …
Ein wichtiges Ergebnis aus dem Text ist für mich …
Ein wesentlicher Aspekt / Eine wichtige Aussage ist …

über eigene Erfahrungen berichten

Ich habe erlebt, dass …
Aus meiner Erfahrung kann ich dazu nur sagen, dass …
Ich habe immer wieder festgestellt, dass …

zustimmen

Aus meiner Position kann ich zustimmen, dass …
Auch ich glaube, dass …
Ich sehe es genauso, dass …
Ich verstehe das völlig/gut/…
Ich kann dem zustimmen.
Ich halte diese Meinung/Aussage/Vorstellung/… für richtig/einleuchtend/…

Informationen/Inhalte wiedergeben

Im ersten/zweiten/nächsten Abschnitt geht es um …
Der Abschnitt … handelt von …
Anschließend/Danach / Im Anschluss daran wird … beschrieben/dargestellt / darauf eingegangen, …
Der Text nennt folgende Beispiele: …

die eigene Meinung äußern

Zum Thema … bin ich der Ansicht, dass …
Ich meine/finde, dass …
Meiner Meinung/Ansicht nach …

eigene Beispiele nennen

Dazu fällt mir folgendes Beispiel ein: …
Mir fällt als Beispiel sofort … ein.
Ich möchte folgendes Beispiel anführen: …
Ein Beispiel hierfür ist: …
Als Beispiel kann man Folgendes nennen: …
Ich muss da an … denken.

widersprechen/bezweifeln

Dazu habe ich eine andere Meinung: …
Ich bin nicht sicher, ob …
Da möchte ich widersprechen, denn …
Ich verstehe das überhaupt nicht …
Ich kann dem nicht zustimmen.
Ich halte diese Meinung/Aussage/Vorstellung/… für falsch/verkehrt/…

Zusammenfassungen abschließen

Zusammenfassend kann man sagen, dass …
Als Hauptaussage lässt sich festhalten, dass …

Verb

Passiv mit *werden* – Vorgangspassiv

B1+K10M1/B2K5M1

Man verwendet das Passiv mit *werden*, wenn ein Vorgang oder eine Aktion im Vordergrund stehen (und nicht eine handelnde Person).

Präsens	werde/wirst/wird/… + Partizip II	*Die Begeisterung wird geweckt.*
Präteritum	wurde/wurdest/wurde/… + Partizip II	*Die Begeisterung wurde geweckt.*
Perfekt	bin/bist/ist/… + Partizip II + *worden*	*Die Begeisterung ist geweckt worden.*
Plusquamperfekt	war/warst/war/… + Partizip II + *worden*	*Die Begeisterung war geweckt worden.*
mit Modalverb	Modalverb im Präsens/Präteritum + Partizip II + *werden*	*Die Begeisterung soll/sollte geweckt werden.*

Die meisten Verben mit Akkusativ können das Passiv bilden. Der Akkusativ im Aktiv-Satz wird im Passiv-Satz zum Nominativ. Andere Ergänzungen bleiben im Aktiv und im Passiv im gleichen Kasus.

Passiversatzformen

B2K5M1

Passiv
Die Experimente können bereits von Kindergartenkindern durchgeführt werden.

Passiv mit *müssen/können/sollen* → *sein* + *zu* + Infinitiv
Die Experimente <u>sind</u> bereits von Kindergartenkindern <u>durchzuführen</u>.

Passiv mit *können* → *sich lassen* + Infinitiv
Die Experimente <u>lassen sich</u> bereits von Kindergartenkindern <u>durchführen</u>.

Passiv mit *können* → *sein* + Adjektiv mit Endung -*bar/-lich*
Die Experimente <u>sind</u> bereits von Kindergartenkindern <u>durchführbar</u>.
Naturwissenschaftliche Phänomene <u>sind</u> so viel besser <u>verständlich</u>.

Nomen-Verb-Verbindungen

B2K4M3

Nomen-Verb-Verbindungen bestehen aus einem Verb, das nur eine grammatische Funktion hat, und einem Nomen, das die Bedeutung trägt. Manchmal kommt eine Präposition dazu. Es gibt zwei Typen:

Typ 1	Das Nomen und das zugrunde liegende Verb haben die gleiche Bedeutung: *jmd. in <u>Aufregung</u> versetzen = jmd. <u>aufregen</u>* *die <u>Flucht</u> ergreifen = <u>fliehen</u>* *eine <u>Wirkung</u> haben = <u>wirken</u>* *den <u>Anfang</u> machen = <u>anfangen</u>* *sich <u>Hoffnungen</u> machen = <u>hoffen</u>*
Typ 2	Die Bedeutung der Nomen-Verb-Verbindung kann man nicht direkt vom Nomen ableiten: *unter Druck stehen = gestresst sein* *eine Rolle spielen = relevant/wichtig sein* *in Betracht kommen = möglich sein* *sich vor etw. in Acht nehmen = vorsichtig sein* *etwas in Frage stellen = etw. bezweifeln*

Nomen-Verb-Verbindungen können eine aktivische oder passivische Bedeutung haben:
Aktiv: *jmd. eine Frage stellen = jmd. fragen*   Passiv: *Beachtung finden = beachtet werden*

Eine Liste mit wichtigen Nomen-Verb-Verbindungen finden Sie im Anhang.

Pronomen

Indefinitpronomen

B2K5M3

Indefinitpronomen beziehen sich auf Personen, Orte, Zeiten und Dinge, die nicht genauer definiert werden. So bekommen Aussagen mit Indefinitpronomen einen allgemeinen Charakter.

Nominativ	*man*	*(k)einer/(k)eins/(k)eine*	*niemand*	*jemand*	*irgendwer*
Akkusativ		*(k)einen/(k)eins/(k)eine*	*niemanden**	*jemanden**	*irgendwen*
Dativ		*(k)einem/(k)einem/(k)einer*	*niemandem**	*jemandem**	*irgendwem*

* In der gesprochenen Sprache wird im Akkusativ und Dativ auch die Form des Nominativs benutzt:
  ○ *Hast du **jemand** getroffen, den du kennst?*   ● *Nein, **niemand**.*

	Indefinitpronomen		**Negation**
Person	*man, jemand, einer, irgendwer*	→	*niemand, keiner*
Ort	*irgendwo, irgendwoher, irgendwohin*	→	*nirgendwo, nirgendwoher, nirgendwohin, nirgends*
Zeit	*irgendwann*	→	*nie, niemals*
Dinge	*irgendwas, etwas, eins*	→	*nichts, keins*

Das Wort *es*

B2K2M3

es als Subjekt oder Objekt (obligatorisch)

	es als Subjekt	**es als Objekt**
Wetterverben	*es nieselt, es regnet, es hagelt, es schneit, es donnert, es blitzt, es gewittert, es stürmt*	
Tages- und Jahreszeiten	*Es ist Morgen. Es wird Nacht. Es wird Frühling.*	
Natur- und Zeiterscheinungen	*Es ist schon spät. Im Winter bleibt es lange dunkel. Es wird hell. Es zieht.*	
feste lexikalische Verbindungen	*es geht, es gibt, es ist, es eilt mit + D, es fehlt an + D, es geht um + A, es handelt sich um + A, es klappt mit + D, es kommt an auf + A*	*es abgesehen haben auf + A, es eilig haben, es ernst/leicht/schwer nehmen, es ernst meinen, es gut/schlecht haben, es gut/schlecht meinen mit + D, es in sich haben, es sich gut gehen lassen, es weit bringen*

Wenn *es* Objekt ist, steht *es* niemals auf Position 1.

es als Stellvertreter von dass-Sätzen oder Infinitivkonstruktionen

Es		ist	verwunderlich,	**dass** viele Menschen Smalltalk nicht mögen.
Dass viele Menschen Smalltalk nicht mögen,		ist	verwunderlich.	

Viele		lehnen	**es**	ab,	ein nichtssagendes Gespräch **zu** beginnen.
Ein nichtssagendes Gespräch **zu** beginnen,		lehnen	viele	ab.	

Steht der dass-Satz oder die Infinitivkonstruktion auf Position 1, entfällt *es*.

Negation

Negation

etwas ⟷ nichts	schon (ein)mal ⟷ noch nie
jemand/alle ⟷ niemand	immer ⟷ nie/niemals
irgendwo/überall ⟷ nirgendwo/nirgends	(immer) noch ⟷ nicht mehr / nie mehr
schon/bereits ⟷ noch nicht	

Negation mit Wortbildung

	verneint	Beispiele
des-/dis-/miss-	Nomen, Adjektive, Verben	*das Desinteresse, disqualifiziert, missverstehen*
un-/in-/il-/ir-/a-/ non-	Nomen, Adjektive	*das Unverständnis, die Intoleranz, illegal, irreal, atypisch, der Nonsens*
-los/-frei/-leer	Adjektive	*arbeitslos, alkoholfrei, inhaltsleer*
Nicht-	Nomen	*Nichtschwimmer*

Position von *nicht*

Wenn *nicht* einen ganzen Satz verneint, steht es am Ende des Satzes, vor dem zweiten Teil der Satzklammer (z. B. Partizip, Infinitiv, trennbarer Verbteil), vor Adjektiven, vor Präpositionen und Präpositionalergänzungen oder vor lokalen Angaben.

Wenn *nicht* einen Satzteil verneint, steht es direkt vor diesem Satzteil: **Nicht** <u>sie</u> hat das erlebt, sondern <u>ihre Freundin</u>.

Satz

Wortstellung im Satz

Angaben im Mittelfeld

Merkformel: tekamolo

Ich	bin	MITTELFELD				ausgewandert.
		letztes Jahr	*aus Liebe*	*ziemlich spontan*	*nach Australien*	
1	2	**tem**poral (Wann?)	**ka**usal (Warum?)	**mo**dal (Wie?)	**lo**kal (Wo?/Wohin?/Woher?)	Ende

Wenn man eine Angabe besonders betonen möchte, kann man sie z. B. auf Position 1 stellen. Dann steht das Subjekt direkt hinter dem Verb. Die Reihenfolge der übrigen Angaben bleibt gleich:

Aus Liebe bin ich letztes Jahr ziemlich spontan nach Australien ausgewandert.

Ergänzungen und Angaben im Mittelfeld

Ich	habe	ihnen	täglich	aus Heimweh	sehnsüchtig	mehrere SMS	nach Hause	geschickt.
		MITTELFELD						
1	2	Dativ	temporal	kausal	modal	Akkusativ	lokal	

Die Dativergänzung steht meistens vor der temporalen Angabe. Die Akkusativergänzung steht hinter den temporalen, kausalen und modalen Angaben und vor oder hinter der lokalen Angabe.

Stellung der Objekte im Satz
Die Reihenfolge der Objekte im Satz ist von der Wortart der Objekte abhängig:

Die Objekte sind:	Beispiele	Reihenfolge
Nomen	*Ich erkläre den Reisenden ihre Verbindung.*	erst Dativ, dann Akkusativ
Nomen und Pronomen	*Ich erkläre ihnen ihre Verbindung.* *Ich erkläre sie den Reisenden.*	erst Pronomen, dann Nomen
Pronomen	*Ich erkläre sie ihnen.*	erst Akkusativ, dann Dativ

Präpositionalergänzungen
Präpositionalergänzungen stehen normalerweise am Ende des Mittelfelds.
*Ella hat sich während eines Urlaubs unerwartet **in David** verliebt.*
*Sie wartet seit Monaten sehnsüchtig **auf den Besuch ihrer besten Freundin**.*

Zweiteilige Konnektoren

B2K3M1

Funktionen

Aufzählung	Jetzt habe ich **nicht nur** nette Kollegen, **sondern auch** abwechslungsreichere Aufgaben. Ich muss mich **sowohl** um das Design **als auch** um die Produktion kümmern.
„negative" Aufzählung	Ich habe **weder** über Stellenanzeigen in der Zeitung **noch** über Internetportale eine neue Stelle gefunden.
Vergleich	**Je** mehr Absagen ich bekam, **desto/umso** frustrierter wurde ich.
Alternative	**Entweder** kämpft man sich durch diese Praktikumszeit **oder** man findet wahrscheinlich nie eine Stelle.
Gegensatz/ Einschränkung	Bei dem Praktikum verdiene ich **zwar** nichts, **aber** ich sammle wichtige Berufserfahrung. **Einerseits** hat mir der Job gut gefallen, **andererseits** brauche ich immer neue Herausforderungen.

Zweiteilige Konnektoren können Sätze oder Satzteile verbinden.
weder ... noch, nicht nur ..., sondern auch und *sowohl ... als auch* verbinden meistens Satzteile.

Zwischen diesen zweiteiligen Konnektoren steht immer ein Komma:
nicht nur ..., sondern auch   *je ..., desto/umso*
zwar ..., aber   *einerseits ..., andererseits*

Satz

Vergleichssätze

B2K2M1

Vergleichssätze mit *als* und *wie*

Nebensätze mit *als* und *wie* drücken einen Vergleich aus. Sie hängen immer von einem Adjektiv ab. Das Verb steht am Ende.
Vergleichssätze werden bei Gleichheit mit *wie*, bei Ungleichheit und nach *ander(e)s* mit *als* eingeleitet:
1. Gleichheit: *so/genauso* + Grundform + *wie*
2. Ungleichheit: Komparativ + *als*, *anders* + *als* oder *etwas/nichts anderes* + *als*

Botschaften der Körpersprache nehmen wir **so schnell** *wahr,* **wie** *wir gesprochene Sprache aufnehmen.*
Wir achten instinktiv viel **mehr** *auf die Körpersprache,* **als** *wir meinen.*
Körpersignale aus anderen Kulturen bedeuten oft etwas **anderes***,* **als** *man denkt.*

Vergleichssätze mit *je ..., desto/umso ...*

Je eindeutiger die Signale sind,   *desto/umso* besser verstehen wir sie.

    Nebensatz   Hauptsatz
   je + Komparativ   *desto/umso* + Komparativ

Vergleichssätze mit *je ..., desto/umso ...* haben oft konditionale Bedeutung.
Wenn die Signale eindeutig sind, (dann) verstehen wir sie besser.

Konnektoren *um zu, ohne zu* und *(an)statt zu* + Infinitiv und Alternativen

B2K3M3

Bedeutung	*um/ohne/(an)statt* + *zu* + Infinitiv: gleiches Subjekt im Haupt- und Nebensatz	*damit, ohne dass, (an)statt dass:* unterschiedliche Subjekte im Haupt- und Nebensatz*	Alternativen
Absicht, Ziel, Zweck (final)	*Ich rufe an,* **um** *das Teamevent* **zu** *buchen.*	*Ich rufe an,* **damit** *die Firma ein Angebot erstellt.*	*Ich rufe an,* **weil** *ich das Teamevent buchen* **möchte***. Ich rufe* **zum** *Buchen des Teamevents an.*
Einschränkung (restriktiv)	*Ich habe lange gewartet,* **ohne** *ein Angebot* **zu** *bekommen.*	*Ich habe lange gewartet,* **ohne dass** *die Firma ein Angebot geschickt hat.*	*Ich habe lange gewartet,* **aber** *ich habe das Angebot* **nicht** *bekommen. Ich habe lange gewartet,* **trotzdem** *habe ich das Angebot nicht bekommen.*
Alternative oder Gegensatz (alternativ oder adversativ)	*(An)statt* *lange* **zu** *telefonieren, könntest du das Angebot fertig machen.*	*(An)statt dass* *wir lange telefonieren, könnten Sie mir das Angebot per Mail schicken.*	*Sie haben* **nicht** *telefoniert,* **sondern** *die Firma hat das Angebot per Mail schickt.*

* *damit* verwendet man auch bei gleichem Subjekt (*Ich rufe an, damit ich das Teamevent buchen kann.*).
  ohne dass und *anstatt dass* wird selten bei gleichem Subjekt verwendet.

169

Relativsätze

Relativpronomen *der, die, das*

Genus und Numerus des Relativpronomens richten sich nach dem Bezugswort.
Der Kasus richtet sich nach dem Verb im Relativsatz oder der Präposition.

Sie war die erste Frau*, die ich getroffen habe.*
+ Akk.

Sie war die erste Kollegin*, **mit** der ich gearbeitet habe.*
mit + Dat.

Relativpronomen *wo, wohin, woher*

Gibt ein Relativsatz einen Ort, eine Richtung oder einen Ausgangspunkt an, kann man statt Präposition und
Relativpronomen *wo, wohin, woher* verwenden.

Ich habe Anne in der Stadt kennengelernt, ... **wo** *wir gearbeitet haben.*	Ort
... **wohin** *ich gezogen bin.*	Richtung
... **woher** *mein Kollege kommt.*	Ausgangspunkt

Bei Städte- und Ländernamen benutzt man immer *wo, wohin, woher.*
Gabriel kommt aus São Paulo, **wo** *auch seine Familie lebt.*

Relativpronomen *was*

Bezieht sich das Relativpronomen auf einen ganzen Satz oder stehen die Pronomen *das, etwas, alles* und *nichts*
im Hauptsatz, dann verwendet man das Relativpronomen *was.*
Das, **was** *du suchst, gibt es nicht.*
Meine Beziehung ist etwas, **was** *mir viel bedeutet.*
Alles, **was** *er mir erzählt hat, habe ich schon gewusst.*
Es gibt nichts, **was** *ich meinem Freund verschweigen würde.*
Meine Schwester hat letztes Jahr geheiratet, **was** *mich sehr gefreut hat.*

Relativpronomen *wer*

Nominativ	*wer*
Akkusativ	*wen*
Dativ	*wem*

Relativsätze mit *wer* beschreiben eine unbestimmte Person näher. Der Nebensatz beginnt mit dem Relativpronomen *wer*, der Hauptsatz mit dem Demonstrativpronomen *der*. Der Kasus der Pronomen richtet sich nach
dem Verb im jeweiligen Satz. Wenn beide Pronomen im gleichen Kasus stehen, kann *der/den/dem* entfallen.

Bildung

Jemand	*hat Eintragungen bei der Polizei.*	*Er*	*hat sich seine Zukunft verbaut.*
Wer Nominativ	*Eintragungen bei der Polizei hat,*	**[der]** Nominativ	*hat sich seine Zukunft verbaut.*
Jemand	*kommt ins Taekwondo-Training.*	*Ihn*	*bringt der Trainer nicht zur Polizei.*
Wer Nominativ	*ins Taekwondo-Training kommt,*	**den** Akkusativ	*bringt der Trainer nicht zur Polizei.*
Jemandem	*bringt der Trainer Taekwondo bei.*	*Er*	*lernt Respekt und Fairness.*
Wem Dativ	*der Trainer Taekwondo beibringt,*	**der** Nominativ	*lernt Respekt und Fairness.*

Prüfungsvorbereitung / Auswertung

Im Lehrbuch sowie im Arbeitsbuch finden Sie Aufgaben, die auf die Prüfungen zum B2-Niveau des Goethe-Instituts und von TELC vorbereiten. Modelltests (auch zum Österreichischen Sprachdiplom B2 Mittelstufe Deutsch) finden Sie unter www.aspekte.biz im Bereich „Tests".

Fertigkeit	Goethe-Zertifikat B2	telc Deutsch B2
Leseverstehen		
Aufgabe/Teil 1	**AB** K3, M4, A3	**LB** K4, M2, A2
Aufgabe/Teil 2	**LB** K3, M2, A2a	**LB** K3, M2, A2a
Aufgabe/Teil 3	**AB** K4, M4, A4c	
Aufgabe/Teil 4	**AB** K2, M4, A2a	
Sprachbausteine		
Teil 1		**AB** K1, M1, A1
Teil 2		**AB** K2, M1, A1 **AB** K4, M2, A4
Hörverstehen		
Aufgabe/Teil 1	**AB** K3, M3, A1	
Aufgabe/Teil 2	**LB** K5, M2, A2b	**LB** K2, M4, A2a
Aufgabe/Teil 3		
Schriftlicher Ausdruck		
Aufgabe/Teil 1	**AB** K3, M2, A1 **LB** K5, M4, A5c	**AB** K1, M2, A1 (Bitte um Information) **AB** K3, M2, A1 (Leserbrief) **LB** K3, M4, A4b (Bewerbung) **LB** K5, M4, A5c (Leserbrief)
Aufgabe/Teil 2	**AB** K1, M3, A3	
Mündlicher Ausdruck		
Aufgabe/Teil 1	**AB** K5, M4, A1c	
Aufgabe/Teil 2		**LB** K4, M4, A3b
Aufgabe/Teil 3		**LB** K1, M4, A7

Lösungen zum Quiz, Kapitel 5, Auftakt

1. Das Mittelalter dauerte zehn Jahrhunderte. Es begann im 6. Jahrhundert und endete im 15. Jahrhundert. Über den genauen Anfang und das genaue Ende gibt es unterschiedliche Meinungen.
2. Für jeden Schritt aktiviert der Mensch 54 Muskeln.
3. Katzen verschlafen etwa 65–70 % ihres Lebens.
4. Das Femtometer ist die kleinste Längeneinheit. Sie entspricht 10^{-15} m.
5. 1883 meldete Gottlieb Daimler den ersten Einzylinder-Viertaktmotor mit Benzinverbrennung an, den er zusammen mit seinem Angestellten Wilhelm Maybach entwickelt hatte. Nicolaus August Otto hatte davor bereits einen Viertakt-Motor entwickelt, der aber mit Gas angetrieben wurde.
6. Olivenöl: 898 kcal, Speck: 810 kcal, Schokolade: 546 kcal
7. Die Sumerer. Als die älteste Schrift wird heute die Keilschrift betrachtet.
8. Laut OECD Gesundheitsstudie 2013 werden die Schweizer am ältesten (82,8 Jahre), dicht gefolgt von den Japanern (82,7 Jahre). In Spanien werden die Menschen im Durchschnitt 82,4 Jahre alt, in Schweden 81,9.
9. Eine Mücke schlägt pro Sekunde 1.000 Mal mit ihren Flügeln.
10. Die Donau ist am längsten mit 2880 km (ca. 680 km in Deutschland, 350 km in Österreich). Rhein: 1239 km (ca. 865 km in Deutschland, Rest in der Schweiz), Elbe: 1094 km (727 km durch Deutschland)

Vorlage für eigene Porträts einer Person

Name, Vorname(n)	
Nationalität	
geboren/gestorben am	
Beruf(e)	
bekannt für	
wichtige Lebensstationen	
Was sonst noch interessant ist (Filme, Engagement, Hobbies…)	

Vorlage für eigene Porträts eines Unternehmens / einer Organisation

Name	
Hauptsitz	
gegründet am/in/von	
Tätigkeitsfeld(er)	
bekannt für	
wichtige Daten/Entwicklungen	
Was sonst noch interessant ist (Engagement, Sponsoren …)	

Lösungen zum Arbeitsbuch

Kapitel 1   Heimat ist …

Wortschatz

Ü2 (1) Geburtsort, (2) vertraut, (3) Kindheit, (4) Welt, (5) Menschen, (6) Traditionen, (7) fremd, (8) zeitgemäß, (9) bedeutet, (10) Wurzeln, (11) Geruch, (12) Geborgenheit

Ü3 1. e, 2. b, 3. a, 4. c, 5. d

Ü4 1. das Ausland; 2. das Vorurteil, -e; 3. die Beziehung, -en; 4. der Unterschied, -e; 5. die Sehnsucht, -"e; 6. die Entscheidung, -en; 7. die Erfahrung, -en; 8. das Gefühl, -e; 9. die Regel, -n; 10. das Verhalten

Ü5 finden – verlieren, gemeinsam – allein, auswandern – einwandern, vertraut – fremd, das Heimweh – das Fernweh, sich erinnern – vergessen, sich fremd fühlen – sich geborgen fühlen, weggehen – zurückkehren, ablehnen – annehmen, sich bemühen – sich nicht anstrengen

Modul 1   Neue Heimat

Ü1 (1) b, (2) b, (3) c, (4) a, (5) a, (6) a, (7) b, (8) b, (9) b, (10) c

Ü2 2. Das Reisebüro hat sie ihm gegeben. 3. Der Beamte hat sie ihr erklärt. 4. Das Konsulat hat es ihr dann zugeschickt. 5. Ich hoffe, sie schicken uns viele E-Mails. 6. Ihre neue Stadt ist toll und im Sommer zeigen sie sie mir.

Ü3 2. Ich habe ihn dir doch schon zurückgegeben. 3. Ich habe sie ihm doch schon gegeben. 4. Ich habe ihn ihr schon gebracht. 5. Wir haben ihn ihm doch schon erklärt.

Ü4 2. Wegen eines Unwetters startete das Flugzeug mit großer Verspätung vom Flughafen Frankfurt. 3. Während des langen Fluges war mir wegen des Sturms ziemlich schlecht. 4. Ziemlich erschöpft fuhren wir nach unserer Ankunft zu Ellas Haus. 5. An unserem ersten Urlaubstag haben wir zusammen eine Stadtrundfahrt gemacht. 6. An den nächsten Tagen lagen wir wegen der starken Hitze meistens faul am Strand. 7. Im Urlaub ist die Zeit viel zu schnell vergangen. 8. Am Flughafen haben wir vor unserem Abflug noch schnell ein paar Andenken gekauft. 9. Gut erholt flogen wir nach drei Wochen wieder nach Hause zurück.

Ü5 2. Der Vermieter hat uns erst letzte Woche den neuen Mietvertrag geschickt. 3. Zum Abschied habe ich meiner Freundin gestern Blumen geschenkt. 4. Ich habe ihn ihr noch nicht vorgestellt. 5. Mein Bruder muss meiner Mutter jetzt öfter bei der Hausarbeit helfen.

Ü6a (1) von, (2) bei, (3) auf, (4) zu, (5) auf, (6) an, (7) um, (8) mit, (9) über, (10) an

Ü6b 1. Ella hat sich vor zwei Jahren auf einer Reise in einen Australier verliebt. 2. Daraufhin hat sie sich ziemlich schnell zu einem Umzug nach Australien entschlossen. 3. Nach der ersten großen Verliebtheit haben Ella und David sich ständig über ihre unterschiedlichen Zukunftsvorstellungen gestritten. 4. Leider hat sie sich schon kurze Zeit später von David getrennt. 5. Sie versteht sich mittlerweile wieder gut mit ihrem Exfreund und manchmal hilft er ihr bei bürokratischen Problemen.

Ü7 1. Auswandern in Zahlen: 100.000 Menschen verlassen Deutschland pro Jahr, 100.000 kommen pro Jahr zurück; 2. Sprache beherrschen, sonst Problem bei Arbeitssuche, viele Menschen schätzen die eigenen Sprachkenntnisse nicht realistisch ein; 3. Geld: genug besitzen, um einen Zeitraum zu überbrücken, ohne finanzielle Probleme zu bekommen; 4. Weitere Tipps: Land kennen, sich vorher über Arbeitserlaubnis informieren; 5. Beliebteste Auswanderungsziele der Deutschen: Schweiz und USA

Modul 2   Ein Land, viele Sprachen

(offene Schreibaufgabe)

Modul 3   Missverständliches

Ü2a 1. falsch, 2. richtig, 3. falsch, 4. richtig

Ü3 (3) kann, (4) ein, (5) gelernt, (6) anbieten können, (7) die, (8) solche, (9) wann, (10) gibt es, (11) die, (12) Ihnen

Ü4 1. Gestern Morgen ist niemand pünktlich ins Seminar gekommen. 2. Das habe ich noch nie erlebt. 3. Herr Müller hat im Meeting gestern nichts Interessantes gesagt. 4. Louis hat während seines Auslandsaufenthaltes keine Abenteuer erlebt. 5. So ein Reisesouvenir kann man nirgends/nirgendwo kaufen. 6. Ich habe schon viele Fotos gemacht. 7. Ich bin nicht mehr auf der Suche nach einem geeigneten Thema für meine Seminararbeit.

Ü5a 2. ungeduldig, 3. arbeitslos, 4. uninteressant, 5. unvernünftig, 6. intolerant, 7. irreparabel

Ü6a 2. Ich fand das Thema nicht interessant. 3. Die Schauspieler haben die interkulturellen Missverständnisse nicht (sehr) authentisch dargestellt. 4. Die Situationen waren nicht realistisch und ich fand die Szenen nicht spannend umgesetzt. 5. Die Musik war nicht gut. 6. Ich glaube, den Film sehe ich mir nicht noch einmal an.

Ü6b 2. Nein, sie / die Wohnung ist nicht weit weg vom Bahnhof. 3. Nein, er hat sich nicht über das Geschenk / darüber gefreut. / Nein, er hat sich über das Geschenk nicht gefreut. 4. Nein, die Reise war nicht (sehr) teuer. 5. Nein, ich habe noch nicht lange auf dich gewartet. 6. Nein, ich muss heute Abend nicht arbeiten / heute Abend muss ich nicht arbeiten.

Ü6c 2. Nicht ich komme heute mit, sondern meine Schwester. 3. Nicht Peter hat sich zum Seminar angemeldet, sondern Dieter. 4. Peter hat sich zum Seminar nicht angemeldet, sondern krankgemeldet. / Peter hat sich nicht zum Seminar angemeldet, (sondern) er hat sich nur darüber informiert. 5. Peter hat sich nicht zum Seminar angemeldet, sondern zum Ausflug.

Modul 4   Zu Hause in Deutschland

Ü1 (1) Pass, (2) Staatsbürgerschaft, (3) Einwohner, (4) Wurzeln, (5) Städte, (6) Staaten

Ü2a 1. Ansicht, 2. Standpunkt, 3. Auffassung, 4. Meinung

Ü2b 2. c, 3. a, 4. c, 5. b, 6. c, 7. a, 8. b, 9. c, 10. c, 11. b, 12. b, 13. c, 14. a, 15. b, unhöflich: 6, 9, 13

Ü3 1. beschäftigen, 2. nutzen, 3. empfinden, 4. lösen/diskutieren/meistern, 5. beantragen, 6. übernehmen, 7. meistern, 8. unterstützen, 9. diskutieren, 10. teilnehmen

Kapitel 2   Sprich mit mir!

Wortschatz

Ü1a 1. erwidern/erklären, 2. erklären, 3. protestieren/ schreien/schimpfen, 4. widersprechen/ protestieren, 5. flüstern, 6. stottern, 7. schimpfen/ schreien/protestieren, 8. behaupten, 9. schreien, 10. erzählen

Ü1b 2. sprechen, 3. ergänzen, 4. antworten, 5. ablehnen, 6. protestieren, 7. zustimmen, 8. erklären, 9. berichten, 10. lachen

Ü1c (2) antwortet, (3) lehnte ab, (4) protestiert/ widerspricht, (5) fragte, (6) stimmte zu, (7) lacht/ erzählt, (8) ergänzt

Ü2 1. Beratungsgespräch, 2. Selbstgespräch, 3. Vorstellungsgespräch, 4. Streitgespräch, 5. Mitarbeitergespräch

Ü3 (1) ansprechen, (2) mitsprechen, (3) aussprechen, (4) widersprechen, (5) besprechen, (6) versprochen

Modul 1   Gesten sagen mehr als tausend Worte …

Ü1 (1) ohne, (2) seinem, (3) was, (4) eigenes, (5) unterrichtete, (6) als, (7) zum, (8) Reaktionen, (9) entschlüsseln, (10) sowie

Ü2 2. B, 3. E, 4. C, 5. A

Ü3 (2) größere, (3) gute, (4) wichtigste, (5) fester, (6) entscheidend, (7) leichter, (8) mehr, (9) grundlegenden, (10) beweglichste

Ü4 1. als, 2. wie, 3. als, 4. als, 5. als

Ü5 Musterlösung:
1. Das Buch war genauso interessant, wie ich gedacht habe. 2. Der Film ist viel langweiliger, als ich gehört habe. 3. Das Wetter in Deutschland ist genauso schlecht, wie ich im Reiseführer gelesen habe. 4. Das Leben hier ist viel teurer, als ich gedacht habe. 5. Gesundes Essen ist viel besser, als ich angenommen habe. 6. Bewegung ist genauso wichtig, wie ich gehört habe.

Ü6 2. Je mehr man liest, desto/umso größer wird der Wortschatz. 3. Je öfter man Wörter wiederholt, desto/umso fester prägt man sie sich ein. 4. Je deutlicher du sprichst, desto/umso besser wirst du verstanden. 5. Je mehr du übst, desto/ umso sicherer wirst du.

Ü7 2. Je jünger Kinder sind, desto/umso schneller lernen sie. 3. Je mehr man lernt, desto/umso größer wird das Allgemeinwissen. 4. Je länger man im Ausland ist, desto/umso besser beherrscht man eine Sprache.

Modul 2   Sprachen kinderleicht?!

Ü1b 1. zehn; 2. Kroatisch, Spanisch, Französisch, Deutsch; 3. wer / welche Person

Ü1c

Spielerisch lernen	Lesen	Sprechen
– Ohne Anleitung/Regeln lernen – Sprache selbst ausprobieren, wann und wie man will (wie ein Kind) – Beispiele: Reihen mit ähnlichen Worten, Worte mit Emotionen verbinden	– Comics oder spannende Geschichten gelesen: Wörter schneller merken – Erst Wörter gelesen, dann Sätze, dann versucht, ein System zu erkennen – Gut für den Anfang	– Wichtig, um Sprache flüssig zu sprechen – Sätze nicht nur mit Grammatik bauen, auch durch Imitation – Hören, was andere sagen und nachsprechen – sich selbst beim Sprechen korrigieren, bis es richtig ist

Ü1e 1. Sprache selbst entdecken und ausprobieren, 2. mehr natürliche Sprache (mit Muttersprachlern sprechen, singen, Filme sehen), 3. viel Auswahl für Lesetexte (spannend, verrückt, Sport, Mode, Internet)

Ü1f 3 und 4

Ü2 Fachsprache, Kurssprache/Sprachkurs, Sprachlehrer, Muttersprache, Sprachniveau, Fremdsprache, Sprachwitz, Sprachbarriere, Spracherwerb, Alltagssprache, Sprachschule/ Schulsprache, Sprachbeherrschung, Aussprache, Sprachgefühl

Ü3a 1. d, 2. c, 3. f, 4. a, 5. b, 6. e

Modul 3   Smalltalk

Ü1 2. Am Wochenende wird es aber wärmer. 4. Ist es bei euch auch so regnerisch? 6. Für die Jahreszeit ist es zu warm. 8. Im Norden regnet es schon seit Wochen nicht mehr.

Ü2 A (1) es, (2) -, (3) es, (4) es, (5) es
B (1) es, (2) es, (3) -
C (1) es, (2) es, (3) -
D (1) es, (2) -, (3) es

Modul 4   Wenn zwei sich streiten, …

Ü2a 03 im, 04 denn, 05 sie, 06 aber, 07 diesem, 08 Ihre, 09 werden, 10 zu, 11 kann, 12 dass

Ü3a <u>konstruktiv</u>: zuhören, akzeptieren, tolerieren, einsehen, nachgeben, diskutieren, verstehen, vorschlagen
<u>destruktiv</u>: beleidigen, abblocken, schreien, brüllen, toben, ignorieren

Aussprache   mit Nachdruck sprechen

Ü1a zu, sprechen, unmöglich, unmöglich, richtig
Ärger, Party, Sprich

Ü1c A 2, 3, 4, 5; B 1, 3, 4; C 1, 5; D 3, 5

Kapitel 3   Arbeit ist das halbe Leben?

Wortschatz

Ü1a 2. A, 3. A, 4. C, 5. B, 6. C, 7. A/B/C, 8. B, 9. C, 10. C, 11. A/B/C, 12. B, 13. C, 14. A, 15. B, 16. C

Ü2 1. Nebenjob, 2. Teilzeitstelle, 3. Vorstellungs-gespräch, 4. Lebenslauf, 5. Herausforderung, 6. Karriere, 7. Abteilung

Ü3 a – k, b – h, c – f, d – i, e – j, g – l

Ü4a <u>waagrecht</u>: Berufserfahrung, Lebensunterhalt, Gehaltserhöhung, Vertrag
<u>senkrecht</u>: Karriere, Steuern, Beruf, Stelle

Ü4b 1. Beruf, 2. Stelle, 3. Vertrag, 4. Berufserfahrung, 5. Karriere, 6. Lebensunterhalt, 7. Gehaltser-höhung, 8. Steuern

Ü5 das Arbeitsklima, der Berufsverkehr, die Arbeitslosigkeit, der Arbeitsplatz, die Berufstätigkeit, die Berufserfahrung, die Arbeitserlaubnis, das Berufsgeheimnis, der Arbeitskollege, die Berufsschule, der Arbeit-nehmer, die Arbeitswoche, die Arbeitszeit, die Berufswahl, der Arbeitsvertrag, die Berufs-ausbildung, das Arbeitstempo

Modul 1   Mein Weg zum Job

Ü1 1. sammelt, 2. selbstständig, 3. fest,

4. übernommen, 5. knüpfen, 6. entlassen, 7. Absagen

Ü2a 1. Entweder studiert Max nach dem Abitur Medizin oder er macht eine Ausbildung. Max studiert entweder nach dem Abitur Medizin oder er macht eine Ausbildung. 2. Einerseits möchte Helena mit Menschen arbeiten, andererseits ist sie auch an Technik interessiert. Helena möchte einerseits mit Menschen arbeiten, andererseits ist sie auch an Technik interessiert.

Ü2b 1. Daniel macht weder Überstunden noch arbeitet er am Wochenende. 2. Tim will zwar Karriere machen, aber er will auch Zeit für seine Familie haben. 3. Linda studiert nicht nur an der Uni, sondern arbeitet auch jeden Tag. 4. Mika hat sowohl Bewerbungen im Inland verschickt, als auch im Ausland gesucht.

Ü2c Je mehr Bewerbungen Tina schreibt, desto schneller findet sie eine Stelle.

Ü3 2. zwar … aber, 3. Einerseits …, andererseits, 4. weder … noch, 5. sowohl … als auch, 6. nicht nur …, sondern auch, 7. Entweder … oder

Modul 2   Glücklich im Job?

Ü2 1. d, 2. g, 3. c, 4. f, 5. e, 6. h, 7. a, 8. b

Modul 3   Teamgeist

Ü1 1. 0179-84 33 17 09, 2. gegenüber der Firma, 3. 14:00–18:00, 4. auf dem Firmenparkplatz, 5. Frau Hilde Koeker

Ü2 1. um … zu, 2. anstatt … zu, 3. ohne … zu, 4. Um … zu, 5. Anstatt … zu, 6. ohne … zu

Ü3 1. Er ist nach Hause gegangen, ohne den Computer auszuschalten. 2. Wir haben ein Team-Seminar gemacht, um besser zusammenzu-arbeiten. 3. Unser Chef sollte bessere Computer anschaffen, anstatt das Geld für so ein Seminar auszugeben. 4. Ich rufe an, um mich für das Seminar anzumelden. 5. Ich habe lange mit meinem Kollegen gesprochen, ohne dass ich ihn überzeugen konnte. 6. Anstatt dass wir alle das Gleiche machen, sollten wir erst mal die Aufgaben verteilen.

Ü4 1. …, um Mitarbeiter zu motivieren. 2. …, anstatt in die Mitarbeiter zu investieren. 3. …, damit Computerprogramme effektiver genutzt werden. 4. …, ohne hektisch zu werden. 5. …, anstatt dass man Probleme für sich behält. 6. …, ohne dass Konflikte entstehen.

Modul 4   Werben Sie für sich!

Ü1 1. d, 2. c, 3. a, 4. e, 5. b

Lösungen zum Arbeitsbuch

Ü2 1. Bewerbung als, 2. Sehr geehrte, 3. auf Ihr Stellenangebot, 4. genannten Voraussetzungen, 5. bewerbe mich, 6. beschäftigt, 7. mich beruflich zu verändern, 8. benötige, 9. zu erteilen, 10. bereiten mir viel Freude, 11. beigefügten Unterlagen, 12. praktische Erfahrungen sammeln, 13. Vorstellungsgespräch

Ü3 1. D, 2. negativ, 3. E, 4. F, 5. C

Ü4 1. richtig, 2. falsch, 3. richtig, 4. falsch, 5. falsch, 6. richtig

Aussprache Konsonantenhäufung

Ü1a Kündig**u**ngsfr**i**st

Ü1d 1, 2, 5

Kapitel 4 Zusammen leben

Wortschatz

Ü1 Musterlösung:
Alltag: die Familie, der Verein, die Freizeit, die Behörde, die Ernährung, der Verkehr, die Medien, die Nachbarschaft, der Konsum, das Krankenhaus
Ausbildung/Beruf: die Bildung, die Universität, die Karriere, die Arbeitslosen, der Ausbildungs-platz, das Studium, der Abschluss, der Arbeits-platz
Politik: die Regierung, der/die Präsident/in, die Wahlen, der/die Minister/in, die Partei

Ü2 2. die Ernährung, 3. die Universität, 4. der Arbeitsplatz, 5. die Behörde, 6. das Krankenhaus, 7. der Verein, 8. der Abschluss

Ü3 1. *engagieren*, 2. *gründen*, 3. *regieren*, 4. *auf*bauen, 5. *an*packen, 6. *fördern*, 7. *ein*setzen, 8. *bei*tragen

Ü4 1. egoistisch, 2. rücksichtsvoll, 3. ignorant, 4. gewaltsam/gewaltvoll, 5. frei, 6. tolerant, 7. höflich, 8. aggressiv, 9. gerecht, 10. ideal/idealistisch

Ü5 die Gerechtigkeit, die Krankheit, der Reichtum, der Krieg, das Misstrauen, der Umweltschutz

Ü6 (2) Beispiel, (3) Formen, (4) Waren, (5) Entwicklung, (6) stark, (7) Menschen, (8) technische, (9) Jahren, (10) Informationen, (11) transportieren, (12) achten, (13) Produkte, (14) wichtiger, (15) Konsum, (16) beobachtet, (17) Verbindung

Modul 1 Sport gegen Gewalt

Ü1a 1. Einkaufszentrum, 2. Jugendliche, 3. Polizei, 4. Verhalten, 5. Verein, 6. Regeln, 7. Stress-situationen, 8. Hilfe/Unterstützung, 9. immer/jederzeit, 10. Sachbeschädigungen und Diebstähle / Straftaten

Ü1b 1. bewältigen, 2. übernehmen, 3. lernen, 4. halten, 5. vertreiben, 6. respektieren, 7. vermeiden, 8. entwickeln, 9. abschließen, 10. stellen

Ü2 1. die, 2. den, 3. deren, 4. der, 5. dessen, 6. dessen, 7. denen

Ü3 2. Wer sich fit fühlt, (der) ist leistungsfähig. 3. Wer leistungsfähig ist, (der) hat Erfolg im Beruf. 4. Wer Erfolg im Beruf hat, (der) verdient viel Geld. 5. Wer viel Geld verdient, hat keine finanziellen Sorgen.

Ü4 2. Wem es gefällt, andere Menschen zu trainieren, der könnte in einem Sportverein aktiv werden. 3. Wer soziale Kontakte sucht, dem hilft die Mitgliedschaft in einem Verein. 4. Wer körperlich nicht fit ist, den schickt der Arzt zum Sport. 5. Wen Yoga interessiert, der kann sich zu einem Kurs anmelden.

Ü5 1. Wer, (der), 2. Wer, dem, 3. Wem, der, 4. Wen, der, 5. wen, der

Modul 2 Armut

Ü1a <u>reich</u>: der Wohlstand, der Besitz, der Überfluss, das Eigentum, das Vermögen, die Ersparnisse
<u>arm</u>: die Geldnot, der Mangel, das Elend, die Notlage, die Bedürftigkeit, die Knappheit, die finanziellen Sorgen, die Schulden

Ü1b 1. unter Geldnot leiden, 2. über Eigentum ver-fügen, 3. Ersparnisse haben, 4. Schulden haben

Ü2 <u>waagrecht</u>: mittellos, zahlungskräftig, bedürftig, vermögend, wohlhabend
<u>senkrecht</u>: reich, bettelarm

Ü4 (1) direkt, (2) günstigen, (3) verkaufen, (4) das, (5) zu, (6) gemischt, (7) damit, (8) alles, (9) wer, (10) ausgedacht

Modul 3 Im Netz

Ü1a 2. e, 3. a, 4. f, 5. b, 6. c, 7. d

Ü1b 1. nehme Bezug, 2. hat ... Eindruck gemacht, 3. Kritik üben, 4. kommen ... zur Anwendung, 5. Antrag ... stellen, 6. steht ... zur Diskussion, 7. zum Ausdruck bringen

Ü2 1. b, 2. a, 3. b, 4. a

Ü3 2. Damit hat sich ein großer Wunsch der Mitarbei-ter erfüllt. 3. Diese Entscheidung hat alle beein-druckt. 4. Der Chef hat den Informatiker beauf-tragt, die Internetverbindung für alle einzurichten. 5. Jeder Mitarbeiter muss das Passwort ändern.

Ü4 2. Die Ergebnisse vieler Studien zur Internetsucht haben Anerkennung gefunden. 3. Viele Experten üben an den Eltern Kritik, weil sie den Internet-konsum ihrer Kinder zu wenig kontrollieren. 4. Die meisten Eltern geben sich Mühe, ihre Kinder zu einem vernünftigen Umgang mit dem Internet zu erziehen. 5. Deshalb fassen viele den

Entschluss, den Internetkonsum ihrer Kinder zu begrenzen.

Modul 4 Der kleine Unterschied

Ü2a 1. b; 2. a. 25%; b. 12%; c. 87%, 13%; 3. a; 4. c

Ü2b Patrick Benecke:
Beruf: Kosmetiker (früher: Maurer); Weg zum Job: zuerst Maurer: war nichts für ihn; Gespräch mit Familie und Freunden: → ästhetischer Beruf: erst Ausbildung zum Kosmetiker, dann eigener Salon
Reaktionen: Frauen in der Ausbildung erst skeptisch, dann aber in der Zusammenarbeit gut ergänzt. Im Salon: Alle erwarten eine Frau: Kundinnen überrascht, aber nur positive Reaktionen; Kunden am Anfang zurückhaltend, kommen aber immer wieder, weil bei einem Mann entspannter
Luis Meister:
Beruf: Arzthelfer (gelernter Krankenpfleger)
Weg zum Job: Krankenpfleger: + hat Spaß gemacht, – verschiedene Arbeitszeiten → massive körperliche Beschwerden; mit Problemen beim Hausarzt → Job als Arzthelfer angeboten, jetzt sein Chef
Reaktionen: Patienten denken, er ist der Arzt. Sprecher im Berufsverband: Engagement für mehr Lohn → Verhandlungspartner auch Männer
Jule Großberndt:
Beruf: Feinmechanikerin
Weg zum Job: kein Bürojob – wollte gerne mit Metall arbeiten, etwas bauen, technische Probleme erkennen und lösen → Ausbildung als Feinmechanikerin
Reaktionen: von Männern im Job akzeptiert/respektiert, als sie zeigte, was sie kann; dumme Sprüche (überhört sie); Kollegen wollen mehr Kolleginnen: Zusammenarbeit entspannter und weniger Konflikte

Ü3 positiv: Ich sehe einen Vorteil darin, dass … / Wir haben endlich erreicht, dass … / … ist ein Gewinn. / Ich schätze es, wenn …
negativ: … ist ein problematischer Punkt. / Von … kann keine Rede sein. / … ist ein entscheidender Nachteil.
skeptisch: Es ist fraglich, ob … / Ich bezweifle, dass … / … ist noch unklar. / Einige Zweifel gibt es noch bei … / Es bleibt abzuwarten, ob …

Ü4c 1. a, 2. b, 3. b, 4. a, 5. b

Aussprache stimmhaftes und stimmloses s und z

Ü1a weich (stimmhaft): Sonne, singen, Nase, Reise, Mäuse, Wiese, Hose, heiser

scharf (stimmlos): Kissen, Geheimnis, heißen, lassen, Lust, Kuss, Post, Bus, schließen, Schluss

Ü1c scharf (stimmlos) bei 2, 3, 4

Kapitel 5 Wer Wissen schafft, macht Wissenschaft

Wortschatz

Ü1 1. Hypothese, 2. Forschung, 3. Labor, 4. Theorie, 5. Universität, 6. Methode, 7. Formel, 8. Seminar, 9. Experiment, 10. Phänomen

Ü2 1. erforschen/analysieren/beobachten, 2. berechnet, 3. beobachten/erforschen, 4. erkennen/analysieren/entdecken, 5. analysiert/berechnet, 6. präsentiert(e), 7. entdeckt, 8. entwickelt/entdeckt

Ü3 1. betreiben, 2. durchführen/machen, 3. machen, 4. anwenden/formulieren, 5. aufstellen/formulieren, 6. erhalten, 7. aufstellen/formulieren

Ü4a Wo? Räume: der Hörsaal, das Labor, die Bibliothek
Womit? Instrumente/Geräte: die Pipette, das Reagenzglas, das Mikroskop
Wer? Menschen: der/die Assistent/in, der/die Doktorand/in, der/die Student/in, die Arbeitsgruppe, der/die Professor/in
Wie? Verfahren: die Studie, die Beobachtung, der Versuch, die Untersuchung, die Erhebung, die Umfrage

Modul 1 Wissenschaft für Kinder

Ü1 richtig: 1, 4, 5, 7

Ü2 2. anleiten, 3. die Motivation, 4. konzipieren, 5. die Konzentration, 6. gründen, 7. die Begeisterung, 8. experimentieren, 9. das Verständnis, 10. abbauen, 11. der Erwerb, 12. erklären

Ü3a 2. Die Experimentierkurse werden von Schulklassen regelmäßig besucht. 3. Die Experimente werden von Pädagogen genau und sorgfältig angeleitet. 4. Das Interesse an Naturwissenschaft wird mit diesen Aktionen geweckt.

Ü3b 2. Das Konzept ist von Wissenschaftlern und Pädagogen erarbeitet worden. 3. Die Experimente sind von Fachwissenschaftlern der Uni entwickelt worden. 4. Für Kinder ab 8 Jahren werden (von der Uni) Vorlesungen an der KinderUni angeboten.

Ü3c 2. Die Temperatur der Flüssigkeit wurde gemessen. 3. Die Zahlen wurden in einer Tabelle notiert. 4. Die Daten wurden verglichen. 5. Das Ergebnis wurde im Seminar analysiert.

6. Der Bericht über das Experiment wurde im Internet veröffentlicht.

Ü4 2. Er <u>wurde</u> … durchgeführt. 3. Die Thesen … sind dort bestätigt <u>worden</u>. 4. Viele Fragen <u>sind</u> trotzdem nicht beantwortet worden. 5. Die Forschungsgruppen … <u>wurden</u> … betreut. / Die <u>Forschungsgruppe</u> … wurde … betreut.

Ü5 1. Das Experiment lässt sich auch von Kindern durchführen. 2. Das Ergebnis des Experiments ist einfach zu erklären. 3. Die Erklärung ist leicht nachvollziehbar. 4. Alle Fragen lassen sich leicht beantworten. 5. Der Versuch ist jederzeit wiederholbar.

Ü6a 2. Manche Thesen können nicht so leicht verstanden werden. 3. Das Mikroskop kann nicht repariert werden. 4. Reagenzgläser können leicht zerbrochen werden. 5. Viele Fragen können noch nicht beantwortet werden. 6. Das Verhalten der Testpersonen kann nicht erklärt werden.

Ü6b 1. Die Ergebnisse sind gut vergleichbar. 2. Viele Pläne sind nicht realisierbar. 3. Die Uni ist mit öffentlichen Verkehrsmitteln gut erreichbar. 4. Handschriftliche Notizen sind oft nicht lesbar.

Ü7 2. Die Regeln sind von allen Studenten zu befolgen. 3. Viele Projekte im Bildungsbereich lassen sich trotz finanzkräftiger Sponsoren nicht bezahlen. / Viele Projekte im Bildungsbereich sind trotz finanzkräftiger Sponsoren nicht zu bezahlen. 4. Manche Ziele lassen sich trotz großem Engagement nicht erreichen. / Manche Ziele sind trotz großem Engagement nicht zu erreichen. 5. Das Computerprogramm lässt sich auch nach mehreren Versuchen nicht starten. 6. Manche Aufgabenstellungen sind wegen ihrer Formulierung schwer zu verstehen.

Modul 2 Wer einmal lügt, …

Ü1 a 2, b 1, c 4, d 5, e 3

Ü2c Abschnitt 1 – B, Abschnitt 2 – F, Abschnitt 3 – C, Abschnitt 4 – A, Abschnitt 5 – E, Abschnitt 6 – D, Abschnitt 7 – G

Ü2d <u>positiv</u>: hat sich nicht selbst belogen / gibt zu, dass sie bestimmte Dinge stören (U-Bahn) / Wahrheit schafft Respekt / Verständnis (Ehrlichkeit bei Telefonat) / ehrlich, aber nicht unverschämt absagen (Party) / mehr Zeit – muss anderen nicht gefallen
<u>negativ</u>: Sie findet ihre ehrliche Meinung spießig – schämt sich (U-Bahn) / Ehrlichkeit kann verletzen (Shoppingtour) / Wahrheit sagen kostet Überwindung (Party)

Ü3 2. belogen, 3. vormachen, 4. erfunden, 5. verdreht, 6. betrügen

Modul 3 Ist da jemand?

Ü1 die Brücke – der Tunnel, die Gegenwart – die Zukunft, die Luft – der Boden, überleben – aussterben, verbrennen – überfluten, verschwinden – zurückkehren, die Vision – die Erinnerung, zerstören – schützen

Ü2a (1) keinen, (2) eine, (3) einer, (4) keiner, (5) keins, (6) einer, (7) keine, (8) Eins, (9) eine, (10) einen, (11) keinen

Ü3 2. Irgendwer/Irgendjemand/Irgendeiner, 3. irgendwas, 4. irgendwann, 5. Irgendwer/Irgendjemand/Irgendeiner wird …, 6. Irgendwas, irgendwo

Ü4 (2) einen, (3) irgendwas, (4) einem, (5) Jemand, (6) irgendwen, (7) jemandem, (8) irgendwem, (9) irgendwo, (10) einer, (11) einen, (12) jemanden

Ü5 2. Doch, wir können etwas im Alltag für die Umwelt tun. 3. Nein, ich habe noch niemanden für unsere Aktion angesprochen. 4. Doch, ich kenne jemanden, der Experte ist. 5. Nein, es ist niemand in der Umweltinitiative, den wir kennen. 6. Doch, ich glaube, wir haben irgendwann Erfolg. 7. Ich habe noch nirgendwo/nirgends Plakate mit neuen Umweltaktionen gesehen.

Modul 4 Gute Nacht!

Ü1a 1. die Hauptaussage eines Textes nennen, 2. Beispiele nennen, 3. die eigene Meinung äußern

Ü2a 1. Das ist echt ein verschlafenes Nest. 2. Lass uns noch mal darüber schlafen. 3. Man soll keine schlafenden Hunde wecken.

Aussprache Fremdwörter ändern sich

Ü1a die Mus<u>i</u>k, das Lab<u>o</u>r, die Ökonom<u>ie</u>, die Biolog<u>ie</u>, das Tr<u>ai</u>ning, die Reg<u>io</u>n

Ü1b mus<u>i</u>kalisch, der Lab<u>o</u>rant, der Ökon<u>o</u>m, bio<u>lo</u>gisch, train<u>ie</u>ren, region<u>a</u>l

Transkript zum Arbeitsbuch

Kapitel 1   Heimat ist ...

Modul 1   Übung 7

○ Auswandern – das ist das Thema unserer Morgensendung und dazu begrüße ich ganz herzlich unsere Expertin Frau Beimer bei uns im Studio.

● Guten Morgen.

○ Frau Beimer, Sie beraten Leute, die sich in einem anderen Land ein neues Leben aufbauen wollen. Wie sehen denn die aktuellen Zahlen aus? Wie viele Deutsche leben momentan im Ausland?

● Darauf gibt es keine eindeutige Antwort. Wir können nur sagen, dass momentan pro Jahr ca. 100.000 Menschen Deutschland verlassen. Ebenso viele kommen aber auch wieder zurück.

○ Ach, ... woran liegt das denn?

● Nun, heute wird ja das gesamte Arbeitsleben flexibler gestaltet als früher. Viele Leute gehen beruflich für eine Weile ins Ausland und die meisten Menschen planen bereits vor Ihrem Auslandsaufenthalt, nach ein paar Jahren wieder zurückzukommen.

○ Wenn ich aber nicht über meine Firma für eine Weile ins Ausland gehe, sondern so richtig auswandern will, weil ich vielleicht von einem Leben in einem sonnigeren Land träume, was sollte ich denn da beachten?

● Ganz wichtig ist es natürlich, die Sprache des Ziellandes zu beherrschen. Sonst wird es mit der Arbeitssuche schwierig. Das gilt eigentlich für jedes Land. Die meisten Menschen schätzen ihre Sprachkenntnisse übrigens besser ein, als sie tatsächlich sind. Sie sind dann überrascht, auf wie viele Schwierigkeiten sie stoßen, wenn sie beispielsweise Dinge organisieren müssen.

○ Welche Rolle spielt Geld bei so einem Neuanfang?

● Ein Umzug kostet ja immer Geld. Und bis man eine neue Stelle gefunden hat, können manchmal einige Monate vergehen. Man muss in dieser Zeit aber trotzdem von irgendwas leben, die Miete zahlen usw. Das unterschätzen viele Menschen und befinden sich dann plötzlich in einer schwierigen finanziellen Situation. Man sollte auf alle Fälle genug Geld haben, um einen gewissen Zeitraum finanziell überbrücken zu können.

○ Ja, das klingt logisch. Woran sollte man sonst noch denken?

● Ganz wichtig finde ich, dass man das zukünftige Land schon ein bisschen kennt und vor allem, dass man sich im Vorfeld genau erkundigt hat, ob man eine Arbeitserlaubnis braucht und wie man diese bekommt und welche anderen bürokratischen Hürden man überwinden muss.

○ Und wo möchten denn die meisten Menschen leben? Entscheiden sich fast alle für ein ganz anderes Leben auf einer Insel in der Karibik?

● Nein, die beliebtesten Auswanderungsländer der Deutschen sind nach wie vor die Schweiz und die USA.

Aussprache   Übung a

Information – Musik – Skandal – Symbol – Produkt – Technologie – Sensation – Experiment – Mikroskop – Biologie

Aussprache   Übung b

Ministerium – Pathos – Forum – Museum – Eukalyptus – Journalismus – Chaos – Fokus – Publikum – Vokabel

Kapitel 2   Sprich mit mir!

Modul 2   Übung 1b

○ „Sprachen einfach lernen" – das ist heute unser Thema. Und dazu habe ich mir einen ganz besonderen Gast eingeladen: Nikolas Stiegl, 22 Jahre alt, Mathematikstudent in Stuttgart. Hallo! Schön, dass du da bist.

● Hallo.

○ Nun werden sicher einige denken: Was hat ein Mathematikstudent bei einer Sendung zum Thema „Sprachen" zu suchen? Aber ganz einfach, du sprichst ...

● ... acht Sprachen ..., also fließend, und zwei so, dass ich mich ganz gut verständlich machen kann.

○ Sind dann insgesamt zehn. Ein echtes Sprachtalent also. Wie macht man so was?

● Naja, sagen wir mal so, ... Meine Basis war schon nicht ganz schlecht.

○ Was für eine Basis?

● Mein Vater ist Deutscher, stammt aber aus Kroatien, meine Mutter ist Spanierin. Die ersten Jahre habe ich auch viel Zeit mit meiner Oma verbracht. Und die ist Französin. Also bin ich schon mit vier Sprachen aufgewachsen und habe sie ohne große Anstrengung gelernt. Ich habe immer in der Sprache gesprochen, die ich mit der Person verbunden habe, die gerade vor mir stand. Also: Mama – Spanisch, Papa – Kroatisch, Oma – Französisch und Freunde, Lehrer, sonstiges Umfeld – Deutsch.

Modul 2   Übung 1c

○ Und wie ist es dann nach dem Lernen der ersten Sprachen weitergegangen? Bisher habe ich vier Sprachen gezählt.

- In der Schule ist noch Englisch dazugekommen. Aber dann war irgendwann Pause.
○ Warum das denn?
- Ich denke, die Schule hat mein Lernen blockiert. Ich kann gut lernen, wenn ich eine Sprache ohne Anleitung oder Regeln selbst ausprobieren kann, wann und wie ich will. Wenn ich spielerisch lernen kann – so wie kleine Kinder –, klappt das super. Zum Beispiel kann ich gut Reihen mit ähnlichen Lauten bilden: Spaß – Spiel – Sport. Da stecken auch Emotionen drin. Hier zum Beispiel ganz positive. Oder: dunkel – Donner – Drama. Das ist dann eher negativ.
Das ist ein Spiel mit Wörtern. Aber in der Schule haben wir nicht so gelernt.
○ Wie lernst du noch?
- Mir muss Lernen Spaß machen. Spielen macht mir Spaß, aber auch Lesen. Deshalb lese ich gerne Comics in einer Fremdsprache oder spannende Geschichten. Dabei merke ich mir die Wörter viel schneller. So hab' ich auch Schwedisch gelernt. Erst hab' ich Wörter gelesen, dann Sätze. Irgendwann konnte ich ein System erkennen.
○ Du hast Schwedisch nur über das Lesen gelernt?
- Nein, nicht nur. Das war vor allem der Anfang. Bei einem Schüleraustausch in Schweden ging dann alles ganz leicht weiter. Um eine Sprache flüssig zu beherrschen, ist natürlich auch das Sprechen total wichtig. Sätze baue ich nicht durch gelernte Grammatik, sondern durch Imitation. Ich höre, was die andern sagen und das spreche ich nach.
Beim Sprechen korrigiere ich mich selbst, wenn ich Fehler mache – so lange, bis es passt. Am Anfang hört sich das immer schrecklich an, aber ich habe keine Angst davor. Und die meisten Leute finden es sogar ganz lustig. Italienisch habe ich so ziemlich schnell gelernt.

Modul 2 Übung 1e
7

○ Noch mal zurück zur Schule. Warum konntest du da nicht so gut lernen?
- Ich glaube, das ist ein generelles Problem. Es müssen immer Tests und Klassenarbeiten geschrieben werden, damit man Noten für das Zeugnis bekommen kann. Das wird schnell zu Stress und der Spaß kommt zu kurz.
Ich fände es besser, wenn man die Sprache selbst entdecken und ausprobieren könnte.
Und dann sprechen wir auch nicht ganz natürlich in der Fremdsprache. Die Situation in der Schule ist total künstlich. Wir sprechen ja im Unterricht mit unseren Lehrern und Mitschülern und meist nicht mit Muttersprachlern in realen Situationen. Man

sollte viel mehr mit Muttersprachlern sprechen, oder Filme sehen, singen …
○ Oder lesen?
- Ja, das auch. Aber da sollte es viel verschiedenes Material zur Auswahl geben. Ich mag was Spannendes oder was Verrücktes, andere vielleicht lieber was über Sport oder Modezeitschriften oder was aus dem Internet … Das kann alles Mögliche sein.

Modul 2 Übung 1f
8

○ Du hast jetzt schon sieben Sprachen genannt. Du sprichst aber auch noch gut Ungarisch und kannst etwas Russisch und Japanisch. Was würdest du Leuten empfehlen, die eine Sprache richtig lernen wollen?
- Ähm … rein in die Sprache! In das Land selbst fahren. Man kann ja zu Hause schon was vorbereiten und dann zu einer Gastfamilie fahren oder dort in einer WG wohnen. Oder wer zu Hause lernen will, der sucht sich einen Sprachpartner und dann: sprechen, sprechen, sprechen …
Und keine Angst haben, es kann ja nur besser werden, wenn man erst mal nichts kann …
○ Emotionen sind also wichtig …
- Ja, klar, man soll das ja mit Spaß machen. Manchmal muss man ein bisschen Mut sammeln, aber mit dem Erfolg kommt auch der Mut.
Und es reicht auch, wenn man zwei Fremdsprachen kann. Es hat ja nicht jeder Lust drauf, ständig neue Sprachen zu lernen. Andere kochen lieber oder basteln am Computer. Da bin ich zum Beispiel total talentfrei.
○ Was wird deine nächste Sprache?
- Pfff … keine Ahnung. Vielleicht mal was ganz Neues. Eine afrikanische Sprache … mal sehen!
○ Klingt spannend. Deine Erlebnisse mit Sprachen und auf Reisen hältst du ja auch in deinem Blog „mybubble" fest. Wer da mal reinschauen will, ist herzlich eingeladen. Nikolas, ich bedanke mich …
- Ich bedanke mich für die Einladung.

Aussprache Übung 1a
9

○ Hallo, mein Schatz. Wie war dein Tag?
- Hallo. Ja … war ganz gut. Und bei euch?
○ Du musst gleich noch mit unserem Vermieter sprechen.
- Was gibt es denn zu essen?
○ Hörst du mir zu? Du musst mit ihm sprechen.
- Was ist denn los?
○ Der benimmt sich unmöglich.
- Wie?
○ Unmöglich! Der meckert nur rum!

- Is' ja gut …
- Es gibt jetzt richtig Ärger wegen unserer Grillparty.
- Aha …
- Ja, wegen der Party! Sprich mit ihm.
- Ja, gleich …

Aussprache Übung 1c

A Zu deinem Friseur? Da gehe ich nie wieder hin!
Nie wieder!

B ○ Ist das Essen nicht in Ordnung?
● Nein, das Essen ist kalt.

C Du siehst heute aber toll aus! Fantastisch!

D Für die Firma ist es entscheidend, den Auftrag
zu bekommen.

Kapitel 3 Arbeit ist das halbe Leben?

Modul 3 Übung 1

*Sie haben ein Meeting organisiert und das Programm an
eine Kollegin geschickt. Die Kollegin hat Ihnen auf dem
Anrufbeantworter notwendige Korrekturen hinterlassen.
Hören Sie die folgende Nachricht und korrigieren Sie
während des Hörens falsche Informationen oder
ergänzen Sie fehlende Informationen. Sie hören den Text
einmal.
Sehen Sie sich nun die Aufgaben dazu an. Dazu haben
Sie 90 Sekunden Zeit.*
Ja, hallo, hier ist Monika, grüß dich. Du, ich ruf an,
wegen dem 3-tägigen Meeting nächste Woche, da hab
ich jetzt das Programm von dir bekommen. Super,
vielen Dank dafür. Ich hab' da noch ein paar Anmer-
kungen dazu. Ich bin jetzt grad im Zug unterwegs und
würd' dir die Änderungen gern telefonisch durch-
geben, um das Ganze vom Tisch zu haben. Ich hoffe,
das ist für dich in Ordnung. Also, ich fange einfach mal
der Reihe nach an:
Also, beim ersten Tag und ersten Programmpunkt, da
ist ein Tippfehler bei der Telefonnummer von Peter
Berghammer, die Vorwahl ist falsch, die muss 0179
lauten.
Dann, beim Mittagessen, da sollten wir bei der
Restaurantadresse unbedingt dazu schreiben, dass
das Restaurant gegenüber der Firma ist – sonst rufen
die am Ende alle noch an und fragen, wie man da
hinkommt … Und ich frag mich, ob wir nicht vielleicht
auch die Telefonnummer vom Restaurant unter
Ansprechpartner notieren sollten. Hm, mach das, wie
du es für richtig hältst.

Am Nachmittag finde ich das Programm zu lang, bis
19:00 Uhr, das geht auf keinen Fall. Die sind ja zum Teil
von weit her angereist. Also, anstatt die Armen bis 19
Uhr einzuplanen, würde ich schon um 18 Uhr Schluss
machen. Dann haben sie auch noch ein bisschen Zeit
für sich.
Sollen wir nicht noch den Thomas als Ansprechpartner für die Einschreibung in die Gruppen angeben?
Obwohl, ich glaube, wir wollten das absichtlich nicht
machen, um zu vermeiden, dass alle jetzt schon bei
ihm anrufen, oder? Und sag mal, wo machst du
eigentlich mit? Magst du dich auch zum Hochseilpark
anmelden? Ich hätte da total Lust drauf.
Gut, am Abend dann um 19:30 Uhr stimmt der
Treffpunkt nicht, wir sollten uns auf dem Firmenparkplatz treffen, denn da steht ja dann auch der Bus.
Kannst du das bitte auch noch ändern?
Und beim Programm vom Freitag fehlt noch die
Kontaktperson für Gruppe B. Das ist Frau Hilde Koeker
mit „K" also: K – o – e – k – e –r.
So, das war's. Ich hoffe, du blickst durch bei den
ganzen Korrekturen und schaffst es, alles einzutragen,
ohne zu verzweifeln … Ruf mich einfach an, wenn
noch irgendwas unklar ist, ansonsten kann das
Programm dann von mir aus raus. Danke dir!

Aussprache Übung 1b

anspruch – anspruchs – anspruchsvoll
Finanz – Finanzkri – Finanzkrise
haupt – hauptsäch – hauptsächlich
Vor – Vorgesetzt – Vorgesetzte
Kündigung – Kündigungs – Kündigungsfrist
glück – glücklich
vernünf – vernünftig
Recht – Rechtsan – Rechtsanspruch
Geschäft – Geschäfts – Geschäftsleitung
Eintritt – Eintritts – Eintrittstermin
über – übersicht – übersichtlich
umfang – umfangreich

Aussprache Übung 1c

anspruchsvoll – Finanzkrise – hauptsächlich –
Vorgesetzte – Kündigungsfrist – glücklich –
vernünftig – Rechtsanspruch – Geschäftsleitung –
Eintrittstermin – übersichtlich – umfangreich

Aussprache Übung 2a

Zwanzig Zwerge zeigen Handstand, zehn im
Wandschrank, zehn am Sandstrand.

Transkript zum Arbeitsbuch

Kapitel 4   Zusammen leben

Modul 4 Übung 2a

Guten Abend. In unserer Reihe „Beruf aktuell" geht es heute um das Thema „Männerberufe – Frauenberufe: Klischee oder Realität?"

Frauen werden Erzieherinnen, Verkäuferinnen oder Krankenschwestern, Männer werden Mathematiker, Manager oder Handwerker. Das ist nicht immer so. Aber was hat sich wirklich verändert? Gibt es inzwischen mehr männliche Erzieher in Kindergärten, sodass die Kinder nicht mehr nur von Frauen betreut werden? Haben wir heute mehr Ingenieurinnen oder Technikerinnen und können so den Fachkräftemangel ausgleichen?

Zahlen sprechen eine eigene Sprache und die sagen, dass es in den letzten Jahren keine großen Veränderungen gegeben hat. Konkret bedeutet das: Unterricht geben vor allem Frauen. Nur 25 % der Lehrer sind männlich. Und im Kindergarten sind es sogar nur 7 %. Im Berufsfeld der Ingenieure dagegen liegt der weibliche Anteil bei 12 %. Stark vertreten sind die Frauen aber bei den Pflegeberufen mit 87 %, auf die Männer entfallen hier also nur 13 %. In den führenden Positionen von Firmen haben immer noch die Männer ganz klar die Nase vorn. Frauen sind nur mit einem Anteil von 25 % dabei.

Insgesamt sind das also keine erfreulichen Tendenzen. Es lassen sich aber auch positive Trends feststellen. Frauen und Männer sind ähnlich stark in den Berufsgruppen der Ärzte und Apotheker, im Bankwesen, aber auch in den Geistes- und Naturwissenschaften vertreten. Alles Bereiche, in denen früher vor allem Männer tätig waren.

In Berufen, die eine langjährige Ausbildung voraussetzen wie ein Studium, stehen die Chancen auf eine gleiche Verteilung von Männern und Frauen also grundsätzlich besser.

Dennoch finden sich auch in anderen Branchen immer mehr Menschen, die aus den Rollenklischees ihrer Berufe ausbrechen und ihren Beruf wählen, weil sie dafür besonders geeignet sind und er ihnen einfach richtig Freude macht.

Hören Sie dazu drei Beiträge, die deutlich machen, dass wir alle etwas davon haben, wenn der Beruf nicht nach einem festen Rollenbild gewählt wird.

Modul 4 Übung 2b

Patrick Benecke, 32 Jahre aus Karlsruhe

Zuerst habe ich eine Ausbildung zum Maurer gemacht. Nach fünf Jahren hab' ich aber gemerkt, dass das einfach nichts für mich ist. Dann hab' ich mit Freunden und mit meiner Familie gesprochen und überlegt, was mir wirklich Spaß machen würde. Ich wollte einen ästhetischen Beruf wählen. Und deshalb habe ich mich zu einer Kosmetiker-Ausbildung angemeldet. Also bin ich auf einmal nur noch mit lauter Frauen zusammengesessen. Die waren am Anfang zwar skeptisch, aber im Lauf der Ausbildung haben wir uns gut ergänzt. Die Hautpflege, Chemie und medizinische Fragen, das hat mich am meisten interessiert.

Die Frauen konnten mir gute Tipps geben, zum Beispiel zu den kaufmännischen Fragen. Und natürlich zu den Produkten und zur Anwendung selbst. Da musste ich wirklich viele Dinge nachholen, die für die Frauen sonnenklar waren.

Nach der Ausbildung habe ich meinen eigenen Salon aufgemacht und der läuft richtig gut. Die Kundinnen sind zwar oft überrascht über einen Kosmetiker, aber ich habe nur positive Erfahrungen gemacht. Interessant wird es, wenn männliche Kundschaft kommt. Meist erwarten die eine junge und gestylte Kosmetikerin und sind sehr zurückhaltend. Aber die meisten kommen immer wieder, weil sie von Mann zu Mann reden können. Sie finden das einfach entspannter.

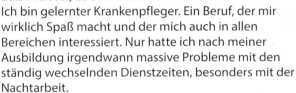

Luis Meister, 25 Jahre aus Schwerin

Ich bin gelernter Krankenpfleger. Ein Beruf, der mir wirklich Spaß macht und der mich auch in allen Bereichen interessiert. Nur hatte ich nach meiner Ausbildung irgendwann massive Probleme mit den ständig wechselnden Dienstzeiten, besonders mit der Nachtarbeit.

Ich konnte nicht mehr einschlafen, ich hatte Kreislaufprobleme und konnte mich schlecht konzentrieren. Naja, wegen dieser Probleme war ich bei meinem Hausarzt und habe ihm ein bisschen von meinen Sorgen erzählt. Und der kam auf die Idee, ob ich nicht bei ihm als Arzthelfer anfangen will. Und jetzt ist er mein Chef und wir sind beide sehr zufrieden.

Die Patienten glauben oft, dass ich der Arzt bin … und, wenn ich den Irrtum dann aber aufkläre, dann kommt nach einer kurzen Pause oft: „Warum eigentlich nicht? Es gibt inzwischen ja auch viele Pfleger."

Ich engagiere mich auch gerne für meinen Job. Darum bin ich in unserem Berufsverband aktiv und arbeite bei den Lohnverhandlungen intensiv mit. Die Kolleginnen haben mich zu ihrem Sprecher gewählt und so versuche ich, für uns alle bessere Bedingungen zu erreichen – die Verhandlungspartner sind ja meist Männer …

Jule Großberndt, 26 Jahre aus Tübingen

Schon immer habe ich gern geschraubt, gebastelt, irgendetwas aufgebaut oder repariert. Allen in der Familie war klar, dass ich mal in einem Männerberuf landen werde.

Ich habe mir dann Feinmechanikerin als Berufsziel gewählt. Ich liebe es, mit Metallen zu arbeiten. Und in dem Beruf kann ich das voll ausleben. In der Lehre hatte ich noch Angst, dass ich mit den Kollegen irgendwie Probleme haben könnte. Aber im Prinzip ist es sehr gut gelaufen.

Allein unter Männern wurde ich akzeptiert und auch respektiert, als ich gezeigt habe, was ich kann. Dumme Sprüche muss man manchmal einfach überhören, aber die gibt es sonst auch im Leben. Eine Arbeit im Büro wäre auf gar keinen Fall etwas für mich. Ich muss etwas bauen, ein technisches Problem erkennen und lösen. Das sind Dinge, die mir Spaß machen.

Jetzt ziehe ich zu meinem Freund und wechsel in eine andere Firma. Meine Kollegen haben mir zum Abschied gesagt, dass sie sich auf jeden Fall mehr Kolleginnen wünschen. Sie finden das Arbeitsklima dadurch entspannter und in der Zusammenarbeit hat es weniger Konflikte gegeben. Das hätten sie am Anfang nicht erwartet. Darüber sollten auch andere Firmen mal nachdenken.

Aussprache Übung 1a und b

Sonne – singen – Kissen – Nase – Geheimnis – heißen – lassen – Lust – Kuss – Reise – Post – Mäuse – Bus – Wiese – schließen – Hose – Schluss – heiser

Aussprache Übung 2a

1. Zehen – sehen
2. Zack – Sack
3. zwei – sei
4. Zauber – sauber
5. zocken – Socken
6. Zahl – Saal

Aussprache Übung 3

Rosenstrauß – Silvester – zuckersüß – Außenseiter – Zweisamkeit – Ostersonntag

Kapitel 5   Wer Wissen schafft, macht Wissenschaft

Modul 1 Übung 1

○ Es ist wieder soweit. Das Programm der Münchner KinderUni startet und wird sicherlich wie schon in den vergangenen Jahren ein voller Erfolg. Hören Sie selbst.

● Ja, also, ich bin jetzt schon zum dritten Mal dabei. Mir macht das sehr viel Spaß hier, ich habe schon viele interessante Vorlesungen besucht. Wir sitzen in Hörsälen und fühlen uns wie erwachsene Studenten. Wir haben auch ein richtiges Studienbuch, in das alle Veranstaltungen eingetragen werden, an denen wir teilgenommen haben.

▨ Die KinderUni ist wirklich eine tolle Sache. Die Professoren und Professorinnen hier gestalten die Vorlesungen für die Kinder wirklich spannend. Sie bereiten komplizierte Themen verständlich auf und berichten über ihr Forschungsgebiet. Meine Kinder sind so begeistert, dass ich auch Lust hätte, an den Vorlesungen teilzunehmen. Aber alle Plätze sind für Kinder reserviert. Allerdings gibt es manchmal ein Elternbegleitprogramm. Meistens gehe ich aber einfach in der Zeit einen Kaffee trinken.

○ Auch die Veranstalter freuen sich, dass das Semester wieder losgegangen ist.

▶ Ich helfe seit ein paar Jahren, die KinderUni zu organisieren. Die Idee kommt ursprünglich von der Uni Tübingen. Dort gab es die KinderUni erstmals 2002. Die KinderUni in München gibt es seit 2004. Tausende von Kindern konnten bisher an den Vorlesungen, Workshops und Touren durch die Hochschulen teilnehmen. Am liebsten würden Eltern ja ihre Kinder schon mit dem Eintritt in die Schule, also mit 6 Jahren, in die KinderUni bringen. Aber wir haben uns entschieden, die Vorlesungen erst für Kinder ab acht Jahren anzubieten. Da ist das Verständnis für vieles einfach schon größer. Die KinderUni in München findet jedes Jahr an einem anderen Standort statt. Also mal an der Technischen Universität, mal an der Akademie der Künste oder an der Hochschule für Film und Fernsehen. Jedes Jahr werden auch andere Professoren und Professorinnen ausgewählt. Außerdem gibt es mittlerweile eine Vereinigung der europäischen KinderUnis, wo regelmäßig Erfahrungen ausgetauscht werden, um das ganze Programm noch besser zu gestalten. Spaß macht es sicher allen Beteiligten.

Aussprache Übung 1a

die Musik – das Labor – die Ökonomie – die Biologie – das Training – die Region

Aussprache Übung 1b

musikalisch – der Laborant – der Ökonom – biologisch – trainieren – regional

Aussprache Übung 1c

die Musik – musikalisch
das Labor – der Laborant
die Ökonomie – der Ökonom
die Biologie – biologisch
das Training – trainieren
die Region – regional

Unregelmäßige Verben

Infinitiv	Präsens	Präteritum	Perfekt
angeben	gibt an	gab an	hat angegeben
aufgeben	gibt auf	gab auf	hat aufgegeben
aufstehen	steht auf	stand auf	ist aufgestanden
aufwachsen	wächst auf	wuchs auf	ist aufgewachsen
auskommen	kommt aus	kam aus	ist ausgekommen
ausschlafen	schläft aus	schlief aus	hat ausgeschlafen
aussterben	stirbt aus	starb aus	ist ausgestorben
ausziehen	zieht aus	zog aus	hat/ist ausgezogen
backen	bäckt/backt	backte	hat gebacken
befehlen	befiehlt	befahl	hat befohlen
sich befinden	befindet sich	befand sich	hat sich befunden
beginnen	beginnt	begann	hat begonnen
begreifen	begreift	begriff	hat begriffen
behalten	behält	behielt	hat behalten
beibringen	bringt bei	brachte bei	hat beigebracht
beißen	beißt	biss	hat gebissen
bekommen	bekommt	bekam	hat bekommen
bestehen	besteht	bestand	hat bestanden
besteigen	besteigt	bestieg	hat bestiegen
bestreichen	bestreicht	bestrich	hat bestrichen
betreiben	betreibt	betrieb	hat betrieben
betrügen	betrügt	betrog	hat betrogen
beziehen	bezieht	bezog	hat bezogen
biegen	biegt	bog	hat gebogen
bieten	bietet	bot	hat geboten
binden	bindet	band	hat gebunden
bitten	bittet	bat	hat gebeten
bleiben	bleibt	blieb	ist geblieben
braten	brät	briet	hat gebraten
brechen	bricht	brach	hat gebrochen
brennen	brennt	brannte	hat gebrannt
bringen	bringt	brachte	hat gebracht
denken	denkt	dachte	hat gedacht
dürfen	darf	durfte	hat dürfen/gedurft
einbringen	bringt ein	brachte ein	hat eingebracht
eindringen	dringt ein	drang ein	ist eingedrungen
einfallen	fällt ein	fiel ein	ist eingefallen
sich eingestehen	gesteht sich ein	gestand sich ein	hat sich eingestanden
einladen	lädt ein	lud ein	hat eingeladen
einschlafen	schläft ein	schlief ein	ist eingeschlafen
einwerfen	wirft ein	warf ein	hat eingeworfen
einziehen	zieht ein	zog ein	hat/ist eingezogen
empfangen	empfängt	empfing	hat empfangen
empfehlen	empfiehlt	empfahl	hat empfohlen
empfinden	empfindet	empfand	hat empfunden

Infinitiv	Präsens	Präteritum	Perfekt
entfliehen	entflieht	entfloh	ist entflohen
entlassen	entlässt	entließ	hat entlassen
entscheiden	entscheidet	entschied	hat entschieden
entschließen	entschließt	entschloss	hat entschlossen
entsprechen	entspricht	entsprach	hat entsprochen
entstehen	entsteht	entstand	ist entstanden
erfahren	erfährt	erfuhr	hat erfahren
erfinden	erfindet	erfand	hat erfunden
ergeben	ergibt	ergab	hat ergeben
erhalten	erhält	erhielt	hat erhalten
erkennen	erkennt	erkannte	hat erkannt
erscheinen	erscheint	erschien	ist erschienen
ertragen	erträgt	ertrug	hat ertragen
erwerben	erwirbt	erwarb	hat erworben
erziehen	erzieht	erzog	hat erzogen
essen	isst	aß	hat gegessen
fahren	fährt	fuhr	ist gefahren
fallen	fällt	fiel	hat/ist gefallen
fangen	fängt	fing	hat gefangen
finden	findet	fand	hat gefunden
fliegen	fliegt	flog	ist geflogen
fliehen	flieht	floh	ist geflohen
fließen	fließt	floss	ist geflossen
fressen	frisst	fraß	hat gefressen
frieren	friert	fror	hat gefroren
geben	gibt	gab	hat gegeben
gefallen	gefällt	gefiel	hat gefallen
gehen	geht	ging	ist gegangen
gelingen	gelingt	gelang	ist gelungen
gelten	gilt	galt	hat gegolten
genießen	genießt	genoss	hat genossen
geraten	gerät	geriet	ist geraten
geschehen	geschieht	geschah	ist geschehen
gewinnen	gewinnt	gewann	hat gewonnen
gießen	gießt	goss	hat gegossen
greifen	greift	griff	hat gegriffen
haben	hat	hatte	hat gehabt
halten	hält	hielt	hat gehalten
hängen	hängt	hing	hat gehangen
heben	hebt	hob	hat gehoben
heißen	heißt	hieß	hat geheißen
helfen	hilft	half	hat geholfen
hervorheben	hebt hervor	hob hervor	hat hervorgehoben
hinterlassen	hinterlässt	hinterließ	hat hinterlassen

Unregelmäßige Verben

Infinitiv	Präsens	Präteritum	Perfekt
hinweisen	weist hin	wies hin	hat hingewiesen
kennen	kennt	kannte	hat gekannt
klingen	klingt	klang	hat geklungen
können	kann	konnte	hat können/gekonnt
kommen	kommt	kam	ist gekommen
laden	lädt	lud	hat geladen
lassen	lässt	ließ	hat gelassen
laufen	läuft	lief	ist gelaufen
leiden	leidet	litt	hat gelitten
leihen	leiht	lieh	hat geliehen
lesen	liest	las	hat gelesen
liegen	liegt	lag	hat gelegen
lügen	lügt	log	hat gelogen
meiden	meidet	mied	hat gemieden
messen	misst	maß	hat gemessen
mögen	mag	mochte	hat mögen/gemocht
müssen	muss	musste	hat müssen/gemusst
nehmen	nimmt	nahm	hat genommen
nennen	nennt	nannte	hat genannt
reiben	reibt	rieb	hat gerieben
reiten	reitet	ritt	ist geritten
rennen	rennt	rannte	ist gerannt
riechen	riecht	roch	hat gerochen
rufen	ruft	rief	hat gerufen
scheinen	scheint	schien	hat geschienen
schieben	schiebt	schob	hat geschoben
schießen	schießt	schoss	hat geschossen
schlafen	schläft	schlief	hat geschlafen
schlagen	schlägt	schlug	hat geschlagen
schleichen	schleicht	schlich	ist geschlichen
schließen	schließt	schloss	hat geschlossen
schmeißen	schmeißt	schmiss	hat geschmissen
schneiden	schneidet	schnitt	hat geschnitten
schreiben	schreibt	schrieb	hat geschrieben
schreien	schreit	schrie	hat geschrien
schweigen	schweigt	schwieg	hat geschwiegen
schwimmen	schwimmt	schwamm	hat/ist geschwommen
sehen	sieht	sah	hat gesehen
sein	ist	war	ist gewesen
senden	sendet	sandte/sendete	hat gesandt/gesendet
singen	singt	sang	hat gesungen
sinken	sinkt	sank	ist gesunken
sitzen	sitzt	saß	hat gesessen
sollen	soll	sollte	hat sollen/gesollt

Unregelmäßige Verben

Infinitiv	Präsens	Präteritum	Perfekt
sprechen	spricht	sprach	hat gesprochen
springen	springt	sprang	ist gesprungen
stechen	sticht	stach	hat gestochen
stehen	steht	stand	hat gestanden
stehlen	stiehlt	stahl	hat gestohlen
steigen	steigt	stieg	ist gestiegen
sterben	stirbt	starb	ist gestorben
stoßen	stößt	stieß	hat gestoßen
streichen	streicht	strich	hat gestrichen
streiten	streitet	stritt	hat gestritten
tragen	trägt	trug	hat getragen
treffen	trifft	traf	hat getroffen
treten	tritt	trat	hat/ist getreten
trinken	trinkt	trank	hat getrunken
tun	tut	tat	hat getan
überlassen	überlässt	überließ	hat überlassen
übernehmen	übernimmt	übernahm	hat übernommen
übertreiben	übertreibt	übertrieb	hat übertrieben
unterbrechen	unterbricht	unterbrach	hat unterbrochen
unterhalten	unterhält	unterhielt	hat unterhalten
unternehmen	unternimmt	unternahm	hat unternommen
unterscheiden	unterscheidet	unterschied	hat unterschieden
verbergen	verbirgt	verbarg	hat verborgen
verbieten	verbietet	verbat	hat verboten
verbinden	verbindet	verband	hat verbunden
verbringen	verbringt	verbrachte	hat verbracht
vergessen	vergisst	vergaß	hat vergessen
vergleichen	vergleicht	verglich	hat verglichen
verlassen	verlässt	verließ	hat verlassen
verlieren	verliert	verlor	hat verloren
vermeiden	vermeidet	vermied	hat vermieden
verraten	verrät	verriet	hat verraten
verschieben	verschiebt	verschob	hat verschoben
verschlafen	verschläft	verschlief	hat verschlafen
verschwinden	verschwindet	verschwand	ist verschwunden
versprechen	verspricht	versprach	hat versprochen
verstehen	versteht	verstand	hat verstanden
vertreiben	vertreibt	vertrieb	hat vertrieben
vertreten	vertritt	vertrat	hat vertreten
verzeihen	verzeiht	verzieh	hat verziehen
vorhaben	hat vor	hatte vor	hat vorgehabt
vorkommen	kommt vor	kam vor	ist vorgekommen
vorschlagen	schlägt vor	schlug vor	hat vorgeschlagen
vortragen	trägt vor	trug vor	hat vorgetragen

Unregelmäßige Verben

Infinitiv	Präsens	Präteritum	Perfekt
wachsen	wächst	wuchs	ist gewachsen
wahrnehmen	nimmt wahr	nahm wahr	hat wahrgenommen
waschen	wäscht	wusch	hat gewaschen
weitergeben	gibt weiter	gab weiter	hat weitergegeben
werben	wirbt	warb	hat geworben
werden	wird	wurde	ist geworden
werfen	wirft	warf	hat geworfen
widersprechen	widerspricht	widersprach	hat widersprochen
wiegen	wiegt	wog	hat gewogen
wissen	weiß	wusste	hat gewusst
wollen	will	wollte	hat wollen/gewollt
ziehen	zieht	zog	hat/ist gezogen
zugeben	gibt zu	gab zu	hat zugegeben
zwingen	zwingt	zwang	hat gezwungen

Nomen-Verb-Verbindungen

Nomen-Verb-Verbindung	Bedeutung	Beispiel
sich in Acht nehmen vor	aufpassen, vorsichtig sein	Vor manchen Menschen sollte man sich in Acht nehmen.
Abschied nehmen von	sich verabschieden	Vor der langen Reise hat er von allen wichtigen Menschen Abschied genommen.
die Absicht haben zu	beabsichtigen	Ich habe die Absicht, bald die B2-Prüfung zu machen.
eine Änderung vornehmen	ändern	Jeder Mitarbeiter kann an seinem Passwort eine Änderung vornehmen.
Anerkennung finden	anerkannt werden	Die Ergebnisse der Studie finden weltweit Anerkennung.
ein Angebot machen	etw. anbieten	Die Firma hat mir ein tolles Angebot gemacht.
jmd. Angst machen	sich ängstigen vor	Der Klimawandel macht mir Angst.
in Anspruch nehmen	(be)nutzen, beanspruchen	Wir sollten öffentliche Verkehrsmittel stärker in Anspruch nehmen.
Anteil nehmen	mitfühlen	Ich nehme Anteil am Schicksal der Betroffenen.
einen Antrag stellen auf	beantragen	Familie Müller hat einen Antrag auf finanzielle Unterstützung gestellt.
zur Anwendung kommen	angewendet werden	Die teuren Therapien kommen oft nicht zur Anwendung.
zu der Auffassung gelangen	erkennen	Ich bin zu der Auffassung gelangt, dass man sich mehr engagieren sollte.
in Aufregung versetzen	jmd. aufregen, nervös machen	Diese Prognose versetzt viele Menschen in Aufregung.
einen Auftrag geben/ erteilen	beauftragen	Der Chef hat den Auftrag gegeben, alle Dokumente zu überprüfen.
zum Ausdruck bringen	äußern, ausdrücken	Er brachte seine Besorgnis zum Ausdruck.
zur Auswahl stehen	angeboten werden	Heute stehen viele energiesparende Geräte zur Auswahl.
Beachtung finden	beachtet werden	Alternative Energieformen finden momentan große Beachtung.

Nomen-Verb-Verbindungen

Nomen-Verb-Verbindung	Bedeutung	Beispiel
einen Beitrag leisten	etw. beitragen	Jeder kann einen Beitrag zur Verbesserung der Gesellschaft leisten.
einen Beruf ausüben	arbeiten (als), etw. beruflich machen	Dr. Weißhaupt übt seinen Beruf als Sozialarbeiter schon seit 20 Jahren aus.
Bescheid geben/sagen	jmd. informieren	Können Sie mir bitte Bescheid geben/sagen, wenn der nächste Kurs beginnt?
Bescheid wissen über	informiert sein	Über Politik wissen manche noch zu wenig Bescheid.
eine Bestellung aufgeben	etw. bestellen	Wir haben unsere Bestellung bereits vor einer Stunde aufgegeben und warten immer noch.
in Betracht kommen	möglich sein	Zur Lösung des Problems kommen mehrere Möglichkeiten in Betracht.
in Betracht ziehen	überlegen	Viele ziehen in Betracht, für eine Arbeitsstelle umzuziehen.
Bezug nehmen auf	sich beziehen auf	Mit meinem Leserbrief nehme ich Bezug auf Ihren Artikel „Dr. Ich".
unter Beweis stellen	etw. beweisen	Der neue Chef muss sein Können unter Beweis stellen.
zur Diskussion stehen	diskutiert werden	Verschiedene Lösungen stehen zur Diskussion.
unter Druck stehen	gestresst sein	Jugendliche stehen heute enorm unter Druck.
Eindruck machen auf	beeindrucken	Ihr Engagement macht auf mich großen Eindruck.
Einfluss nehmen auf	beeinflussen	Ich möchte auf diese Entscheidung Einfluss nehmen.
zu Ende bringen	beenden/abschließen	Wir müssen das Forschungsvorhaben zu Ende bringen.
einen Entschluss fassen	beschließen, sich entschließen	Einige Länder haben endlich den Entschluss gefasst, das Trinkwasser besser zu schützen.
eine Entscheidung treffen	etw. entscheiden	Haben Sie wegen der neuen Stelle schon eine Entscheidung getroffen?
in Erfüllung gehen	sich erfüllen	Mein größter Wunsch ist in Erfüllung gegangen.
die Erlaubnis erteilen zu	erlauben	Der Chef erteilte den Mitarbeitern die Erlaubnis, in den Pausen im Internet zu surfen.
einen Fehler begehen	etw. Falsches tun	Ich beging einen Fehler, als ich meine Kinder unbeaufsichtigt ins Internet ließ.
die Flucht ergreifen vor	fliehen	Der Dieb ergriff, so schnell er konnte, die Flucht.
zur Folge haben	aus etw. folgen, bewirken	Die Entwicklung der letzten Jahre hat zur Folge, dass neue Technologien stärker gefördert werden.
eine Forderung stellen	etw. fordern	Er stellt ganz schön viele Forderungen.
in Frage kommen	relevant/akzeptabel sein	Es kommt nicht in Frage, dass du schon wieder ein Online-Spiel spielst.
außer Frage stehen	(zweifellos) richtig sein, etwas nicht bezweifeln	Es steht außer Frage, dass neue Technologien für die Wirtschaft wichtig sind.
eine Frage stellen	fragen	Entschuldigung, kann ich Ihnen eine Frage stellen?
in Frage stellen	bezweifeln, anzweifeln	Dass genug für Jugendliche getan wird, möchte ich doch in Frage stellen.
sich Gedanken machen über	nachdenken	Ich mache mir viele Gedanken über Internetsucht.
in Gefahr sein	gefährdet sein	Die Realisierung des Projekts ist in Gefahr.
ein Gespräch führen (mit, über)	sich unterhalten	Wir haben ein interessantes Gespräch über Kriminalität geführt.

Nomen-Verb-Verbindungen

Nomen-Verb-Verbindung	Bedeutung	Beispiel
einen Grund angeben für	etw. begründen	Für diese Entscheidung wurden keine Gründe angegeben.
Interesse wecken für	jmd. interessieren für	Das Interesse an der Wissenschaft sollte bei Kindern schon früh geweckt werden.
in Kauf nehmen	(Nachteiliges) akzeptieren	Wer auswandert, muss in Kauf nehmen, dass er vielleicht Heimweh bekommt.
zur Kenntnis nehmen	bemerken, wahrnehmen	Bitte nehmen Sie zur Kenntnis, dass das Surfen im Internet während der Arbeitszeit verboten ist.
in Kontakt treten mit	kontaktieren	Ist er schon mit seinem Anwalt in Kontakt getreten?
die Kosten tragen für	bezahlen	Wer trägt die Kosten für den Unfall?
Kritik üben an	kritisieren	An der derzeitigen Bildungspolitik wird viel Kritik geübt.
in der Lage sein zu	können / fähig sein	Wir sind in der Lage, etwas für die Gesellschaft zu tun.
auf dem Laufenden sein über	informiert sein	Bist du über die neuesten Entwicklungen auf dem Laufenden?
auf den Markt bringen	etw. (zum ersten Mal) verkaufen	Immer mehr neue Geräte werden auf den Markt gebracht.
sich Mühe geben bei, mit	sich bemühen	Er gibt sich beim Vokabellernen wirklich Mühe.
eine Rolle spielen	wichtig/relevant sein	Bei vielen Problemen von Jugendlichen spielt Langeweile eine große Rolle.
Rücksicht nehmen auf	rücksichtsvoll sein	Wir sollten auf unsere Mitmenschen Rücksicht nehmen.
Ruhe bewahren	ruhig bleiben	Auch in einer wichtigen Prüfung sollten Sie vor allem Ruhe bewahren.
Schluss machen mit	beenden	Mit der Wasserverschwendung müssen wir endlich Schluss machen.
in Schutz nehmen vor	(be)schützen, verteidigen	Das war nicht in Ordnung, aber du nimmst ihn wieder vor mir in Schutz!
sich Sorgen machen um	sich sorgen	Ich mache mir große Sorgen um meinen Freund.
etw. aufs Spiel setzen	riskieren	Wir dürfen unsere Zukunft nicht aufs Spiel setzen.
zur Sprache bringen	ansprechen	Das Thema sollte öfter zur Sprache gebracht werden.
auf dem Standpunkt stehen	meinen	Ich stehe auf dem Standpunkt, dass Jugendliche mehr Unterstützung brauchen.
Stellung nehmen zu	seine Meinung äußern	Ich möchte dazu kurz Stellung nehmen.
eine Verabredung treffen zu/mit	etw. vereinbaren	Welche internen Verabredungen zum Vertrag wurden denn mit Ihnen getroffen?
Verantwortung tragen für	verantwortlich sein	Die Gesellschaft trägt die Verantwortung für die Jugendlichen.
jmd. in Verlegenheit bringen	verlegen machen	Mit seinen Fragen hat er mich in Verlegenheit gebracht.
zur Verfügung stehen für	vorhanden sein, für jmd. da sein	Für das Projekt steht nicht genug Geld zur Verfügung.
Verständnis aufbringen für	verstehen	Ich kann für dieses Problem kein Verständnis aufbringen.
aus dem Weg gehen	jmd. meiden, jmd. ausweichen	Seit dem Streit gehen sie sich aus dem Weg.
Zweifel haben an	bezweifeln	Experten haben Zweifel an der Wirksamkeit dieses Medikaments.
außer Zweifel stehen	nicht bezweifelt werden	Es steht außer Zweifel, dass viele Jugendliche zu viel Zeit am Computer verbringen.

Übersicht Audio-CD

Track	Modul, Aufgabe	Länge		Track	Modul, Aufgabe	Länge
1	Vorspann	0:16		15	Aussprache, Übung 1b	2:46
	Kapitel 1, Heimat ist …			16	Aussprache, Übung 1c	1:17
2	Modul 1, Übung 7	2:43		17	Aussprache, Übung 2a	0:13
3	Aussprache, Übung a	0:40			**Kapitel 4, Zusammen leben**	
4	Aussprache, Übung b	0:45		18	Modul 4, Übung 2a	2:36
	Kapitel 2, Sprich mit mir!			19	Modul 4, Übung 2b – Patrick Benecke	1:27
5	Modul 2, Übung 1b	1:29		20	Luis Meister	1:12
6	Modul 2, Übung 1c	2:04		21	Jule Großberndt	1:22
7	Modul 2, Übung 1e	1:13		22	Aussprache, Übung 1a und b	1:14
8	Modul 2, Übung 1f	1:32		23	Aussprache, Übung 2a	1:00
9	Aussprache, Übung 1a	0:52		24	Aussprache, Übung 3	0:35
10	Aussprache, Übung 1c – A	0:14			**Kapitel 5, Wer Wissen schafft, macht Wissenschaft**	
11	B	0:10				
12	C	0:08		25	Modul 1, Übung 1	2:26
13	D	0:09		26	Aussprache, Übung 1a	0:28
	Kapitel 3, Arbeit ist das halbe Leben?			27	Aussprache, Übung 1b	0:29
14	Modul 3, Übung 1	4:24		28	Aussprache, Übung 1c	1:03

Gesamtlaufzeit 34:47

Sprecherinnen und Sprecher:

Ulrike Arnold, Simone Brahmann, Farina Brock, Julia Cortis, Marco Diewald, Mario Geiß, Walter von Hauff, Detlef Kügow, Jenny Perryman, Jakob Riedl, Marc Stachel, Kathrin-Anna Stahl, Peter Veit, Gisela Weiland

Regie und Postproduktion: Christoph Tampe
Studio: Plan 1, München